DU MÊME AUTEUR

Aux Éditions Gallimard

LES FUNAMBULES, 1996 («Folio» n° 4980).

ÉLOGE DE LA PIÈCE MANQUANTE, 1998 («Folio» n° 4769).

LES FALSIFICATEURS, 2007 («Folio» n° 4727).

LES ÉCLAIREURS, 2009 («Folio» n° 5106).

ENQUÊTE SUR LA DISPARITION D'ÉMILIE BRUNET, 2010 («Folio» n° 5402).

GO GANYMÈDE !, coll. «Folio 2 €» n° 5165, 2011.

MATEO, 2013 («Folio» n° 5744).

ROMAN AMÉRICAIN, 2014 («Folio» n° 6026).

LES PRODUCTEURS, 2015 («Folio» n° 6167).

ADA, 2016 («Folio» n° 6461).

L'HOMME QUI S'ENVOLA, 2017.

SCHERBIUS (ET MOI)

.

ANTOINE BELLO

SCHERBIUS (ET MOI)

roman

GALLIMARD

© *Éditions Gallimard, 2018.*

SCHERBIUS

MAXIME LE VERRIER

Éditions du Sens

1978

Où je reçois un appel

Sans le zèle d'un employé des PTT, je n'aurais peut-être jamais rencontré Scherbius.

Arrivé en fin d'après-midi alors que je ne l'attendais plus, le technicien s'était mis au travail avec une ardeur trop rare pour ne pas être signalée. Une demi-heure plus tard, mon cabinet était raccordé au réseau téléphonique.

Je m'attardai un peu derrière lui pour ouvrir des cartons, tandis que la nuit tombant sur le boulevard Saint-Germain noyait les contours des meubles dans une pénombre fantomatique : le bureau au plateau de verre où j'établirais bientôt mes ordonnances ; la bibliothèque bourrée à craquer ; la paire de bergères tendues de velours vert bouteille ; la commode destinée à accueillir les dossiers de mes patients.

Quand, autour de 20 heures, retentit le carillon du téléphone, je crus à une erreur ou plutôt à un test : les PTT s'assuraient du bon fonctionnement de la ligne. Je décrochai debout. Une voix allante dissipa mes doutes :
— Maxime Le Verrier ?
— Lui-même.
— Francis Monnet à l'appareil. Nous sommes confrères, j'enseigne...

— Oh, je sais qui vous êtes, le coupai-je, en m'asseyant dans l'obscurité.

Le professeur Monnet dirige le service de psychiatrie de l'hôpital Cochin. Je ne l'ai jamais rencontré, mais, comme tous les carabins de France, je me suis usé les yeux sur son *Manuel de la schizophrénie paranoïde*.

— Fort bien, dit-il. Je n'ai, en ce qui me concerne, pas l'heur de vous connaître, mais l'un de mes doctorants m'a parlé en termes plus qu'élogieux de vos travaux sur Charcot.

— C'est très aimable à lui. Ma thèse portait sur les grandes figures de la Salpêtrière : Janet, Babinski, de La Tourette...

— Bien sûr, bien sûr. Qui vous dirigeait ?

— Jean-Claude Sicard.

— Ce cher Jean-Claude ! Que devient-il ?

— Il part à la retraite le mois prochain.

— Le veinard ! Il a toujours sa maison à...

— À Royan ? Mais oui !

— Tant mieux, tant mieux. Trêve de bavardage, vous vous demandez sans doute pourquoi je vous appelle. Figurez-vous que les services du Premier ministre m'ont envoyé un patient qui m'embarrasse bigrement. Un imposteur pathologique du nom de Scherbius...

— Un imposteur, l'interrompis-je, ou un escroc ? Ce n'est pas la même chose.

— Je vous laisse le soin d'en décider. Dans les deux cas, il n'a rien à faire chez moi. Accepteriez-vous de le prendre en charge ?

— Ma foi, comme vous le savez peut-être, je viens d'ouvrir mon cabinet, aussi je ne croule pas sous les patients.

— Alors, c'est entendu, dit Monnet en homme habitué à mener rondement ses affaires. Je vous rendrai visite tantôt pour vous transmettre les éléments en ma possession.

Je proposai au professeur de me déplacer à Cochin. Rien n'y fit.

— Je déjeune demain dans votre quartier. Je serai chez vous à 11 heures, dit-il d'un ton sans appel.

Il raccrocha pendant que je feignais de consulter mon agenda. Je n'avais même pas eu le temps de lui demander comment il avait obtenu mon numéro de téléphone.

Un prestigieux visiteur

Le professeur Monnet sonna à la porte du cabinet à
11 h 20. Si l'idée de s'excuser pour son retard lui traversa
l'esprit, il n'en laissa rien paraître.

Légèrement voûté, doté d'une barbichette taillée en
pointe, il était vêtu d'un costume bleu à fines rayures, d'une
écharpe blanche et de souliers à boucles métalliques. Une
crinière poivre et sel lui couvrait les oreilles et lui mangeait
le front. Il exsudait la compétence et l'autorité.

— Vous n'avez pas encore fait l'acquisition d'un porte-pa-
rapluies ? dit-il en me collant son pépin ruisselant dans les
bras.

Il insista pour visiter les trois malheureuses pièces de l'appartement, en me prodiguant des conseils.

— Il vous faut des magazines dans la salle d'attente : *Paris
Match*, *VSD*, le *Reader's Digest*. Pas *Télé 7 jours*, on vous le
volerait. Installez aussi une plante verte, un ficus par exemple,
ils demandent peu d'entretien. Et n'oubliez pas les boules de
gomme et les pastilles au miel. Vous avez prévu de repeindre
le couloir, j'imagine. Non ? Vraiment : du gris dans un cabinet psychiatrique ? Et pourquoi pas des dépliants pour SOS
Amitié aux toilettes pendant que vous y êtes ?

Un léger chuintement gênait son élocution. Il laissa traîner son doigt sur le rebord de la cheminée, secoua la tête en signe de désapprobation, puis chaussa des lunettes afin d'examiner ma bibliothèque.

— Là, jeune homme, vous marquez des points! Brémaud, Bourneville, Dumontpallier, vous connaissez vos classiques! Et qu'avons-nous ici? Une édition originale de *L'atrophie partielle du cerveau* de Cotard? Par exemple! vous l'avez volée à la bibliothèque Sainte-Geneviève?

— Pas du tout! m'indignai-je. Je l'ai achetée à Drouot.

— Tout doux, je plaisantais! Allons, je vois qu'on m'a bien renseigné. Asseyons-nous, que je vous narre ce que je sais de ce Scherbius.

Je lui demandai comment il avait eu mon numéro de téléphone.

— C'est mon assistante qui l'a trouvé. Pourquoi?

— Les PTT ont mis ma ligne en service à peine une heure avant votre appel.

— Quand aviez-vous réclamé le raccordement?

— Le mois dernier.

— Alors, tout s'explique. Voyez-vous, les numéros sont attribués à réception de la demande, même s'il faut ensuite des semaines pour effectuer la connexion.

— Je l'ignorais.

— Oh, les PTT se gardent bien de l'ébruiter. Vous imaginez si les gens commençaient à diffuser leurs nouvelles coordonnées avant l'ouverture des lignes?

— Vu sous cet angle...

Nous nous assîmes face à face. Sans le vouloir, Monnet avait pris ma place.

— Je boirais bien un thé, dit-il en déboutonnant sa veste.

— Je crains de n'être pas encore équipé pour vous en offrir.

— Alors, je me contenterai d'un verre d'eau.

Quand il se fut désaltéré, il consentit à aborder l'objet de sa visite.

— Ce Scherbius, donc. Un drôle de loustic.

— Un imposteur, disiez-vous hier ?

— Mieux que ça : un caméléon. Citez un métier, il l'a exercé. Prof de maths, couvreur, sommelier, chauffeur-livreur... Il reste en poste un jour, une semaine, un mois, et il déménage.

— Quel âge ?

— À vue de nez, la petite trentaine. On ne connaît pas son identité.

— Alors pourquoi l'appelez-vous Scherbius ?

— C'est le nom qu'il a donné quand on lui a mis la main au collet. Un pseudonyme, de toute évidence.

Et Monnet de me conter les circonstances de l'arrestation de son patient, qui sera bientôt peut-être le mien. Apprenant au journal télévisé que l'Élysée s'apprêtait à recevoir le président congolais, Scherbius s'est mis en tête d'accueillir l'éminent visiteur à la base aérienne de Villacoublay. Le temps de prévenir le Quai d'Orsay que Yhombi-Opango aurait quatre heures de retard à la suite d'une escale technique inopinée à Alger, il a loué une limousine et foncé à Villacoublay. Malheureusement pour lui, le directeur de cabinet de Louis de Guiringaud n'avait pas été averti du contrordre. Arrivé à l'heure dite, il s'est étonné de la présence de ce mystérieux conseiller faisant les cent pas sur le tapis rouge, une gerbe de fleurs dans les bras. Le soir même, Scherbius dormait en prison.

— Serai-je autorisé à lui rendre visite ? demandai-je.

— Vous n'aurez pas cette peine. Le procureur de la République a levé les charges, à condition que notre homme suive un traitement psychiatrique. Le gouvernement ne souhaitait pas donner à cette affaire une trop grande publicité, si vous voyez ce que je veux dire. Les services du Premier ministre m'ont adressé Scherbius, sans réaliser que la pathologie dont il souffre n'a aucun rapport avec mes travaux. Tandis que les vôtres...

— Portent sur l'hypnose, la dissociation, le somnambulisme, des domaines relativement connexes, encore que je n'ai pas besoin de vous rappeler que l'imposture n'est pas un diagnostic psychiatrique, au sens où l'entend le DSM[1]...

— Peuh, le DSM! renifla Monnet.

Je souris.

— Je ne suis donc pas le seul à mépriser cette émanation déplorable de l'impérialisme américain...

— Oh que non!

— À la décharge de ses auteurs, trop peu de cas d'imposture ont été recensés à ce jour pour qu'on puisse parler d'une véritable pathologie. L'usage veut qu'on les classe par nature : escroquerie, diplômes imaginaires, faux états de service, j'en passe et des meilleurs.

— Scherbius ne semble tirer aucun bénéfice de ses supercheries.

— Aucun bénéfice pécuniaire peut-être, mais soyez sûr qu'elles répondent chez lui à un besoin impérieux.

Nous comparâmes ensuite nos points de vue sur Ferdinand «Fred» Demara, l'imposteur américain qui inspira deux livres et un film au début des années 60.

— Spontanément, dis-je, c'est plutôt de ce côté que j'irais chercher. On retrouve le même éventail de professions chez Demara : prêtre, enseignant, chirurgien...

---

1. *Manuel diagnostique et statistique des troubles mentaux* édité par l'Association américaine de psychiatrie. Il en sera souvent question dans ce livre.

— Chirurgien ! C'est vrai, j'avais oublié cet épisode.

— Il s'était fait engager comme médecin de bord dans la marine canadienne. Il a pratiqué des dizaines d'opérations, sans tuer personne.

— Son portrait manquait quand même d'un peu de profondeur. Comment s'appelait son biographe, déjà ?

— Robert Crichton.

— Il n'était pas psychiatre, si ?

— Romancier.

— Voilà l'explication !

— Et comment ! Il s'extasie devant les exploits de Demara sans se demander de quoi ils peuvent bien être le signe.

— Et donc, pas de profil, pas d'histoire médicale, pas d'antécédents familiaux...

— Rien ! Une succession d'anecdotes sans queue ni tête !

— Si ce n'est pas se moquer du monde...

Je ramenai mon hôte à notre sujet.

— Le procureur est-il au courant de votre visite ?

— Mieux, il m'a donné sa bénédiction. Vous l'informerez à intervalles réguliers des progrès de la thérapie.

— Mes honoraires ?

— Vous seront réglés par le cabinet du Premier ministre. Naturellement, pas un mot de tout ça ne doit filtrer.

— Vous pouvez compter sur moi, dis-je en esquissant le geste de me coudre la bouche.

— À la bonne heure, dit Monnet en se levant. Quand pouvez-vous débuter ?

— Dès aujourd'hui.

— Maintenant ?

— Mais oui, balbutiai-je, un peu surpris.

S'avançant au centre de la pièce, Monnet se pencha en avant et ébouriffa vigoureusement sa tignasse, d'où s'envola une épaisse farine blanche qui vint moucheter ses chaussures. Il rangea ses lunettes dans la poche de son veston, arracha sa barbichette d'un coup sec et rejeta ses épaules en arrière, sans cesser de me regarder.

L'homme qui me faisait face, un sourire narquois aux lèvres, n'avait pas plus de trente ans.

— Par où voulez-vous commencer? demanda Scherbius en se rasseyant.

Pourquoi Scherbius mérite un livre

Entre le 6 octobre 1977, date de la scène que je viens de décrire, et le 14 avril 1978, j'ai rencontré Scherbius à soixante et onze reprises dans mon cabinet du boulevard Saint-Germain.

Scherbius – je continuerai à le désigner par ce nom étrange, bien qu'il s'agisse à l'évidence d'un pseudonyme – est le patient le plus fascinant que j'ai rencontré. Il ne fait aucun doute pour moi que son histoire prendra place un jour dans les manuels de psychiatrie, entre celles d'Anna O. et de Phineas Gage.

Avec sa permission, je retracerai son parcours, de sa naissance dans les Vosges à ce jour funeste où lui prit l'envie d'incarner, sur une base militaire, la politique africaine de la France.

Je montrerai comment son goût précoce de l'imposture (qui commença à se manifester à l'adolescence) a trouvé à s'épanouir dans un contexte sociofamilial complexe. Je raconterai les années passées dans un monastère trappiste ; les missions d'intérim dans des métiers aussi divers que cuisinier, contrôleur aérien ou pompiste ; les remplacements à l'Éducation nationale à enseigner le latin, les sciences naturelles ou la gymnastique ; l'engagement inlassable au service de l'État.

Je tenterai, après ce nécessaire préambule, de répondre aux deux questions capitales que ne manqueront pas, à cet instant, de se poser mes lecteurs : Scherbius est-il malade ? Et, si oui, où son cas s'insère-t-il dans le vaste spectre des troubles psychiatriques ?

*

Il y a cent ans encore, nos sociétés enfermaient, sans chercher à les comprendre, les individus qui s'écartaient, volontairement ou non, de la norme. Épileptiques, pyromanes, paranoïaques, autistes s'entassaient, souvent jusqu'à leur mort, dans des établissements insalubres, auprès desquels les prisons actuelles feraient figure d'hôtels trois-étoiles.

Au tournant du xxᵉ siècle, Charcot, Janet, Richer, Binet, Bernheim et quelques autres jetèrent les bases de la psychiatrie moderne. Jamais peut-être les sciences françaises ne rayonnèrent d'un éclat aussi vif que durant cet âge d'or où les époux Curie, Becquerel, Perrin et Carrel trustaient les prix Nobel.

Hélas, les noms de nos compatriotes ont aujourd'hui disparu du sommaire de l'influente revue *World Psychiatry*, si outrageusement dominé par les patronymes anglo-saxons qu'il est permis de se demander ce qui manque à nos chercheurs.

Du talent ? Notre système éducatif est le meilleur du monde.

Des mentors ? Nos enseignants n'ont rien à envier aux Américains.

Des moyens ? Un peu d'huile n'a jamais grippé les rouages, mais le problème est ailleurs.

Nous devons réapprendre à oser.

Oser tourner le dos à la psychanalyse, qui, parce qu'elle refuse de se soumettre à la méthode expérimentale, ne peut prétendre au rang de science.

Oser réhabiliter l'hypnose, dont l'injuste disgrâce n'est pas le moindre des méfaits de Freud et ses amis.

Oser nous intéresser en priorité aux phénomènes qui semblent contredire la règle plutôt qu'à ceux qui la confirment.

Oser affronter le jugement du public, en présentant nos travaux dans un style accessible, dépouillé du jargon derrière lequel se réfugient les pseudo-experts.

Autant de pieux conseils que je prends l'engagement de m'appliquer à moi-même dans cette monographie, en espérant – sait-on jamais ? – créer un nouveau type de publication scientifique, plus vivant que les mémoires empesés de mes aînés.

La tâche s'annonce immense. Les annales de la psychiatrie recensent moins de trente cas d'imposteurs, et encore ce nombre comprend-il les femmes héroïques qui se déguisèrent en hommes pour s'enrôler dans l'armée.

Seul le susnommé Demara présente de réelles analogies avec Scherbius. Né en 1921 dans l'État du Massachusetts, il s'engagea dans la marine américaine, puis canadienne, fut emprisonné pour désertion, enseigna la psychologie, fréquenta divers ordres religieux et fonda un collège de philosophie. Aux dernières nouvelles, il est chapelain dans un hôpital en Californie.

Après avoir dressé le portrait de Demara pour le magazine *Life*, le romancier Robert Crichton lui consacra un livre (*The Great Impostor*, Random House, 1959), dont le succès engendra une suite (*The Rascal and the Road*, 1961). Une adaptation cinématographique avait entre-temps été portée à l'écran, avec, dans le rôle-titre, un Tony Curtis au faîte de sa gloire. Ces œuvres, pour distrayantes qu'elles soient, nous seront de peu d'aide dans notre travail. Car Crichton n'est pas Dostoïevski. Tel l'imbécile qui fixe le doigt lui désignant la lune, il se cantonne à rapporter les excentricités de Demara, sans chercher à mettre un nom sur sa pathologie[1]. Là où je vois en Scherbius un patient, Crichton tient Demara pour un trublion bondissant, dont les aventures hénaurmes divertiront un public peu raffiné.

Nous effectuerons donc seuls, sans guide ni béquilles, ce fascinant voyage au centre du cerveau humain.

*

Un dernier mot avant de m'effacer devant mon sujet. Quand j'ai pris conscience que la personnalité de Scherbius méritait davantage qu'un article dans une revue spécialisée, je me suis mis en quête d'un éditeur de sciences humaines capable de comprendre l'audace de mon projet. Alice Samuel s'est vite imposée comme la partenaire idéale. La fondatrice des Éditions du Sens a constitué en quelques années un catalogue éclectique, allant de la démographie à l'épistémologie, en passant par la criminologie et la sociologie, son domaine de prédilection. Le fait que nous soyons tous les deux nés après la guerre à vingt kilomètres de distance (elle à Avranches, moi à Saint-Pois) a achevé de nous rapprocher. J'ai trouvé en Alice l'aiguillon et le soutien dont rêve tout auteur. Par son écoute, ses intuitions, son inaltérable bonne humeur, elle a rendu ce livre meilleur qu'il n'aurait dû l'être.

---

1. Sans doute faut-il s'en féliciter au vu de l'effrayante pauvreté des connaissances psychiatriques de l'auteur.

L'enfance

Tirer son histoire à Scherbius n'a pas été sans mal. Des minutes entières peuvent s'écouler sans qu'il décroche une parole. Je me conforme à son rythme, tant il est visible qu'il n'a pas l'habitude de s'épancher. Certains souvenirs d'enfance semblent profondément enfouis ; il faut toute mon expérience pour les ramener à la surface. Parfois, gêné de s'être laissé aller à des confidences, Scherbius m'implore de les oublier, comme si l'on pouvait purger sa mémoire en actionnant un interrupteur.

Nos séances ont lieu les lundis, mercredis et vendredis, entre 11 heures et midi. Scherbius m'autorise à les enregistrer, à condition que je n'écoute pas les cassettes en sa présence. Il répugne à entendre le son de sa voix, pour des raisons que le lecteur comprendra plus tard.

J'observe attentivement son langage corporel. À qui en connaît les codes secrets, la posture fournit de précieux enseignements. Scherbius est le plus souvent penché en avant, les jambes écartées, les pieds fermement posés au sol, d'évidents signes de franchise, voire de confiance lorsqu'il se renverse en arrière en joignant ses mains derrière sa nuque. De temps à autre cependant, je le vois se recroqueviller, croiser les jambes, s'humecter les lèvres, cligner bizarrement des yeux. Il ne soutient plus mon regard, fixe la pendule au-dessus de la porte ou une étagère de la bibliothèque. Je sais alors qu'il s'apprête à me mentir ou, plus exactement, à me livrer la version de la vérité qu'il est capable de supporter. Il est dans ces moments souvent question de son père.

Pour sincère qu'il soit le plus souvent, Scherbius garde sa part de mystère. Il refuse de divulguer sa date de naissance, de peur que je ne retrouve son identité grâce aux registres d'état civil. Il dit être né après la guerre, sans préciser si, dans son esprit, cette dernière s'est achevée à l'automne 1944 avec la fin de l'Occupation ou en mai 1945, à la capitulation allemande. À partir de divers indices qu'il serait vain d'exposer ici, je situe sa naissance quelque part entre septembre 1944 et juin 1946. Il a donc trente et un ou trente-deux ans à l'heure où j'écris ces lignes.

Alexandre Scherbius (le prénom est aussi douteux que le patronyme) a vu le jour et a grandi en Lorraine, dans le département des Vosges. Où exactement dans les Vosges ? Scherbius évoque une « grosse bourgade », dont je n'imagine pas la population inférieure à trois mille habitants. Une vingtaine de communes répondent à cette description, telles que Saint-Dié, Épinal, Gérardmer ou Remiremont. Je m'interdis de pousser mes recherches, par respect pour le désir de confidentialité de mon patient.

Alexandre est le fils cadet de Joseph et Suzanne. Il a une sœur, Danielle, de six ans son aînée. Bien qu'en âge d'être mobilisé durant la guerre, Joseph a échappé à la conscription, pour des raisons obscures. Scherbius s'est récrié avec la dernière énergie quand j'ai émis l'hypothèse que ses parents aient collaboré avec l'ennemi.

Ni l'un ni l'autre ne sont originaires de Lorraine. Joseph a grandi à Nice, où vivent encore ses frères, Suzanne en Vendée. Je ne peux que spéculer sur les motifs qui ont conduit les jeunes mariés à s'établir dans une région lointaine, peu réputée pour son hospitalité. Fuyaient-ils leurs familles ? Des créanciers pressants ? Tout au plus Scherbius lâchera-t-il que ses parents « avaient leurs raisons » de jeter l'ancre dans les Vosges.

Pendant un moment en tout cas, la chance leur sourit. Joseph dirige un cabinet d'expertise-comptable. Avec l'aide d'une demi-douzaine d'employés, il sert les entreprises de la région (principalement des exploitations forestières et des établissements textiles) et quelques gros commerces. Quand arrive le printemps, il prépare les déclarations de revenus des notables. Il gagne très correctement sa vie. Le cabinet dégage, bon an mal an, un petit bénéfice, suffisant pour faire construire au début des années 50 un pavillon de trois chambres – « en bordure de la forêt », précise Scherbius, un détail de peu d'intérêt pour qui connaît le massif vosgien.

Suzanne est mère au foyer. Quand les tâches ménagères lui laissent un peu de répit, elle offre ses services à la paroisse, où l'on ne refuse jamais son aide. Elle reprise des vêtements, collecte des denrées, organise la tombola. Très pieuse, elle s'assure que ses enfants reçoivent les sacrements, le baptême dès la naissance, puis la communion et la confirmation.

Danielle, la sœur de Scherbius, est une de ces enfants que l'on qualifie de « modèles ». Excellente élève, adulée de ses professeurs, elle montre de remarquables dispositions pour les arts. Elle passe sans effort du piano au violon, compose des sonates et chante dans le chœur paroissial. Derrière cette perfection de façade se cache toutefois une réalité moins honorable. Danielle persécute son petit frère. Sous couvert de le bichonner, elle l'accable de reproches et de brimades plus ou moins cruelles. « Elle n'aimait rien tant que de me faire accuser des forfaits qu'elle avait commis, se souvient Scherbius. Elle racontait par exemple que j'avais vidé la boîte de fruits confits, que j'empochais la monnaie des courses ou que j'avais cassé le vase rose du salon. Sa fourberie ne s'arrêtait pas là : elle glissait des limaces dans ma culotte, passait mes semelles au saindoux... Une fois, elle a même tranché mes poissons rouges en lamelles. Le pire, c'est qu'entre deux dégelées, mon père me conseillait de prendre exemple sur ma sœur!»

Danielle est tout simplement jalouse de devoir composer avec un nouveau venu qui accapare l'attention à laquelle l'avaient habituée ses parents. «La maison est trop petite pour nous deux», déclare-t-elle un jour à Scherbius en lacérant sa chemise.

Au grand dam de Danielle, son frère affiche rapidement une personnalité aussi forte que la sienne. Très en avance sur ses camarades, il saute une classe, puis une deuxième. Il fréquente à l'époque une école religieuse pour garçons, où son impertinence lui vaut régulièrement des ennuis. «Un jour, raconte-t-il, je me suis pris de bec avec le prof de maths. Il ne voulait pas entendre parler de ma démonstration de géométrie, qui était pourtant meilleure que la sienne. Quand il nous a ordonné de recopier sa solution, j'ai croisé les bras en signe de défiance. Il m'a envoyé chez le surveillant général. Je me suis levé, tranquille comme un pape, et me suis dirigé vers la porte en sifflotant. L'erreur, c'était le sifflotement : alors que je passais à sa hauteur, il m'a retourné un énorme coup de règle en bois en travers de la figure. Je me suis traîné dehors, en beuglant comme un veau. Mon nez pissait le sang; on a appris plus tard qu'il était cassé.»

Par peur du qu'en-dira-t-on, les Scherbius renoncent à attaquer l'école, mais changent leur fils d'établissement. Il atterrit dans une boîte privée, indigne de son niveau. «Je me promenais tellement en cours, se souvient-il, que ma principale occupation consistait à chercher des moyens d'amuser la galerie. Je pointais les erreurs des profs, je faisais tourner les surveillants en bourrique. Les élèves m'adoraient, car mon ingéniosité ne s'exerçait jamais contre eux. Je soutenais mordicus au prof de sports que nous avions couru quatre tours de piste et non trois, à celle de maths qu'en raison d'une sortie de classe nous manquerions son devoir sur table. Une fois, j'ai même failli obtenir un jour de congé pour tout le bahut. J'avais écrit au proviseur, sur un faux papier à en-tête de l'académie, "qu'à titre expérimental, le 5 avril, jour de la naissance de Jules Ferry, père de l'école publique et illustre Lorrain, serait férié cette année". Le lendemain, nous avons reçu une circulaire en ce sens. Si certains profs n'avaient pas eu des conjoints dans d'autres établissements, ç'aurait pu marcher. Le proviseur a promis une récompense à qui dénoncerait le coupable. Personne n'a cafté.»

À onze ans, Scherbius est en quatrième. Il n'a pas encore entamé sa croissance et pèse à peine quarante kilos. Dans son temps libre, il lit, s'exerce au calcul mental (j'aurai l'occasion d'y revenir), collectionne les timbres et les vignettes de footballeurs.

Il s'adonne au sport en dilettante; il joue un peu au ballon dans la cour de récré, au ping-pong dans le foyer de la paroisse. Il a des camarades, mais pas d'ami véritable. Il se sent trop différent de ses condisciples qui ont deux ans de plus que lui, triment comme des damnés pour rapporter des notes tout juste passables et confèrent de sujets qui ne l'intéressent pas encore. Il n'a plus d'animal domestique depuis l'épisode des poissons émincés. Il rêve de posséder un jour une mobylette, symbole de liberté. En attendant, il sert la messe le dimanche, en y mettant tout son cœur.

« J'ignore, au soir du Jugement dernier, quelle porte m'indiquera saint Pierre, mais j'ose dire que je me considère comme quelqu'un de spirituel. Les offices religieux, notamment la messe catholique, m'apaisent. Sa forme immuable, la litanie des Évangiles qu'on finit par connaître par cœur, les chants maladroits des fidèles, les incessantes références à l'éternité ont quelque chose de profondément rassurant. Quand notre abbé m'a proposé de devenir enfant de chœur, j'ai ressenti une immense fierté, l'impression d'entrer dans une deuxième famille. »

Il a emménagé dans la chambre, plus vaste, de Danielle, partie à Nancy suivre des études de lettres. Sitôt rentré de l'école, il se calfeutre dans son sanctuaire, où il se repaît des aventures d'Alexandre Dumas, de Jules Verne et de Maurice Leblanc, en suçotant des carrés de chocolat. Ce soir de 1957 ou 1958, le dos calé par deux oreillers, il relit pour la énième fois *De la Terre à la Lune*, quand des coups tambourinés à la porte du logis le tirent brusquement de l'enfance.

La fin de l'innocence

— Gendarmerie nationale, ouvrez!
Le ton comminatoire du visiteur ne souffre aucune ambiguïté : il ne demande pas, il ordonne. Suzanne jaillit du fauteuil dans lequel elle tricotait pour éteindre la radio. Elle resserre machinalement les pans de sa robe de chambre, en interrogeant Joseph du regard. Le patriarche aussi a sursauté. Il est assis à la table du séjour, des papiers étalés devant lui. Pendant la période de clôture des comptes des entreprises, il travaille souvent après le dîner. Il ne s'est pas changé en rentrant, se contentant d'enfiler des mules, de desserrer sa cravate et d'ouvrir le col de sa chemise. Il est aussi interloqué que son épouse.

— La gendarmerie, s'alarme celle-ci. Qu'est-ce qu'ils veulent?

— Il n'y a qu'une seule façon de le savoir, dit Joseph en se dirigeant vers l'entrée.

Le jeune Alexandre sort de sa chambre pour voir son père actionner la poignée au moment précis où les gendarmes enfoncent la porte. Joseph reçoit le battant en pleine figure et s'écroule au sol. Suzanne se rue vers son mari en hurlant. Le seuil livre passage à deux butors en uniforme qui, loin de s'excuser pour leur maladresse, empoignent leur victime sous les aisselles et la relèvent sans ménagement. Joseph titube, il est sonné. Alexandre mouille son pantalon de pyjama. Il n'a jamais eu affaire à la police. Il ne comprend pas ce qui se passe.

— Vous êtes fous ! s'indigne Suzanne. Vous auriez pu le tuer.

Un des gendarmes – « celui à la chevalière », comme l'appelle encore vingt ans plus tard Scherbius – minimise l'incident.

— Ça va, on ne pouvait pas savoir qu'il allait ouvrir !

— Si vous lui aviez laissé le temps de répondre, vitupère Suzanne en examinant le visage tuméfié de son mari.

— Bon, on n'a pas que ça à faire, dit l'autre (« le moustachu »). Vous êtes bien Joseph Régis Armand Scherbius ?

Le maître des lieux opine, tel un boxeur groggy qui obtempère aux injonctions de l'arbitre sans les comprendre.

— Suivez-nous. Le juge d'instruction veut vous entendre.

Joseph essaie de répondre, mais les sons restent coincés dans sa gorge. Il fait signe à Suzanne d'approcher, lui murmure quelques mots à l'oreille.

— À quel sujet ? traduit-elle.

— Ça, vous verrez avec lui.

— À cette heure-ci ?

À ces mots, le moustachu s'esclaffe.

— Un juge sur le pont à dix du ? La bonne blague ! Demain matin, si votre mari a de la chance. Pour l'heure, sa chambre l'attend.

— Sa chambre, je ne comprends pas…

— Sa cellule, si vous préférez.

Soudain, Joseph se dégage de l'étreinte des gendarmes et prend ses jambes à son cou. Il prétendra plus tard avoir voulu réunir quelques affaires. Les agents, croyant qu'il cherche à s'enfuir, le rattrapent au pied de l'escalier, le déséquilibrent en l'alpaguant par sa cravate et le traînent à travers le salon, tel un chien en laisse. Joseph, hirsute, la bave aux lèvres, se tord sur le tapis, tandis que Suzanne desserre le garrot, en hurlant à Alexandre d'aller chercher des compresses.

Première imposture

Joseph passera cette nuit ainsi que les 1 533 suivantes (un nombre à jamais gravé dans la mémoire de Scherbius) derrière les barreaux. Il lui est reproché d'avoir présenté sous un jour favorable («falsifié», dira le procureur) les comptes d'un de ses clients, une usine textile en situation de faillite virtuelle. Sans contester les faits, Joseph prétend avoir agi à la demande des actionnaires, dans l'attente d'une commande imminente, qui aurait remis la société à flot et préservé l'emploi. Lesdits actionnaires nient avoir sollicité un traitement de faveur. Armés des meilleurs avocats de Nancy, ils se constituent partie civile et chargent de façon ignominieuse Joseph, qui écope de cinq ans ferme[1]. La plainte pour violences policières qu'a déposée Suzanne a entre-temps été jugée irrecevable.

Il est difficile de sous-estimer l'importance de cet épisode dans la formation psychique du jeune Alexandre, qu'on croirait sorti d'un film de Costa-Gavras sur les horreurs du totalitarisme. Car enfin, dans quel monde des citoyens présumés

1. Une peine qualifiée d'«outrancière» et de «punitive» par les experts en droit pénal que j'ai interrogés.

coupables sont-ils molestés sous les yeux de leurs familles, puis jetés en prison, sans considération pour la noblesse de leurs motifs ? Quand j'ose me faire l'avocat du diable et insinuer que son père a peut-être, après tout, accepté un pot-de-vin, Scherbius m'apprend que le juge a bientôt échangé sa 4L contre une luxueuse DS, preuve qu'il aurait monnayé ses faveurs.

L'affaire est suffisamment opaque pour tolérer les deux interprétations. Dans la première, Joseph a voulu rendre service à un gros employeur de la région, en lui donnant le temps de se tirer d'un mauvais pas. Dans la seconde, il a maintenu artificiellement en vie une société qui méritait d'aller au tapis, moyennant un bakchich. Entre ces deux visions opposées, il n'étonnera personne qu'un préadolescent choisisse celle qui préserve l'image du père, même si elle alimente du même coup sa défiance vis-à-vis de l'appareil judiciaire. Dans tous les cas, les sévices ayant entouré l'arrestation sont inexcusables, de même que l'impunité dont ont bénéficié leurs auteurs.

Joseph est emprisonné à la maison d'arrêt d'Épinal. Suzanne lui rend visite le samedi après-midi. Dans les premiers temps, Alexandre l'accompagne au parloir, mais le spectacle du délabrement physique et moral de son père lui devient vite insupportable. Il s'inscrit dans une équipe de foot dont les entraînements coïncident comme par hasard avec les heures de visite.

La famille fait aussi le douloureux apprentissage de la pauvreté. Les économies ont servi à payer la défense de Joseph, avec le succès que l'on sait. La maison, Dieu merci, est entièrement remboursée, encore que les taxes et dépenses d'entretien représentent une lourde charge. Le cabinet comptable n'a pas survécu au scandale.

Suzanne fait feu de tout bois, mais, faute de qualifications,

ne peut prétendre à des occupations très lucratives. Elle
coud, repasse, lave des voitures. Les voisins qui consentent
à l'employer fixent unilatéralement le montant de ses gages,
en appliquant une décote qu'on ne peut qualifier autrement
que de prix de l'opprobre.

Danielle, qui a interrompu ses études de lettres, a réem-
ménagé dans sa chambre. Elle a trouvé un poste de secrétaire sous le nom de jeune fille de sa mère. Le soir, elle
s'exerce à la dactylographie, dont la maîtrise lui assurerait
de meilleurs émoluments. Elle bat froid à Alexandre, à qui
elle reproche de n'avoir pas pris la défense physique de son
père. «C'est ridicule! Vous me voyez, à douze ans, me col-
leter avec deux malabars de la maréchaussée?» se justifie
l'intéressé avec une indignation intacte.

On ne peut qu'être frappé par le parallèle entre le brus-
que déclassement social des familles Scherbius et Demara.
Ces derniers appartiennent à la bourgeoisie de Lawrence,
une ville de taille moyenne du Massachusetts. Ils mènent
grand train, emploient des domestiques qui donnent du
«Monsieur» et du «Mademoiselle» aux bambins. Ferdinand Senior exploite des cinémas. Mais le pouvoir d'achat
des Américains se contracte brutalement pendant la Grande
Dépression et, avec lui, la fréquentation des salles obscures.
Quand son petit groupe s'effondre sous le poids des dettes,
la famille est forcée de troquer sa luxueuse propriété pour
un appartement miteux dans les quartiers populaires.

Le mythe de la toute-puissance paternelle joue un rôle
fondamental dans la constitution de l'identité masculine.
Chaque homme se rappelle le jour où il a vu pour la première fois son père courber l'échine devant un agent de
police ou avouer, honteux, au repas dominical que la famille
n'a pas les moyens de partir en vacances. Nous nous remet-
tons d'autant mieux de ce traumatisme qu'il intervient en

général assez tard – pour schématiser, à l'adolescence – et nous permet de relativiser nos échecs futurs. Alexandre, lui, n'a que onze ou douze ans quand il assiste, impuissant, à l'arrestation de son père. Qu'on ne se méprenne pas sur la nature de ses larmes : il pleure sur l'innocence révolue, sur sa vulnérabilité nouvelle, sur la terrifiante incertitude du monde qui vient. Il s'est levé enfant, c'est en homme qu'il se couche.

Deux autres traits de son comportement prennent, selon moi, racine dans cette scène fondatrice : sa peur panique de la misère et son mépris pour l'administration ; ce n'est pas un hasard s'il incarne aussi souvent des représentants des forces de l'ordre.

Alexandre sèche de plus en plus régulièrement les cours, se rendant à la place à Metz ou Nancy, où il traîne dans les rues pendant des heures. Il fait une consommation effrayante de romans français et allemands, langue qu'il parle parfaitement et, pour autant que je puisse en juger, sans accent.

À l'âge de quinze ans (il en paraît dix-huit), il commet sa première imposture. Un mercredi, alors qu'il lit au bord de la piscine couverte de Bar-le-Duc, une jolie adolescente vêtue d'un maillot une pièce et d'un bonnet de bain l'accoste pour lui demander s'il connaît un certain Jean-Marc, censé lui donner une leçon de natation.

Scherbius ne fait ni une ni deux.

— C'est moi ! s'exclame-t-il en sautant sur ses pieds. Pardon, je n'ai pas vu le temps passer.

Puis, tendant la main à son élève :

— Jean-Marc.

— Nathalie.

— Enchanté de faire ta connaissance. Va chercher une planche et une ceinture et prends la ligne trois.

— Une ceinture ? glousse Nathalie. Je n'ai plus six ans.

Scherbius met les poings sur les hanches en affectant un air agacé :

— Et si je te dis que les Allemandes de l'Est s'en servent pour travailler leur phase d'appui en brasse ?

— Vraiment ?

— C'est pour ça qu'elles nagent deux secondes plus vite que les Françaises. Allez, hop hop hop !

Nathalie s'exécute docilement. La façon gentille mais ferme dont Jean-Marc l'a remise à sa place lui a fait passer l'envie de contester ses méthodes.

Scherbius est le premier surpris de la facilité avec laquelle se sont enchaînés les événements. Tout en encourageant son élève qui aligne les longueurs de bassin, il surveille du coin de l'œil la sortie des vestiaires, d'où peut émerger à tout moment le véritable Jean-Marc. Il regrette d'être pieds nus. Un maître-nageur digne de ce nom porte des claquettes, un maillot de bain rouge, un tee-shirt blanc et un sifflet. Primordial, le sifflet. Il s'en souviendra la prochaine fois.

Nathalie s'approche du bord pour recueillir ses conseils. Il est bien en peine de lui en donner : elle se débrouille très bien, cette gamine. Bien mieux que lui en tout cas, qui nage la brasse la tête hors de l'eau et ignore l'existence du papillon.

— Ça ne va pas du tout, laisse-t-il tomber. Depuis combien de temps tu prends des leçons ?

Les traits de Nathalie se décomposent.

— Six ans.

— Tss, tss…, siffle-t-il en hochant tristement la tête. Bon, on va tout reprendre de zéro. Tu vas me faire quatre longueurs avec la planche, en te concentrant sur l'allonge des jambes. Et pense à garder tes pointes de pieds dans l'axe.

— Mon coach à Besançon disait qu'elles devaient être légèrement ouvertes, se permet Nathalie.

Scherbius lève les yeux au ciel comme si, de toutes les idées fausses qui corrompent la natation moderne, celle-ci l'exaspère tout particulièrement.

— Grand bien lui fasse, mais à Berlin, les pieds restent parallèles. Et jusqu'à preuve du contraire, les Allemandes gagnent plus de médailles que les Franc-Comtoises. Allez, zou !

Scherbius se sent suprêmement détendu. Il pourrait baratiner cette môme tout l'après-midi. Tant qu'elle ne lui demande pas une démonstration. Et même ça, il a prévu le coup ! Il prétextera un eczéma : le médecin l'a interdit de bassin pendant une semaine. Bon, les avantages de la situation ne sautent pas aux yeux : il ne sera vraisemblablement pas payé pour son travail, ne pourra plus remettre de sitôt les pieds à Bar-le-Duc. Pourtant, à tout prendre, il préfère être ici qu'en cours de sciences nat'.

Nathalie termine ses quatre longueurs. Elle parle de « sensations nouvelles », d'une « qualité de glisse supérieure ». Scherbius a le triomphe modeste. Il lui donne d'autres exercices, souligne en passant les bienfaits d'une approche holistique.

— Holisquoi ?

— Holistique, dit Scherbius en régurgitant son cours de philo de la veille. Qui prend en compte l'ensemble des aspects constitutifs de la performance. Ton moniteur à Besançon, il te faisait travailler la technique – et encore, faut le dire vite. Moi, je te parle musculation, alimentation, mental. On va faire de toi une machine à gagner.

Nathalie le ramène sur terre.

— Je ne peux m'entraîner qu'une heure par semaine. Peut-être deux si ma mère est d'accord.

— Je lui expliquerai. Crois-moi, elle comprendra.

Ce n'est pas du bluff. À cet instant, Scherbius est totalement habité par son rôle. Il est un éducateur sportif prêt à convaincre une mère que sa fille a de l'or dans les jambes. Il sait déjà comment il va s'y prendre. Lui parler des Allemandes de l'Est. Des déplorables pieds en canard de Nathalie. De ce jean-foutre de Besançon qui a dû avoir son diplôme dans une pochette-surprise. Des vertus éternelles du sport.

Nathalie commence à donner des signes de fatigue. La leçon arrive à son terme. Si le vrai Jean-Marc s'est trompé d'une heure, il ne va pas tarder à débouler. Scherbius n'est pas prêt à courir ce risque. Il sort son élève de l'eau, lui prescrit quelques assouplissements, la félicite pour sa bonne volonté.

— J'aime ton attitude. Tu n'es pas comme ces bêcheuses que j'entraînais à La Tranche-sur-Mer.

Il ignore d'où lui vient cette phrase. Curieusement, il n'a jamais peur de proférer une bêtise. Les mots qui se bousculent dans sa tête trouvent toujours à se combiner de façon à peu près cohérente à la sortie.

— On se voit la semaine prochaine, dit-il en hissant son sac en bandoulière. Et pense à ce que je t'ai dit sur l'approche holistique.

— La machine à gagner, sourit Nathalie.

Elle a ôté son bonnet de bain. Ses cheveux blonds tombent en cascade sur ses épaules, elle est décidément charmante. Pourtant, une intuition conseille à Scherbius de ne pas s'éterniser.

La prochaine fois, il sera mieux préparé.

« *Je pars* »

Suzanne se tue à la tâche pour que ses enfants ne manquent de rien. Elle s'est mise en tête que Danielle doit reprendre ses études, qu'Alexandre a l'étoffe d'un grand médecin, d'un chirurgien peut-être. Elle promène des chiens le jour, brode des robes de communiantes la nuit, fourrant le produit de ces petits boulots dans des enveloppes étiquetées « Viande », « Gaz », « Bus », qui finissent par symboliser aux yeux de Scherbius le fardeau qu'il représente pour sa mère. Il ne peut plus lire dans son lit sans penser à la note d'électricité, se resservir à table sans calculer le prix de sa gourmandise. Il tourne sur deux ou trois tenues étriquées, recolle périodiquement les semelles de son unique paire de souliers. Il y a beau temps qu'il a enterré ses rêves de scooter.

Il a seize ans. Dans trois mois, il aura son bac. Car, en dépit de ses incartades, il se maintient en tête de classe. Pour autant, il ne parvient pas à se projeter dans le futur. Commencer des études pour les interrompre aussitôt, comme Danielle ? Très peu pour lui. Gratter du papier dans un bureau ? Non, merci. Entrer dans l'administration, au service des oppresseurs ? Plutôt crever.

Un matin, il ressent le besoin impérieux de gagner son pain, de quitter cette terre à jamais synonyme de déshonneur. «Je pars», écrit-il sobrement sur le bloc-notes placé à côté du téléphone. Il jette quelques affaires dans un sac à dos et s'en va le nez au vent, avec un billet de dix francs pour tout viatique.

Il marche à travers champs, en se dirigeant vers le sud, maraude pour ne pas écorner son pécule. Il dort dans des granges, se lève avec le soleil. Il est libre. Pour la première fois de sa vie, il n'a de comptes à rendre à personne. Il se taille une canne de pèlerin.

Après quelques jours de ce régime, il arrive dans la petite commune de Vitreux, dans le Jura. Pourquoi ce nom lui dit-il quelque chose? Il s'engage dans un chemin, fait demi-tour en apercevant l'hôtel de ville, symbole de cette administration territoriale qu'il abhorre, et débouche sur une place occupée par un bâtiment majestueux. «Abbaye Notre-Dame d'Acey» indique la pancarte fixée sur la grille. Il se souvient à présent pourquoi le nom de Vitreux lui a paru familier : c'est l'un des derniers monastères trappistes du pays. L'abbé, pour qui il servait la messe, voyait en la Trappe[1] la plus pure instance de l'Église. Les moines sont tenus au silence; ils mènent une vie austère et contemplative, entrecoupée de tâches manuelles.

C'est le signe qu'attendait Scherbius. Il sonne à la grille et sollicite l'hospitalité. Après quelques pourparlers, il est autorisé à pénétrer dans l'abbaye. Il y restera deux ans, sous le nom de Frère Jérôme.

---

1. Le surnom de l'ordre cistercien de la stricte observance.

Frère Jérôme

Pour convaincre les moines de l'accueillir en leur sein, Scherbius a pris quelques libertés avec la vérité. Il s'est présenté comme Hanz-Harald Durchstetter, un Allemand originaire de Lübeck, «cherchant la rédemption dans l'adoration du Christ après une jeunesse d'inqualifiable luxure». Je lui demande comment il a échafaudé ce couplet. Il n'en sait rien : il a sonné à la porte et quelques secondes plus tard, il débitait son boniment. Le nom de Hanz-Harald Durchstetter ? Il jurerait l'avoir vu passer dans un livre. Quant à Lübeck, il lui semble presque y avoir grandi après avoir lu les *Buddenbrooks* de Thomas Mann.

Le moine de garde a fait appeler l'abbé Macle, qui dirige le monastère. Celui-ci a proposé au visiteur de l'héberger pour quelques nuits, «le temps qu'il se requinque et rende grâce au Seigneur pour ses bienfaits». Scherbius s'est permis d'insister : il ne manque de rien sur la route et prie déjà plusieurs heures par jour. Il veut franchir une nouvelle étape dans son engagement au service de Dieu.

L'abbé Macle lui a alors brossé un aperçu volontairement peu flatteur de la vie monacale : la liturgie omniprésente, la réclusion, le silence, l'absence complète de divertissement…

Voyant qu'à chaque argument, le visage de son interlocuteur s'éclairait un peu plus, l'abbé a fini par se laisser fléchir.

La vie à Notre-Dame d'Acey s'organise autour des sept offices codifiés par saint Benoît : matines (entre minuit et le lever du jour), laudes (à l'aube), tierce (vers 9 heures), sexte (vers midi), none (vers 15 heures), vêpres (vers 18 heures) et complies (avant le coucher du soleil). Entre ces séances de prière commune s'intercalent des études, des moments de recueillement personnel, du labeur manuel (travail agricole, fabrication de fromage et, dans certaines abbayes, de bière) ainsi que trois repas.

Scherbius se glisse rapidement dans son nouvel habit. Il se porte volontaire pour lire les Écritures pendant le dîner, une tâche que lui abandonnent volontiers les autres moines, trop contents de pouvoir savourer leur soupe. Sa mémoire exceptionnelle (sur laquelle nous reviendrons) fait sensation. Connaissant pratiquement par cœur le Nouveau Testament, il compare avec aisance les formulations des Évangiles.

Il loge dans une cellule de trois mètres sur deux, meublée d'un lit, d'une tablette, d'une chaise et d'une lampe de chevet. Il lave lui-même son froc et ses draps. La bibliothèque de l'abbaye contient des milliers de volumes, mais aucun – et pour cause ! – de ses auteurs de prédilection.

Il est constamment affamé. Les trois collations quotidiennes ne suffisent pas à nourrir un adolescent en pleine croissance. Il aurait besoin de viande, de féculents, de poisson ; on lui sert des soupes de légumes, de la salade, du melon. Il s'allonge de dix centimètres, sans gagner un kilo. Supplémenter son alimentation devient une obsession. Il chaparde à la cuisine, mâche des feuilles grasses, pile des noisettes en cachette. Il reste désespérément maigre.

Les autres moines l'apprécient. Il faut dire qu'il leur montre une grande déférence et les décharge de tâches ingrates pour tromper son ennui. Il rend vingt ans au plus jeune.

Le matin, Frère Jérôme est préposé à la traite des vaches. Un tiers de la production subvient aux besoins du monastère ; un tiers part dans la fabrication de fromages ; le reste est collecté par une coopérative voisine. « Le plus dur, raconte Scherbius, c'est l'odeur épaisse, le fumet du lait tiède qui vous gicle entre les mains, éclabousse les vêtements, détrempe la paille. Et si, par malheur, vous renversez le seau, c'est abominable. » Heureusement, c'est un élève doué. Il apprend à presser la base des pis en cadence, à extraire les dernières gouttes au fond des mamelles. Traire une vache à la main prend facilement une demi-heure. Les trappistes refusent de se mécaniser.

Être affecté aux étables ne présente pas que des inconvénients. C'est en effet l'un des rares endroits où les moines sont autorisés à parler – à leurs bêtes. Scherbius apostrophe ses frisonnes à tout propos : « Bonjour, mes beautés ! Là, tout doux. On a bien dormi ? Oh oui, je sens qu'on a bien dormi… » Frère Guillaume, habitué à travailler en silence, lui lance des regards noirs.

Au bout de huit mois, Frère Jérôme est muté à l'atelier, une unité de traitement des métaux par électrolyse. La tâche, si elle n'est guère enthousiasmante, permet des contacts bienvenus, quand bien même ceux-ci se limitent à des discussions techniques. Car, de toutes les privations imposées par la vie monacale, c'est le silence qui pèse le plus à Scherbius. « Nous n'étions autorisés à parler qu'en deux circonstances : pour prier et pour accomplir notre travail. S'enquérir des lectures d'un frère, lui souhaiter bon appétit, frapper à sa porte quand ses quintes de toux secouaient les murs était rigoureusement proscrit. Le trappiste retient ses émotions, il rit sans bruit, pleure sans larmes. Sa béatitude se lit sur son visage, mais ne doit jamais s'entendre. Pourtant, j'aurais tout donné pour pouvoir crier ma liesse quand le soleil levant inondait le chœur de l'abbatiale.»

Les bavardages de Scherbius nuisent à son avancement. Après un an, il est toujours cantonné au rang de postulant, qui précède celui de novice. L'abbé Macle est partagé sur sa nouvelle recrue. D'un côté, Frère Jérôme est assidu aux offices, possède le Saint Livre sur le bout des doigts, ne se plaint ni du froid ni de la chère, qui ont rebuté tant de candidats avant lui. De l'autre, il cherche toutes les occasions de sortir, que ce soit pour aller vendre les fruits au marché ou pour conduire la 2 CV du monastère au garage. Et puis il grandit encore, ce qui prouve qu'il a menti sur son âge.

Vingt-trois mois après lui avoir ouvert les portes de Notre-Dame d'Acey, l'abbé Macle explique à Frère Jérôme qu'il n'est, selon lui, pas taillé pour la vie ecclésiastique. «Il y a d'autres façons de servir Dieu. Retrouvez la compagnie des hommes. Apprenez un métier. Fondez une famille peut-être. Nous prierons pour vous.»

Je demande à Scherbius comment il a vécu son renvoi. «Bien. Pour tout dire, je m'y attendais. Si un aspect de la vie monastique vous déplaît, mieux vaut vous y résigner tout de suite, car ce n'est pas près de changer. Moi, j'espérais toujours trouver du steak au réfectoire ou *Les Trois Mousquetaires* à la bibliothèque. Ce n'était pas bon signe.»

Il ne regrette pas l'expérience pour autant. «Si on nous avait dit à mon admission que je tiendrais deux ans, ni l'abbé Macle ni moi ne l'aurions cru», s'esclaffe-t-il.

Il affirme avoir beaucoup appris à Vitreux, à commencer par la discipline. «Il faut du courage pour quitter son lit au milieu de la nuit dans la froidure de l'hiver, prier une heure, se recoucher et remettre ça avant le chant du coq. Il en faut bien davantage pour recommencer le lendemain, et le jour d'après, en sachant que ce rythme date du VIe siècle et sera encore en vigueur longtemps après notre mort. J'avais besoin de me prouver que j'étais capable d'un tel sacrifice. »

Cette dernière remarque confirme, s'il en était besoin, que les motivations de Scherbius étaient moins religieuses que spirituelles. Je lui apprends que Demara a lui aussi tâté de la vie monastique. Il n'est pas surpris. « Je n'aurais pas su le formuler ainsi à l'époque, mais il est évident que sous couvert de chercher Dieu, c'est ma propre personnalité que je tentais d'élucider. » En revanche, quand je suggère qu'il s'est tourné vers des figures tutélaires (Dieu, l'abbé Macle, etc.) pour combler le vide laissé par l'incarcération de son père, il se referme comme une huître. J'insiste, note qu'occupé à traire les vaches, il n'a pas assisté à la sortie de prison de Joseph. « Je n'apprécie pas vos insinuations ! se raidit-il. Et si, au contraire, je m'étais cloîtré pour partager son enfermement ? » Force est de reconnaître que les deux explications se défendent.

Une question me taraude, que je me sens obligé de lui poser lors de notre cinquième ou sixième séance : était-il à l'époque sexuellement actif ?

Il bondit de son fauteuil, comme si je lui avais piqué le ventre avec une hallebarde. « Nous y voilà ! éructe-t-il. Vous voulez savoir si je palpais le cul de mes vaches ? Si je m'astiquais le poireau sur ma couchette ou si les moines jouaient au bilboquet dans les douches ? Gros dégueulasse ! » Les traits révulsés, il pointe vers moi un doigt menaçant, semble hésiter à me démolir le portrait, puis tourne les talons et claque la porte derrière lui. Je m'interdis de lui courir après.

Me voilà prévenu : pour Scherbius, comme pour presque tous les patients d'ailleurs, le sujet de la sexualité est miné.

La violence de sa réaction m'amène à envisager plusieurs pistes : il est encore vierge, il a essuyé des avances à l'abbaye, il a surpris des scènes défendues, etc. À moins que le traumatisme remonte à plus loin encore : et s'il avait subi des attouchements du temps où il servait la messe ? Si son père… Je m'arrête là, faute d'éléments tangibles et aussi par respect pour Scherbius, qui éclairera peut-être ma lanterne dès la prochaine séance.

Il arrive en retard, une façon classique d'affirmer son emprise. Je l'invite à s'asseoir, sans évoquer nos derniers échanges. Il m'explique de but en blanc qu'à partir de maintenant, nous n'aborderons la question de sa sexualité qu'à son initiative. Je proteste au nom de la sacro-sainte approche holistique commune aux psychiatres et aux maîtres-nageurs. Scherbius fait mine de se lever. Je n'insiste pas.

Ce matin, en l'écoutant me raconter ses dernières heures au monastère, je ne peux m'empêcher d'imaginer le jeune Frère Jérôme, nu sous ses draps, le corps parcouru par les frissons d'une montée de sève. Comment a-t-il pu résister à la tentation, ou, tout simplement, à la curiosité, de jouer avec son sexe tiède, de le sentir palpiter et se cabrer comme un pur-sang ? Je n'imagine qu'une seule pulsion capable de supplanter le désir sexuel chez lui, une seule activité plus délectable que la masturbation : celle consistant à peupler son répertoire imaginaire de nouveaux personnages.

Allongé sur son lit, les mains croisées derrière la nuque, il visualise Jean-Jacques, un jardinier de Montélimar affligé d'un léger zozotement ; Raoul, vigie dans la marine marchande, amoureux à en crever d'une putain d'Amsterdam qui ne veut même pas coucher avec lui pour de l'argent ; Herbert, l'huissier alsacien, radié de son ordre professionnel le jour où il a gueulé « À bas les propriétaires ! » dans une réunion de syndic.

Il rêve ses créatures avec une intégrité minutieuse. Il sait comment chacune d'elles parle, rit, bouge, aime. Il connaît son solde bancaire et ses préférences politiques, ses goûts alimentaires et la voiture qu'elle conduit. Dans ces moments-là, il est Dieu.

Un régime à base de poulpe cru

Il rentre dans les Vosges à pied, un mode de locomotion qui lui laisse le loisir de planifier ses prochaines entreprises. Le temps s'écoule différemment pour Scherbius : il est comme ces félins qui se meuvent lentement, mais sont capables de fulgurantes accélérations. Il est accueilli comme l'Enfant prodigue. Joseph, sorti de prison quelques mois plus tôt, serre son fils contre son cœur. Il a terriblement vieilli, comme si chaque année derrière les barreaux en avait duré cinq. Il a perdu ses cheveux, des dents, la joie de vivre. Il a trouvé un poste d'employé aux écritures dans un obscur cabinet de Metz où la rumeur de son indignité n'est pas parvenue. Suzanne continue de s'épuiser en tâches arides. Elle conjure sa peur de la misère en faisant fructifier chaque minute de son temps : elle colle des timbres pendant le dîner, tricote des écharpes jusqu'à ce que le sommeil la terrasse. Danielle est toujours secrétaire. Son certificat de dactylo lui a valu une augmentation royale de cinquante francs par mois. Elle ne parle plus de reprendre ses études.

Scherbius explique aux siens à quoi il a employé les deux dernières années. Danielle ricane, Joseph se fâche.

La dévote Suzanne manifeste une certaine fierté, avant de s'assombrir : et la médecine ? Alexandre comprend qu'un monde le sépare désormais de sa famille. Tant pis. Il ne ressent pas d'empathie pour ses parents. Il imagine ce qu'ils auraient pu être et la comparaison n'est pas à leur avantage. C'est décidé, il fera sa vie sans eux.

Je lui demande s'il a cherché à connaître le fin mot de l'histoire : Joseph avait-il enfreint la loi par cupidité ou par naïveté ? Sa réponse me surprend : « Quelle importance ? C'est son amateurisme qui me désole : quand on fraude, on fait ça dans les règles de l'art. »

À tout juste dix-huit ans, Scherbius est convoqué à la caserne de Toul, en Meurthe-et-Moselle, pour y effectuer ses trois jours. Les accords d'Évian viennent de mettre un terme à la guerre d'Algérie ; il se murmure que la durée du service militaire sera bientôt ramenée de trente à dix-huit mois. Sans maladie particulière, Scherbius n'a aucune raison d'échapper à la conscription. Tel n'est d'ailleurs pas son objectif. Sur place, il se prête de bonne grâce aux tests psychotechniques, passe sous la toise, monte sur la balance. Ne lui reste qu'à rencontrer le médecin, qui, sur la base des renseignements collectés et d'un bref entretien, se forgera une opinion sur sa santé. Une formalité.

Le sort et le goût du défi de Scherbius vont en décider autrement. Dans la salle d'attente, son voisin se vante du plan qu'il a conçu pour se faire réformer. Affligé d'un léger asthme d'effort, il va exagérer la gravité de son handicap, en produisant des analyses sanguines et des certificats signés de professeurs des hôpitaux de Nancy. Il a poussé la préparation jusqu'à s'entraîner à simuler un malaise, si on lui ordonne d'effectuer un tour de stade. Scherbius se gausse du jeune homme. Croit-il vraiment les médecins militaires assez bêtes pour tomber dans le panneau ? Il n'est sûrement pas le premier à exhiber des attestations bidon. Et puis, si l'armée n'employait que des marathoniens, ça se saurait. Il sera bien avancé avec ses notes de docteurs, quand on l'affectera au nettoyage des latrines ou à l'épluchage des pommes de terre. « Parce que tu as une meilleure idée, peut-être ? réplique l'autre. — Et comment ! Cent balles que je me fais réformer ! » lance, sans réfléchir, Scherbius.

Cent francs à l'époque, c'est une sacrée somme. L'autre, pourtant, n'hésite pas longtemps. Si lui se fait retoquer avec son dossier médical de derrière les fagots, comment cet ahuri arrivé les mains dans les poches aurait-il la moindre chance ? « Tenu », dit-il en tirant un Bonaparte de son portefeuille.

Justement, la porte s'ouvre, cédant le passage à un conscrit dépité. De l'intérieur, une voix s'élève : « Alexandre Scherbius. » Notre ami bondit de sa chaise et se rue dans le bureau, comme s'il attendait ce moment depuis toujours.

Il en ressort dix minutes plus tard, sourire aux lèvres. « Par ici la monnaie ! » s'exclame-t-il en agitant triomphalement un papier rose sous le nez de son rival. Celui-ci, consterné, glisse les cent francs dans la poche de Scherbius, en lui en proposant le double s'il lui révèle son stratagème. Hélas, son nom résonne dans l'antichambre. Il entre dans le bureau du médecin à reculons, défait d'avance, sa paperasse sous le bras.

« Du coup, raconte Scherbius, il n'a jamais su comment j'avais mené mon affaire. Mon plan était simple, presque évident si on prend la peine d'y réfléchir. Je me suis dit que des traîne-savates, des asthmatiques, des tuberculeux, ces toubibs en voyaient défiler toute la journée et qu'il fallait plus qu'une toux rocailleuse ou la lettre d'un grand manitou pour les impressionner. Idem du côté psychiatrique : je ne serais pas le premier à jouer les suicidaires ou à pisser au lit. Il me fallait une pathologie à la fois inédite, physiologiquement indétectable et parfaitement terrifiante : l'excès de zèle.

« J'ai longuement serré la main du médecin en le remerciant pour cette chance qu'il m'offrait de servir mon pays ; je réalisais que son nom figurerait à jamais dans mon dossier militaire, il pouvait être certain que je lui ferais honneur. Il a paru un peu décontenancé. Il a dégagé sa main de la mienne et m'a invité à m'asseoir. "Pas de pépins de santé ? a-t-il demandé en parcourant mon dossier. — Aucun ! me suis-je écrié. Vous aurez du mal à trouver un soldat en meilleure forme que moi. Je cours tous les matins avec un sac de pierres sur le dos, je me réveille au milieu de la nuit pour faire des pompes, je rampe dans la gadoue..." Il a levé la tête. "Vous n'êtes pas bien musclé pourtant." Je lui ai répondu que je suivais un régime à base de poulpe cru mis au point par l'armée japonaise. Comme il ne semblait pas curieux d'approfondir le sujet, j'ai tenté une autre approche : "L'alimentation, le sommeil, la résistance à la douleur, c'est ce genre de détails qui font la différence sur le champ de bataille. Personnellement, je travaille mes réflexes pour le cas où je devrais plonger sur une grenade afin de sauver mes camarades." Il a posé son stylo et m'a dévisagé en plissant les yeux. "Qui parle de sauter sur une grenade ? On est en temps de paix. Le dernier conscrit qu'on a enterré ici avait chopé le tétanos en ouvrant une boîte de cassoulet." J'en ai remis une couche : "L'héroïsme est un état d'esprit qui peut se décliner de mille façons. Ah, exploser sur une mine pour son pays ! Se brûler la cervelle avec sa dernière balle pour ne pas tomber aux mains de l'ennemi ! Offrir son dos aux tireurs d'élite pour faire diversion !" Soudain, il m'a fait signe de m'arrêter. Il a rempli un formulaire rose et me l'a tendu sans un mot. Sans doute me soupçonnait-il de simuler, mais il ne pouvait pas prendre le risque que je sois sérieux. Il était obligé de m'exempter. »

Il a raison. Dans l'impossibilité de pratiquer des examens complémentaires, j'aurais moi aussi renvoyé cet aspirant martyr dans ses pénates. La présence d'esprit de Scherbius est d'autant plus confondante qu'il a disposé de très peu de temps pour monter son numéro : soixante secondes à peine se sont écoulées entre le pari et son entrée dans le bureau du médecin. Je cherche à comprendre comment l'idée a germé dans son esprit. Bizarrement, il ne conçoit pas la question en ces termes : « Je n'élabore pas un plan, je le porte en moi : c'est très différent. Je me borne à choisir, parmi les centaines de personnages que j'abrite, le plus adapté à la situation. Pour le meilleur ou pour le pire, j'ai une confiance absolue dans mes capacités. Il m'arrive d'ouvrir la bouche sans savoir ce qui va en sortir. »

Cette dernière phrase, en apparence anodine, me souffle une hypothèse. Et si Scherbius, dans ces moments qu'on pourrait qualifier « d'improvisations forcées », se plaçait, délibérément ou non, dans un état de conscience modifié ? Je lui demande s'il recourt à une technique particulière (chant d'une comptine, compte à rebours, exercices de respiration…) pour induire l'état hypnotique. Il répond avoir remarqué qu'il a tendance, lorsqu'il est confronté à une décision pressante, à faire craquer ses articulations. Il me gratifie d'une démonstration dont je me serais volontiers passé, en tordant simultanément ses dix doigts, tel Max Schreck dans le *Nosferatu* de Murnau. Il se souvient d'avoir effectué ce geste quand il a pris la place du maître-nageur à Bar-le-Duc, avant de sonner à la porte de Notre-Dame d'Acey et après avoir conclu son pari à Toul. J'emmagasine ce détail, certain qu'il aura son importance un jour.

« *L'armée a fait de moi un homme* »

Délié de ses obligations militaires, Scherbius n'est pas plus avancé quant au tour qu'il compte donner à sa vie. Dans le train qui le ramène chez lui, il s'avoue qu'il a été impressionné par l'ordre qui régnait à la caserne. Les horaires ont été tenus, les tests administrés, les appelés traités avec un mélange de dureté et de respect. Ajoutons à cela que les gradés étaient tirés à quatre épingles et que pas un papier ne traînait dans la cour, et Scherbius éprouve soudain pour l'institution militaire la même attirance qu'il a ressentie tantôt envers l'Église. Cette fois cependant, il ne commettra pas l'erreur d'aliéner sa liberté : on peut admirer la discipline sans pour autant souhaiter s'y soumettre continûment. Il servira l'armée, mais à sa façon.

Le lendemain, il fait l'acquisition dans un surplus militaire d'une tenue de sous-officier d'infanterie. Il retouche la veste, cire les chaussures, puis s'entraîne, devant un miroir, à marcher, à saluer, à dégainer un briquet. Satisfait du résultat, le sous-lieutenant Bercoff[1] appelle le lycée de Sarregue-

---

1. « Ne me demandez pas d'où je tire mes pseudonymes, je n'en ai pas la moindre idée », dit-il.

mines et demande qu'on lui mette à disposition une salle le soir même pour une réunion d'information. «Inutile de placarder des affiches, dit-il à la secrétaire du proviseur, je rameuterai les troupes à la récréation.» Pas fâché de sa métaphore martiale, il raccroche, en pensant qu'il n'aura pas le temps de se procurer des brochures.

Il se pointe à l'école en début d'après-midi, va «présenter ses hommages» à la secrétaire du proviseur. Celle-ci lui révèle dans la conversation que les recruteurs de l'armée de terre opèrent habituellement en tandem et qu'ils font la tournée des lycées au printemps, en s'annonçant un mois à l'avance. Scherbius justifie le changement de format par «une expérimentation initiée par le ministre», sans préciser lequel.

Quand sonne la récréation, il descend dans la cour, s'adosse à un mur et scrute longuement les groupes d'étudiants. Je le prie de reconstituer son raisonnement. «C'est délicat. Dans l'idéal, je choisirais mes proies une à une. Mais ce jour-là, faute de temps, je cherche un leader en espérant qu'il me ramènera toute sa clique.» Je demande à quoi on reconnaît un leader dans une cour de récré. «Facile. Les autres se poilent à ses blagues. Il souffle la fumée de cigarette par le nez. Il a une fille à son bras. Et puis, il dégage un je-ne-sais-quoi…» Je presse en vain Scherbius de préciser sa pensée. Il est incapable de décrire cet ascendant naturel, mais le reconnaît sans peine – peut-être parce qu'il en est lui-même doté. Il observe pendant cinq minutes un garçon chaussé de bottes de cow-boy, qui régale un petit comité de ses traits d'esprit, en partageant sa clope avec une fille aux cheveux longs qui le couve d'un regard enamouré.

La sonnerie annonce la reprise des cours. C'est le signal que s'est donné Scherbius. Il marche sur sa cible, de cet air résolu qu'il a appris à la caserne, saisit entre ses doigts la cigarette qui pend aux lèvres du gamin et l'écrase sous son talon en disant :

— Tu m'arrêtes cette saloperie, d'accord ?

Le jeune, éberlué, dévisage ce type galonné qui vient lui donner des leçons devant ses copains. Scherbius enchaîne, sans lui laisser le temps de rassembler ses esprits.

— Je te surveille depuis tout à l'heure. Tu as l'étoffe.

— Ah ouais ? Et l'étoffe de quoi ? demande la petite amie, narquoise.

Scherbius lui colle ses galons sous le nez.

— À ton avis ? L'étoffe de commander des hommes, évidemment.

Il se retourne vers son protégé, lui lâche :

— Ce soir. 17 heures en salle B32. Viens avec ton escouade.

Un bref hochement de tête et il se volatilise derrière un bâtiment.

Scherbius dit avoir joué son va-tout. On ne peut exclure en effet que ce cow-boy en herbe exècre l'uniforme ou qu'il ait perdu son frère en Algérie. Mais il est bien plus probable qu'à l'heure qu'il est, exultant de fierté, il soit en train de choisir avec soin les camarades qu'il juge dignes de servir sous ses ordres. Tout l'art de Scherbius consiste à soupeser ces scénarios concurrents en une fraction de seconde. Car sous ses dehors de kamikaze, il ne lance une pièce en l'air que lorsque les lois de la psychologie lui indiquent avec une quasi-certitude de quel côté elle va retomber.

Il pénètre en B32 à 16 h 59. La salle est pleine à craquer : cinquante superbes mâles occidentaux massés derrière leur leader, qui s'est réservé la place d'honneur, au premier rang face à l'estrade.

— Excellent travail, soldat… ? lance Scherbius en s'asseyant sur le bureau.

— Hirschwiller, répond le cow-boy, en crevant de bonheur.

— Bien. Je suis le sous-lieutenant Bercoff, du neuvième bataillon de chasseurs à pied. Une question pour commencer : qui parmi vous envisage de s'engager dans l'armée ?

Trois ou quatre bras se lèvent sans grande conviction. Scherbius fait mine de s'en contenter.

— Normal. À votre âge, on a d'autres préoccupations. On pense aux filles. Au sport. Aux études – enfin, pour les meilleurs. (Rires étouffés.)

Cette élocution à base de phrases courtes ne doit rien au hasard. Elle lui laisse le temps d'évaluer l'impact de ses paroles, afin, le cas échéant, d'appuyer le trait ou de faire machine arrière.

— Moi, les études, ça ne m'a jamais trop botté. Je me suis arrêté au brevet, et encore c'était un brevet en grabuge, option déconne. À dix-sept ans, je filais un mauvais coton. Je faisais le coup de poing le samedi soir. Je volais des mobylettes. Je transportais des enveloppes. Mon avenir était tout tracé : maison de redressement à dix-huit balais, taule à vingt-cinq, braquages, règlements de comptes, une balle perdue et ciao, la compagnie ! Vous ne connaissez pas votre chance : vous êtes à l'abri, ici. Moi, à votre âge, j'avais déjà vu des copains mordre la poussière. Si je ne changeais pas de voie, j'allais y laisser ma peau. Alors j'ai devancé l'appel. J'ai fait mes classes à Lunéville, et après direction l'Algérie. Je sais que certains d'entre vous pensent que le Général n'aurait pas dû négocier avec les fellagas. D'autres trouvent au contraire que la France n'a rien à faire au Maghreb. C'est la grandeur du soldat de ne pas se poser les questions qui le dépassent. Son rôle n'est pas là : il est de servir la République, de remplir les missions offensives et défensives qui lui sont confiées, tout en assurant la sécurité de ses concitoyens et de ses compagnons. L'armée m'a transformé.

Elle ne m'a pas seulement appris à m'orienter en forêt ou à manier une arme. Elle a fait de moi un homme. Un mec bien. J'ai arrêté de boire ; pas parce que je n'aime plus la Kronenbourg, mais parce que, quand on est pris dans une embuscade ou qu'on défend un dépôt de munitions, on augmente ses chances de survie et celles des copains en étant à jeun. Je fais six cents pompes par jour ; pas pour épater les filles, mais pour le jour où je devrai ramener un soldat blessé derrière nos lignes. J'ai repris les études ; pas pour faire plaisir à mes vieux, mais pour apprendre un métier dont notre pays a besoin. Je ne me lève plus le matin avec une boule au ventre, à me demander ce que je vais faire du reste de mon existence. À présent, je sais. Ma vie est devenue simple. Elle est devenue belle. Je n'en changerais pour rien au monde.

Scherbius n'a volontairement rien dit des possibilités de carrière offertes aux jeunes appelés. D'abord parce qu'il n'en a pas la moindre idée, ensuite parce qu'il cherche toujours à établir une connexion viscérale avec ses cibles. Il préfère chanter la grandeur du drapeau que la générosité du système de retraite des officiers, vanter la camaraderie dans les tranchées que les billets de train offerts aux conscrits. Le petit, le mesquin, l'utilitaire, il laisse ça aux autres.

La discussion s'engage. Hirschwiller, usant d'un privilège tacite, pose la première question : à quoi sert une armée en temps de paix ? Scherbius répond avec une concision à faire baver les enseignants de l'école de guerre. À assurer la sécurité sur le territoire ; à garder nos frontières ; à favoriser le brassage social ; à s'acquitter de toute mission que l'État juge bon de lui confier.

Les questions fusent. Quelle arme offre les meilleures opportunités de carrière ? Doit-on obéir à un ordre qu'on désapprouve ? A-t-il torturé dans le djebel ? Scherbius répond à toutes, avec précision et mesure, en peignant un tableau avantageux, mais jamais mensonger de l'armée. Comme toujours, il prend sa tâche extraordinairement au sérieux. Il souhaite extirper les préjugés que la guerre d'Algérie a enracinés chez ces jeunes, sans pour autant chercher à les convaincre de s'engager.

À la fin de la réunion, il écrit au tableau l'adresse du centre régional de recrutement de l'armée de terre. Tous les gamins ou presque la recopient.

— Si ce n'était pas contre le règlement, dit-il en prenant congé, je vous laisserais mes coordonnées personnelles.

Il sort sous les applaudissements.

Durant les six mois qui suivent, il va visiter les cent dix-sept lycées de Lorraine, en peaufinant constamment son *modus operandi*. Il programme ses passages du jour au lendemain pour limiter les risques, ne laisse ni cartes ni numéro de téléphone, entretient volontairement la confusion sur son titre, l'institution dont il dépend ou sa caserne de rattachement. Sûr de sa capacité de mobilisation, il demande une grande salle, « si possible un amphithéâtre ». Les professeurs d'éducation civique qui viennent parfois l'écouter le félicitent chaudement après ses prestations.

Bien qu'ayant conscience d'enfreindre la loi, il dit agir par patriotisme. « J'ai adressé à l'armée française assez de recrues pour constituer un régiment. Quant à savoir si elle s'est montrée à la hauteur de mes promesses, c'est une autre histoire. »

*« Déjà deux dames de trèfle
et toujours aucun dix »*

J'ai évoqué tantôt la mémoire prodigieuse dont la nature a doté Scherbius. Les formes variées et souvent inattendues qu'elle revêt mériteraient à elles seules un ouvrage, que j'écrirai peut-être un jour. Disons simplement qu'il possède une mémoire photographique, ou eidétique pour employer la terminologie scientifique.

Je n'ignore pas que la plupart de mes confrères doutent de l'existence d'une telle faculté. Les expériences conduites en laboratoire n'ont, il est vrai, pas encore permis de reproduire les exploits prêtés à Napoléon, Ampère ou, plus récemment, au joueur d'échecs Bobby Fischer. Je ne m'immiscerai pas dans un débat somme toute assez éloigné de mes compétences, tant qu'on me permet de relater les faits dont j'ai été témoin.

Il suffit à Scherbius de fixer une page pendant une trentaine de secondes pour que son contenu se grave à jamais dans sa mémoire. Je l'ai vu ouvrir l'annuaire téléphonique au hasard et, une demi-minute plus tard, me réciter la liste des abonnés, dans l'ordre puis à rebours. Il sait, je l'ai dit, le Nouveau Testament pratiquement par cœur. Prononcez les mots : «Jean 12, 25» et il vous répondra : «Celui qui aime sa vie la perdra, et celui qui hait sa vie dans ce monde la conservera pour la vie éternelle. » Il peut déclamer des passages entiers d'ouvrages aussi divers que *Le fantôme de l'Opéra*, *Salammbô*, ou *Dix petits nègres*. Il jette l'indicateur des chemins de fer après l'avoir lu, connaît les épitaphes de milliers de personnages historiques et le nom de tous les papes qui ont succédé à saint Pierre.

Pour faire bonne mesure, il est aussi ce qu'il est convenu d'appeler un calculateur prodige. Si le terme ne fait pas l'unanimité dans la communauté scientifique, au moins la réalité du phénomène est-elle copieusement attestée[1], tant chez des mathématiciens comme Euler ou Gauss qu'auprès de simples bergers comme Mondeux ou Inaudi.

Scherbius multiplie sans effort des nombres de cinq chiffres. Il extrait des racines septièmes et reconnaît instantanément les nombres premiers. Plus étonnant encore, il effectue toutes sortes d'opérations de façon inconsciente. Au supermarché, il sait au centime près la valeur des articles entassés dans son Caddie. Il peut dire l'heure sans regarder sa montre.

Ces aptitudes extraordinaires ont probablement des origines communes. Dans son livre *2 + 2 = 4*, Robert Tocquet note que les calculateurs s'appuient autant sur leur mémoire que sur leur aisance computationnelle. Ils possèdent leurs tables de multiplication jusqu'à cinquante ou cent, jonglent avec les logarithmes, usent d'une multitude de procédés mnémotechniques pour stocker dans leur esprit les produits intermédiaires des opérations complexes qu'ils entreprennent.

Jusqu'à l'âge de vingt ans, Scherbius n'a pas dérivé d'autres bénéfices de ses talents que des prix répétés en

---

1. Binet consacra un ouvrage au sujet dès 1894.

récitation. Un article lu dans les pages «Loisirs» de *L'Est républicain* va changer sa vie. Il annonce la réouverture du casino de Plombières-les-Bains, après d'importants travaux de rénovation.

> *Les amateurs de roulette, baccara ou black jack vont redécouvrir les charmes de cette adorable station nichée dans la forêt, dont Napoléon III avait fait l'un de ses lieux de villégiature favoris.*

Scherbius n'a que mépris pour les jeux de hasard. La roue tourne, un numéro sort, ceux qui ont choisi la bonne couleur doublent leur mise, les autres voient leurs jetons ratissés par le croupier. De temps à autre, la boule s'immobilise sur le zéro, rinçant l'ensemble des joueurs au profit de la banque. Il faut être bien bête, ou extraordinairement peu sûr de son talent, pour prendre, à ses frais, le départ d'une course dont la chance décidera l'issue.

Il n'a en revanche jamais entendu parler du black jack. À la bibliothèque municipale, il apprend qu'il s'agit d'un jeu d'origine européenne qui n'a pris son véritable essor qu'à partir du moment où les Américains s'y sont intéressés. On en connaît le principe : le joueur et le croupier reçoivent chacun deux cartes dont les points s'additionnent. Le joueur peut demander de nouvelles cartes, tant que le total de ses points reste inférieur à vingt et un. Le croupier, lui, obéit à une règle établie d'avance : il «tire» à seize (*i.e.* il pioche une autre carte) et «reste» à dix-sept (*i.e.* il ne cherche plus à améliorer sa position). Le meilleur score inférieur ou égal à vingt et un remporte la mise.

Contrairement à la roulette, explique le *Guide des jeux de casino*, le black jack laisse une petite part à l'adresse. En prenant mentalement note des cartes qui défilent, un parieur averti peut augmenter à la marge ses chances de succès. Admettons par exemple qu'il ait dix-sept points dans la main. La même règle de prudence que s'applique le croupier voudrait qu'il « reste » : il a en effet neuf chances sur treize que la prochaine carte soit supérieure à un cinq. Si l'on suppose à présent qu'il a vu tomber toutes les figures lors des tours précédents, sa probabilité de tirer une petite carte bondit de 31 à 50 % : le pari n'est plus si fou.

Scherbius dévore les ouvrages spécialisés sur lesquels il peut mettre la main. Il refait les raisonnements, recalcule les probabilités pour s'assurer qu'il a bien compris, apprend à « compter les cartes » avec un jeu, puis deux, puis quatre... Les gérants de casinos ont en effet commencé à augmenter le nombre de jeux dans le sabot pour compliquer la tâche des compteurs. La plupart des croupiers français utilisent quatre jeux, les Américains montent jusqu'à six. Scherbius s'entraîne avec douze.

Enfin, il se sent prêt. Il pénètre un soir dans la grande salle du casino de Plombières-les-Bains, vêtu en civil pour ne pas porter préjudice à la réputation de l'armée. Il tend un Bonaparte à la caissière avec une feinte désinvolture, empoche les jetons qu'elle lui rend et se dirige d'un pas mal assuré vers la table de black jack. Trois sièges sont occupés, autant sont vacants. Invité à s'asseoir par le croupier, il fait signe qu'il n'est pas encore prêt à jouer.

Deux des joueurs se comportent comme des automates. Ils appliquent à la lettre la règle de la banque – ils tirent à seize et restent à dix-sept – en oubliant qu'en passant les premiers, ils risquent « d'exploser » (*i.e.* de dépasser vingt et un) avant le croupier qui, de ce fait, raflera la mise sans tirer une carte. Ils sont donc voués à perdre à petit feu, comme les imbéciles qui s'exclament bruyamment à la table de baccara voisine. La troisième joueuse mène sa barque avec un peu plus de discernement, mais en plusieurs occasions elle hésite à doubler, laissant filer les quelques jetons qui auraient fait la différence en fin de soirée.

Au bout d'un quart d'heure, le croupier recharge le sabot avec quatre jeux. Sans y paraître, Scherbius se met à compter les cartes. C'est tellement facile pour lui qu'il enregistre des détails sans intérêt. « Tiens, déjà deux dames de trèfle et toujours aucun dix... »

Les cartes de ce premier sabot tombent de façon trop régulière pour infléchir significativement les statistiques. Tant pis. Scherbius est patient. Il est décidé à ne s'asseoir que lorsque ses chances de gagner dépasseront les 75 %. Le deuxième sabot n'est toujours pas à son goût. Enfin, à la moitié du troisième, il reconnaît l'occasion. Quantité de petites cartes sont tombées, augmentant, à partir de maintenant, les chances de tirer une « bûche » (une figure ou un dix) de moitié ! Sans montrer son excitation, Scherbius s'assied entre les deux hommes, empile ses jetons devant lui, et adresse un léger signe de tête au croupier.

Il perd les trois premières mains, remporte les deux suivantes, double et perd celle d'après. Il note avec satisfaction que l'échec n'affecte pas ses facultés. C'est le seul point qu'il n'avait pu tester quand il s'entraînait avec des allumettes dans sa chambre.

Il commence à gagner. Deux francs par-ci, quatre francs par-là, des sommes insignifiantes qui n'attirent pas l'attention du croupier. À chaque nouveau sabot, il se lève pour se dégourdir les jambes. Il observe le jeu pendant quelques tours et, au vu de la distribution des cartes, décide ou non de se rasseoir. Une heure peut s'écouler entre deux sessions.

Les poches de Scherbius s'alourdissent. Pas question d'augmenter la mise pour autant. Il se moque de faire sauter la banque. Il teste une méthode scientifique. Tout aussi important, il cherche à se prouver qu'il est capable de tenir un cap, sans se laisser griser.

À minuit, il se lève, jette deux jetons au croupier, comme il a vu les autres joueurs le faire. La caissière qui avait pris ses cent francs lui en rend le double. Il pense que, de toute sa vie, il ne manquera jamais d'argent.

De fait, dix ans après cet épisode, Scherbius n'a jamais occupé un emploi salarié. Le black jack pourvoit à tous ses besoins, qui sont modestes. Il divise sa clientèle entre plusieurs établissements, soucieux de garder profil bas. Il arrive après le dîner, repart quand il a doublé sa mise, généralement autour de minuit. Il n'aime pas la faune de la nuit, les ivrognes qui cherchent des noises au personnel, les demi-mondaines aux regards enjôleurs, les traîne-misère qui vendraient leur mère pour un rouleau de jetons.

Mes confrères, spécialistes des troubles addictifs, à qui je rapporte ce récit, ne dissimulent pas leur scepticisme. Tous les compteurs de cartes qu'ils ont rencontrés finissent au bout d'un moment par en faire leur métier. Ils engrangent des gains croissants jusqu'au jour où les casinos, repérant leur manège, leur ferment définitivement leurs portes. En déjouant ce piège, Scherbius apporte une nouvelle preuve de sa volonté stupéfiante.

Les années de formation

Délivré des contraintes financières, Scherbius s'attelle à ce qu'il appelle sa «formation». Quand je lui demande quel cursus il a suivi, il me regarde avec commisération. «Franchement, vous me voyez sur les bancs de la fac, à étudier le droit ou la géographie à côté des morveux que je recrutais pour l'armée?»

Évidemment. Scherbius ne fait rien comme les autres. Qu'irait-il se former à un seul métier quand il peut les apprendre tous? Bûcher une matière quand il peut l'enseigner? Passer des examens quand il peut fabriquer n'importe quel diplôme?

Il m'expose sa méthode. Elle est comme d'habitude d'une simplicité confondante. En fin d'après-midi, il traîne dans une agence de travail temporaire. Ostensiblement planté devant le tableau sur lequel sont placardées les annonces, il tend l'oreille pour saisir les conversations téléphoniques. C'est en effet le moment de la journée où les chargés de recrutement établissent leurs plannings.

Scherbius me joue un appel typique. «Monsieur Karadec? Philippe Bridau, Manpower. Je vous ai trouvé une mission chez Alsthom. Une semaine entière, vous commencez demain à l'usine des Trois-Chênes. Vous demanderez Mme Guérin, elle vous montrera votre poste. 8 heures. Soyez exact s'il vous plaît, ils sont très à cheval sur la ponctualité. Oui, quinze francs de l'heure comme convenu. Tout est clair ? Parfait. Je compte sur vous, alors. » Même pour relater une simple conversation comme celle-ci, il se glisse dans la peau du chargé d'affaires dynamique, fier de représenter une entreprise américaine à la pointe de la modernité.

« Vous devinez la suite ? me demande-t-il. Je trouve le numéro de ce type dans l'annuaire et je le rappelle aussitôt. "Monsieur Karadec ? Oui, pardonnez-moi de vous déranger à nouveau. Nicolas Lebranchu, Manpower. Vous avez parlé à mon collègue, Philippe Bridau. Il s'est malheureusement trompé : le poste chez Alsthom est déjà pourvu. Je sais, c'est regrettable, je vous présente toutes nos excuses. Il reprendra contact avec vous la semaine prochaine avec une mission ferme. Merci pour votre compréhension et bonjour chez vous." »

Le lendemain à l'heure dite, Scherbius se pointe chez Alsthom sous son nom d'emprunt et sans la moindre idée de ce qu'on attend de lui. Il a, dans un sac, deux ou trois tenues de travail, afin de parer à toutes les éventualités. Aux premiers mots de Mme Guérin, il est fixé. « Bonjour, Monsieur Karadec, si vous voulez bien me suivre en cuisine… », ou : « Vos collègues de l'informatique sont impatients de faire votre connaissance », ou encore : « C'est rare de trouver un technicien avec tant d'expérience sur les robots de soudure. » Je l'imagine terrorisé, je sais que je le serais à sa place. Il me détrompe, m'explique à nouveau qu'il n'est pas un personnage qu'il ne puisse interpréter à la demande : « Si Gilbert Karadec existe quelque part, je peux être Gilbert Karadec, aussi bien et parfois mieux que lui. »

Je le presse de me livrer ses secrets. Il s'exécute d'autant plus volontiers qu'il me sait incapable de les mettre en pratique.

« D'abord, affichez une confiance souveraine. Je réponds du tac au tac à Mme Guérin : "M. Bridau ne vous a pas dit que je parle également hongrois et polonais ? Je le mentionne à tout hasard, des fois que vous auriez des besoins de traduction."

« Ayez toujours l'air surqualifié : vous n'échouez pas à une tâche par ignorance, mais, au contraire, parce qu'elle est trop facile. S'il m'arrivait d'intervertir les commandes d'une moissonneuse-batteuse, je me rattrapais en disant que je venais de tester le dernier modèle de Massey Ferguson. Et j'ajoutais : "Ils ont refait tout le tableau de bord, vous verrez, c'est beaucoup plus ergonomique."

« De manière générale, l'invention est moins dangereuse que le mimétisme. Mieux vaut créer un terme de toutes pièces qu'en employer un qui existe à mauvais escient. Ne demandez pas comment marche une bétonnière, mais "quelle technique utilisez-vous ?", comme si vous en maîtrisiez une demi-douzaine et souhaitiez vous plier aux usages de l'entreprise.

« Soyez à l'affût des détails, des gestes, des tours de mains qui trahissent le professionnel : le coup de poignet du sommelier, le cuisinier qui éternue dans sa manche, la chiquenaude de l'infirmier sur la seringue…

« Si vous vous sentez menacé, allumez un contre-feu avec quelques phrases bien choisies. "Quel est le degré d'humidité de l'atelier ? Vous ne le mesurez pas ? Ah, tiens !" Ou encore dans une compagnie d'assurances : "Je vois que vous n'avez pas intégré les dernières projections d'espérance de vie de l'OMS dans les calculs de primes. Bah, ça n'a pas grande importance au fond." On vous fichera tout à coup une paix royale.

«Enfin, laissez vos interlocuteurs faire les questions et les réponses. Si un ébéniste s'enquiert de votre diplôme, sortez votre mouchoir en simulant une furieuse envie d'éternuer. Il enchaînera avec : "Tu as fait Boulle?", à quoi vous opinerez évidemment. S'il veut connaître votre spécialité, nouvelles démangeaisons nasales jusqu'à ce qu'il vous offre une porte de sortie : "Menuiserie ou arts appliqués?" Avec un peu de technique, il ne remarquera pas que votre contribution à la conversation s'est limitée à deux hochements de tête.»

De la technique, Scherbius ne doit pas en manquer, car il a toujours réussi à donner le change. Les clients sont satisfaits, Manpower envoie ses factures et nul Gilbert Karadec ne se plaint d'avoir été payé pour une mission qu'il n'a pas accomplie.

En l'espace de cinq ou six ans, Scherbius se dote d'un vernis dans tous les métiers ou presque. Il apprend à couler du ciment, piloter une grue, métrer un appartement, pointer des écritures comptables, toiletter un caniche, tirer un feu d'artifice. Dans le même mois, il est jardinier, standardiste, costumier, électricien. Il reconnaît à l'odorat plus de cent fromages, repasse une chemise en trois minutes, tape à la machine comme une secrétaire.

Il admet avoir essuyé quelques grosses frayeurs. Comme ce soir où il remplaçait le sommelier de La Tour d'Argent et où le chef de salle lui glissa à l'oreille qu'un critique du *Guide Michelin* venait d'entrer dans le restaurant. Ou ce jour de tempête à Orly où, s'étant imprudemment présenté comme un crack du contrôle aérien, il se retrouva à coordonner l'atterrissage simultané de trois long-courriers. Il en sourit aujourd'hui ; sur le moment, il n'en menait sans doute pas large.

Son succès tient moins à ses compétences techniques qu'à son incroyable aisance comportementale, ce sixième sens prodigieux qui lui indique quand sortir ses griffes et quand les rentrer, quand suivre le mouvement et quand le précéder. Les rares fois où il manque d'être confondu, il parvient à retourner la situation en se drapant bruyamment dans sa vertu. Je pense à Fred Demara qui, dans les mêmes circonstances, appliquait le célèbre précepte du maréchal Foch : « Mon centre cède, ma droite recule, situation excellente : j'attaque ! »

Parce qu'il envisage ses missions comme autant de rôles, Scherbius apprend à se maquiller. Il sait dans quelle entreprise sa moustache lui vaudra des compliments, dans quelle autre il serait malvenu d'exhiber un tatouage. Tel un comédien cherchant à perfectionner toutes les facettes de son jeu, il s'entraîne à boiter, à se vieillir de dix ans ou à prendre un accent argentin. Une semaine, il porte des talonnettes qui le grandissent de cinq centimètres ; la suivante, il est défiguré par une terrible balafre. Sa collection de décalcomanies, fonds de teint et postiches rendrait jaloux plus d'un sociétaire de la Comédie-Française.

Durant ces années qui le voient sillonner la France de Strasbourg à Brest et de Lille à Perpignan, il loge à l'hôtel, des demi-pensions modestes, où il a pour voisins de palier les mêmes OS et contremaîtres qu'il côtoie pendant la journée.

Comme je lui fais remarquer que ces incessantes pérégrinations ont dû compliquer sa vie sentimentale, il se cabre. « Vous m'aviez promis de ne plus évoquer le sujet. Quel rapport entre ma sexualité et mes impostures ? » Je lui explique qu'au contraire, peu de domaines ont autant de répercussions sur le comportement humain et que, tout en réprouvant les excès du freudisme, il me paraît impossible de porter un diagnostic pertinent sur lui sans un minimum d'informations quant à ses mœurs amoureuses.

J'ai dû trouver les mots justes, car il se déride légèrement. Il confesse du bout des lèvres que «non, ça n'était certes pas facile», «que lui aurait bien voulu, mais que pour vivre une histoire, il faut être deux».

Récapitulant après son départ les rares éléments dont je dispose sur mon patient, je réalise avec consternation que j'ignore jusqu'à son orientation sexuelle.

L'appel de l'enseignement

Montbéliard, début des années 70. Scherbius a, selon mes calculs, entre vingt-quatre et vingt-six ans. Ayant fait, de son aveu même, «le tour de l'intérim», il aspire à des entreprises un peu plus nobles. Une conversation surprise dans un bistro va lui mettre le pied à l'étrier.

Car, le fait mérite d'être mentionné, Scherbius fréquente assidûment les cafés. Tout en lisant le journal (*France-Soir*, *Le Monde*, *Le Figaro* sont ses titres de prédilection) ou les romans qu'il emprunte par brassées à la bibliothèque, il observe ses congénères, s'amusant à deviner leur profession et à repérer leurs tics de langage. Les plus pittoresques viennent enrichir sa galerie de personnages. De tous, il glane quelque chose.

Ce soir-là, deux hommes s'attablent à sa gauche. Après quelques considérations sans intérêt sur le calendrier du FC Sochaux, Raymond prend des nouvelles de Janine, la femme de Pierrot. «Ah ben, répond ce dernier, il lui est arrivé un truc pas banal. Tu te souviens qu'elle s'était mise en disponibilité à la naissance du petit ? Après Noël, elle appelle le rectorat pour qu'ils lui retrouvent un poste. Tiens-toi bien, ces baltringues l'avaient rayée des listes !» Raymond demande si Janine était payée. «Ah non, quand même pas, sinon tu penses bien qu'elle aurait pas insisté! Le type du rectorat a repris son nom, il a dit que ça arrivait tout le temps.»

Scherbius, qui a toujours rêvé d'enseigner, ne perd pas une miette de ce dialogue. Pierrot vient de lui révéler la brèche par laquelle il va pouvoir s'engouffrer dans la forteresse de l'Éducation nationale. Cependant, un problème subsiste…

«Mais attends, reprend Raymond, bien décidé à aller au fond de cette ténébreuse affaire, qu'est-ce qui garantit à Janine qu'elle sera payée? — Tu penses bien qu'elle a posé la question, répond Pierrot. Figure-toi que les informations du rectorat ne remontent pas automatiquement à Paris, et donc, c'est elle qui a dû faire le nécessaire auprès du ministère. Non, mais tu te rends compte!»

Scherbius exulte. S'il ne craignait de se faire remarquer, il commanderait une tournée générale.

Le lendemain, il appelle le rectorat de l'académie de Besançon, où il tombe sur une certaine Germaine. Se présentant sous le nom de Jacques Thibault, il explique qu'il s'est mis en disponibilité il y a deux ans pour soigner sa maman, atteinte d'une cruelle maladie. Les obsèques ont eu lieu la semaine dernière. Germaine ne peut faire autrement que d'offrir ses condoléances. Scherbius les accueille avec gratitude. Il dit qu'il a besoin de reprendre l'enseignement, qu'à rester seul, en tête à tête avec sa douleur, il va devenir fou. Pourrait-on lui trouver quelques heures de cours par semaine, n'importe où dans le département? Germaine fait répéter plusieurs fois à Jacques l'orthographe de son nom pour finir par avouer, d'un ton catastrophé, qu'il n'apparaît pas dans les registres. Scherbius laisse échapper un petit cri, très bref, comme si, décidément, aucune indignité ne lui était épargnée. Toutefois, il reste magnanime : les erreurs, après tout, ça existe. L'important, c'est de les corriger. Germaine le remercie de se montrer si compréhensif. Elle note sa date de naissance et termine par une question si évidente que Scherbius a oublié de s'y préparer :

— Et quelle matière enseignez-vous, M. Thibault ?

Une seconde s'écoule, puis une deuxième, pendant lesquelles Scherbius passe mentalement en revue son emploi du temps au lycée. Il fait semblant de se moucher à l'autre bout du fil pour justifier son silence.

— Le latin, dit-il en reniflant. J'enseigne le latin.

« *Le savoir, ça se partage* »

Après un week-end à étudier les bases du latin, Scherbius fait plancher ses élèves sur la plaidoirie de Cicéron, dans laquelle le célèbre avocat romain s'engage, les yeux embués de larmes, à suivre son client en exil, si celui-ci est reconnu coupable de l'assassinat du démagogue Clodius. L'issue du procès est connue : Milon fut banni et Cicéron resta bien tranquillement à Rome.

Est-ce un hasard si Scherbius a consacré son premier cours à analyser les procédés oratoires d'un menteur ? Il prétend avoir choisi ce texte pour lancer un débat sur la légitime défense. Admettons.

Pendant quelques semaines, il navigue entre Virgile et Pompée, Ovide et Lucrèce. Il assimile sans difficulté la structure de la langue latine, dont les déclinaisons et la construction des phrases lui rappellent l'allemand. Il revoit *Quo vadis* et *Spartacus* à la cinémathèque, fait de la *Guerre des Gaules* et des *Vies des douze Césars* ses livres de chevet. Il ne craint pas grand-chose : quand un élève lui demande au débotté le sens d'un mot, il l'invite à ouvrir son Gaffiot et à donner lecture de la définition à toute la classe, car «le savoir, ça se partage».

Quand il est las du latin, il se reconvertit dans les sciences naturelles, avec pour mission de préparer la section math-élem du lycée de Bourgoin-Jallieu au bachot. «Mon pré-décesseur était un tocard, tempête-t-il, j'ai dû reprendre le programme de zéro.» Trois de ses éléments seront recalés («à cause des maths»), mais tous auront la moyenne en sciences.

Il se plaît dans la région Rhône-Alpes. Le proviseur, conquis par son dynamisme, lui a confié l'organisation du voyage de fin d'année au CERN de Genève. Pour la pre-mière fois depuis longtemps, Scherbius se verrait bien rempiler. Grâce à ses fructueuses visites au casino de Divonne-les-Bains, il habite un meublé confortable à Lyon, conduit une R4 d'occasion. Il fréquente un couple de col-lègues, René et Ginette. C'est en discutant un soir de juin avec eux que Scherbius réalise que sa parenthèse berjal-lienne touche à sa fin. René mentionne en effet au détour d'une conversation que l'Éducation nationale profite tradi-tionnellement de l'été pour synchroniser ses registres avec ceux des académies; Scherbius préfère ne pas être dans les parages quand les administrateurs de la rue de Grenelle réaliseront que depuis trois mois un certain Philippe Cayol forme gracieusement la relève de la nation.

Il poursuit sa descente vers le sud, enseignant l'éducation physique à Romans puis les mathématiques à Carpentras. Aux Saintes-Maries-de-la-Mer, il tombe amoureux de la philosophie. Il lit Tacite en latin, Kant et Schopenhauer en allemand, apprend le grec ancien afin de tirer la quin-tessence de Platon.

Il reste presque une année entière au cours Maintenon de Hyères, où ses méthodes révolutionnaires lui attirent à la fois des démêlés avec l'administration et l'adulation de ses élèves. Il demande à ces derniers de l'appeler par son prénom, au prétexte « qu'il n'est pas plus intelligent qu'eux, mais seulement un peu plus avancé sur le chemin de l'éveil », et les encourage à remettre en question toutes les formes d'autorité : parentale, professorale et même religieuse – une provocation dans un établissement catholique.

Placés sous le signe de la maïeutique, les cours consistent en une longue conversation, pendant laquelle Scherbius lève la main comme les autres pour demander la parole. Il devient en peu de mois le grand frère, ou plutôt l'oncle un peu plus âgé qui sait garder un secret et conseille sans juger. Peines de cœur, conflits familiaux, problèmes d'orientation, il ne se dérobe jamais. Ses avis, à la fois directs et nuancés, sont enracinés dans deux mille ans de sagesse occidentale. À l'adolescente qui a perdu son teckel adoré, il cite Sénèque : « Toute la vie n'est qu'un voyage vers la mort. » À un jeune trop sûr de son fait, il rappelle l'aphorisme de Nietzsche : « Les convictions sont des ennemis de la vérité plus dangereux que les mensonges. »

Des parents s'émeuvent auprès de la direction de l'ascendant qu'exerce ce jeune professeur sur leur progéniture. L'évêché s'en mêle, en dépêchant sur place un inspecteur que Scherbius retourne en deux coups de cuiller à pot. Toutefois, devant les nuages qui s'amoncellent, il lève le camp un dimanche, la mort dans l'âme.

Ce ne sera pas la dernière fois qu'il frise la correctionnelle. Il quitte Quimperlé après avoir remarqué une fourgonnette de la gendarmerie en stationnement devant le lycée, puis Dinard quand un collègue jaloux menace de consulter son dossier. Des rumeurs alarmantes surprises en salle des profs le chassent de Brive-la-Gaillarde. Ne pouvant, dans ces cas-là, pas toujours repasser à son logement, il stocke ses maigres possessions dans le coffre de sa voiture – quelques vêtements, ses chers livres, ses postiches. Il se défend pourtant d'être matérialiste. Il laisse bibelots et albums de photos à ceux qui vivent dans le passé et tient la nostalgie pour une déplorable marque de faiblesse. S'il a un remords, c'est d'avoir abandonné ses « gamins », comme il les appelle. « La plupart des autres profs ne valaient pas un clou. Qui les a préparés pour le bac ? » soupire-t-il.

Car ce n'est pas le moindre des paradoxes de Scherbius : bien qu'enseignant sans diplôme, il se sent investi d'un magistère sacré. Encore aujourd'hui, il se rappelle chaque élève et rumine les conseils qu'il aurait dû lui donner. « Bouchard confondait Hegel et Engels. La petite Alvarez ne comprenait pas la différence entre une allégorie et une parabole ; pourvu qu'elle ne soit pas tombée sur Platon à l'oral, parce que là, adieu la moyenne ! »

On sent que le métier d'enseignant est, de tous ceux qu'a exercés Scherbius, le seul à l'avoir comblé. « Transmettre à un gosse le goût de la lecture, lui révéler les secrets de la matière, l'initier à une autre langue, je n'imagine pas mission plus gratifiante », avoue-t-il, en réprimant difficilement son émotion. Faut-il voir dans ce plaidoyer le regret de n'avoir pas lui-même bénéficié d'une meilleure formation ? Une attaque voilée contre son père, absent pendant les années cruciales de l'adolescence ? Le besoin de donner un sens à une vie qui en paraît singulièrement dénuée ? Un peu des trois, sans doute.

Après cinq ans de bons et loyaux services, Scherbius tourne le dos à l'Éducation nationale. « Écrivez, s'il vous plaît, que je n'ai rien coûté au contribuable », insiste-t-il. De fait, contrairement à certains fonctionnaires qui économisent des mois pour tâter du frisson de la roulette, Scherbius écume les casinos pour s'offrir le luxe d'enseigner le dessin à des collégiens.

Serviteur de la Nation

Scherbius quitte l'enseignement, mais pas la fonction publique. Ayant un souvenir plaisant d'une mission d'intérim au centre de détention d'Écrouves, il décide de devenir gardien de prison.

Plutôt que de perdre un an sur les bancs de l'École nationale d'administration pénitentiaire, il se confectionne un faux diplôme, qui lui permet de décrocher un poste à la maison d'arrêt de Bonneville, en Savoie. Hasard ou signe des dieux, on lui confie la surveillance des mineurs de l'établissement. Comme on pouvait s'y attendre, il déborde d'initiatives. Il prépare les meilleurs éléments au brevet des collèges, monte des spectacles, arbitre les matches de foot. Les autres gardiens voient d'un mauvais œil ce néophyte qui se fait appeler par son prénom, laisse ostensiblement sa matraque au vestiaire et refuse d'adhérer au syndicat. Par chance, Scherbius peut compter sur le soutien du directeur de la prison, un administrateur éclairé qui prend très au sérieux sa mission de réhabilitation. Ensemble, les deux hommes refondent l'emploi du temps des jeunes, en réduisant les heures d'atelier au profit du sport et de l'instruction. Michel Poniatowski, alors ministre de l'Intérieur, leur donne un formidable coup de pouce, en prononçant un discours mémorable à l'occasion de l'inauguration du nouveau terrain de basket-ball. Après avoir dénoncé ceux qui tiennent l'incarcération des mineurs pour la première étape d'une vie derrière les barreaux, il lance courageusement : « Puissions-nous au contraire ne jamais revoir ces jeunes, sinon dans les casernes où ils s'engageront pour défendre leur pays ; dans les hôtels de ville où ils se marieront pour le repeupler ; dans les bureaux de vote où ils accompliront leur devoir démocratique. » Scherbius se pique d'avoir soufflé cette dernière envolée au chef de cabinet du ministre.

Il saute deux échelons administratifs d'un coup, du jamais-vu à Bonneville. Il est mieux payé que certains gardiens qui ont dix ans d'ancienneté. Le directeur de la maison d'arrêt lui promet un brillant avenir, laissant même entendre qu'il pourrait un jour lui succéder. Pourtant, Scherbius démissionne soudainement. Il refuse de me livrer les raisons qui l'ont poussé à quitter un poste qu'il adorait, sous les ordres d'un homme qu'il chérissait comme un père, sinon pour dire « qu'il n'a pas pu faire autrement » et « qu'avec le recul, il s'est bien fait mener en bateau ». On peut envisager toutes sortes de scénarios, du collègue aigri accusant Scherbius de mœurs contre nature à l'évasion d'un détenu ayant bénéficié de complicités internes. Je n'ai malheureusement aucun moyen de remonter à la vérité. L'imposteur ne laisse pas de traces dans son sillage.

Scherbius insiste cependant sur le fait qu'il n'a rien à se reprocher. « J'étais un excellent gardien – compétent, dévoué, travailleur. J'ai sorti certains de ces gamins de la délinquance, vraiment. Et pourtant, j'estime que c'est moi qui ai une dette envers eux. »

Il ne persévérera pas dans l'administration pénitentiaire ;

la blessure est trop vive. Grâce à un autre faux diplôme[1], il est embauché comme greffier dans un tribunal de l'ouest de la France. Il y restera quelques semaines, « le temps d'acquérir les rudiments du Code pénal ». Il dirige ensuite le service contentieux d'un centre hospitalier à Stuttgart, sa première et, à ma connaissance, sa seule escapade hors de France. Il rentre en Auvergne pour un poste stratégique, presque trop beau pour être vrai, d'officier d'état civil. Il est aussi sapeur-pompier, agent de la circulation, inspecteur du travail, contrôleur des impôts.

Contrairement à ce que j'ai d'abord cru, les métiers exercés par Scherbius obéissent à une certaine logique. Il a commencé en bas de l'échelle, moinillon insignifiant puis recruteur free-lance pour l'armée. Viennent ensuite les missions d'intérim, durant lesquelles il occupe des postes techniques à faible responsabilité, puis les années d'enseignement, où il démultiplie son savoir par la transmission.

La dernière marche est la plus haute : il devient agent de l'État ou, pour employer ses mots à lui, « serviteur de la Nation ». Dans son esprit, les gardiens de la paix, les inspecteurs du permis de conduire, les responsables des marchés publics sont les héros de notre temps, les champions de l'intérêt général. Chacun de leurs gestes engage l'administration, les soumettant de fait à une obligation d'exemplarité : leur vertu va de soi, tandis que leurs errements corrompent insidieusement les fondements de la démocratie. Pour ne jamais faillir, Scherbius a un truc : il s'imagine qu'il est Jean-Paul Belmondo et qu'une demi-douzaine de caméras suivent ses moindres faits et gestes.

---

1. Bien que quelques heures lui suffisent à fabriquer à peu près n'importe quel document officiel, Scherbius ne se considère pas comme un faussaire. Le verbe, déclare-t-il fièrement, reste son outil de travail principal.

Il consacre à sa tâche une énergie surhumaine, comme s'il lui revenait d'élever à lui seul la qualité des services publics dans notre pays. Il ne refuse jamais un permis de construire sans expliquer par où il pèche. Il avertit les automobilistes mal garés avant de les verbaliser. À ses heures perdues, il teste les extincteurs des cages d'escalier des HLM.

Scherbius exerce chacun de ses magistères avec dignité et respect, en rappelant à qui veut l'entendre que l'administration est au service de l'usager, et non l'inverse. On a l'impression qu'il cherche, par cette débauche de civilité, à effacer le souvenir de l'infamante arrestation de son père.

À ce stade de mon récit, il me paraît important de signaler que je peine à établir une chronologie précise des déplacements de Scherbius. Certaines dates, comme celle de la visite officielle de Michel Poniatowski à la maison d'arrêt de Bonneville – le 23 novembre 1974 – sont aisément vérifiables. Certaines des autres données consignées dans mon cahier, en revanche, se contredisent. Pour le seul mois de février 1975 par exemple, Scherbius prétend avoir été greffier à Cholet, administrateur hospitalier à Stuttgart et architecte des Bâtiments de France à Arras. Comme je lui en fais la remarque, il raille « mes instincts de comptable » et m'invite à l'écouter plus attentivement. Je lui tends mes notes, en désignant du doigt les lieux et dates que j'ai portés dans les marges. Il ne daigne même pas y jeter un œil. « Je dis ce qui est », affirme-t-il d'un ton sans appel.

Plus surprenant encore de la part d'un homme doté d'une si prodigieuse mémoire, il ne sait plus où il a fêté la Noël de 1966, où il habitait en 1971 ni où il a suivi la Coupe du monde de football de 1974 remportée par l'Allemagne[1].

---

1. Alors qu'il peut citer les scores des trente-huit rencontres et les noms des buteurs.

Ces incohérences pourraient sembler anodines si elles ne venaient s'ajouter à une longue liste de bizarreries. Une hypothèse audacieuse s'échafaude en moi, qu'il sera bientôt temps de soumettre à l'épreuve de la science.

La BA 107

Juin 1977. Scherbius s'ennuie. Depuis qu'il a enseigné l'histoire-géographie, il suit de près les affaires diplomatiques. Il s'alarme de voir les États issus de la décolonisation basculer un à un dans le communisme[1]. Le cas de la République populaire du Congo l'inquiète tout particulièrement. Le pays, en proie à une grande instabilité politique, a essuyé plusieurs putschs au cours des dernières années. En mars, le président Ngouabi a été assassiné dans sa résidence. Une junte militaire a installé au pouvoir le jeune colonel Joachim Yhombi-Opango, qui a annoncé dans son discours d'investiture son intention de se rendre prochainement en France.

Pour les spécialistes de la question africaine, cette visite revêt une importance capitale. Les premiers contacts entre deux chefs d'État colorent souvent durablement leur relation. Ngouabi entretenait avec Pompidou et Giscard des rapports exécrables. Bien que Yhombi-Opango partage officiellement la ligne socialiste de son prédécesseur, il n'est

1. Sans prétendre connaître et encore moins juger les convictions politiques de Scherbius, j'ai plus d'une fois noté son aversion pour l'idéologie marxiste.

pas interdit d'espérer qu'il accepte de mettre ses différences idéologiques de côté et d'envisager les conditions d'une sortie de crise fructueuse pour les deux parties.

Par quelle aberration Scherbius se convainc-t-il qu'il est qualifié pour mener à bien cette négociation ? Comment, lui qui n'a jamais mis le pied en Afrique, compte-t-il gagner la confiance de son interlocuteur ? Mystère.

Il prétendra avoir pris sa décision sur un coup de tête, le 5 juin 1977, en apprenant, au flash de 10 heures d'Europe n° 1, l'arrivée imminente de Yhombi-Opango. Il appelle illico le Quai d'Orsay d'une cabine téléphonique en se faisant passer pour « l'aide de camp du commandant de la BA 107 » (la base aérienne 107 de Villacoublay). Il demande à parler à « un responsable de la direction Afrique », finit par dicter un message à une secrétaire : « Vous direz au ministre que le Boeing du président Yhombi-Opango a dû faire un arrêt technique à Alger. Nouvelle HAP : 16 40. » Il utilise volontairement le terme militaire HAP – Heure d'Arrivée Prévue. Le choix du lieu de l'escale ne doit rien au hasard non plus : l'armée algérienne ignorera en effet par principe toute demande de renseignement de la part de Paris.

Il renouvelle la manœuvre avec le secrétariat général de l'Élysée, puis commande à une société de voitures de maître un « véhicule de marque française, de couleur foncée et équipé d'un téléphone ». Il repasse chez lui pour enfiler un costume bleu marine et faire provision de cocardes, et débarque à Villacoublay autour de midi, une demi-heure avant l'arrivée de Yhombi-Opango. Il franchit le barrage à l'entrée de la base, pendu au téléphone, en exhibant un faux coupe-file de l'Élysée. Il guide le chauffeur le long de la piste heureusement unique, en faisant le pari que la tache rouge qu'il aperçoit au loin est le tapis déroulé en l'honneur du président congolais. C'est bien le cas. Il se gare entre deux jeeps. Ignorant le gradé qui vient à sa rencontre, il sort du coffre la magnifique gerbe qu'il a achetée en chemin, lustre les feuilles, ajuste le ruban.

— M. Ulrich ?

Reconnaissant le nom du directeur de cabinet du ministre des Affaires étrangères, Scherbius lève la tête et tend la main à l'arrivant.

— Pierre Ménard. Je suis un collaborateur de Maurice Ulrich.

— Colonel des Essarts. Le ministre n'est pas avec vous ?

— Des arbitrages à régler avec Matignon. Il ne devrait pas tarder.

— Tant mieux ! Le Boeing de notre visiteur a commencé sa descente. Laissez votre gerbe ici et suivez-moi, nous allons l'attendre à l'intérieur avec le général Walter.

Scherbius emboîte, serein, le pas au colonel. Son plan se déroule comme sur des roulettes. Des Essarts le présente à son supérieur comme « l'adjoint de Maurice Ulrich ». Il se trouve que Walter connaît bien Ulrich, avec qui il a servi en Indochine. Il évoque, un verre de porto à la main, leurs nuits blanches à Saigon, le merdier qu'ils ont laissé aux Américains. C'est un conteur expérimenté, Scherbius rit de bon cœur, pendant que des Essarts, qui a déjà entendu ces anecdotes cent fois, reste en contact avec la tour de contrôle.

— Deux minutes, glisse-t-il.

— On dirait que Maurice va rater l'arrivée, remarque le général en gobant une olive. Ça ne lui ressemble pas.

— Mais non ! lance des Essarts. Regardez, voilà sa voiture.

Scherbius fait mine de n'avoir rien entendu. Il se dirige calmement vers sa Peugeot 604, ordonne au chauffeur, plongé dans *Paris-Turf*, de se tenir prêt à démarrer, puis rejoint, gerbe à la main, Walter et des Essarts sur le tapis rouge. Il ignore encore à cet instant qui sont les passagers de la CX qui remonte la piste, escortée par deux motards. Le ministre ? Le secrétaire général de l'Élysée ? Le président lui-même ? Il en ferait son affaire. En revanche, si c'est son prétendu patron, Maurice Ulrich, qui descend du véhicule, il ne voit pas bien comment il va se sortir de ce guêpier.

L'avion se pose dans un vacarme assourdissant. Dans trente secondes, quarante tout au plus, il s'arrêtera devant leur piteux comité d'accueil.

— Vous pensez que ces abrutis achèteraient français, persifle des Essarts.

— Pour être honnête, je m'attendais à les voir débarquer en Iliouchine, répond Scherbius sur le ton de la conversation.

Il s'en remet désormais à la chance. Le contrôle de la situation lui a échappé, c'est ainsi. Il sera toujours temps d'analyser les erreurs qu'il a commises, à commencer par cette gerbe grotesque qui entrave ses mouvements. Il savait qu'en s'introduisant dans une base militaire, il se privait de solutions de repli.

Un dernier virage et la CX se gare derrière eux dans un crissement de pneus.

— Ce vieux Maurice ! s'exclame le général. Juste quand on ne l'attendait plus.

C'est le signal que guettait Scherbius. Il court jusqu'à la voiture, ouvre la portière à Ulrich et lui fourre la gerbe dans les bras.

— S'il vous plaît, monsieur le Directeur de cabinet.

Ulrich dévisage machinalement cet homme, se demande s'il est censé le connaître. Qu'importe, le temps presse. Le Boeing a terminé sa course. Deux membres d'équipage déploient la passerelle. Ulrich cherche sur le tapis rouge le ministre des Affaires étrangères et le secrétaire général de l'Élysée ; des Essarts lui fait signe qu'ils ne sont pas arrivés. C'est par conséquent à lui qu'incombe l'honneur d'accueillir Yhombi-Opango. Il s'en serait bien passé.

Le dirigeant congolais descend la passerelle. Malgré sa formidable envie de lui souhaiter la bienvenue, Scherbius attend de voir de quel côté le vent va tourner.

— Le président n'a pas jugé bon de se déplacer ? lâche, cinglant, Yhombi-Opango en ignorant la main que lui tend Ulrich.

— Il reçoit les syndicats, répond celui-ci, mortifié.

— Et le ministre ? Il décore une secrétaire ?

— Il devrait être là, je ne m'explique pas son retard. Vous déjeunez avec lui au Quai.

— Si vos deux malheureux motards arrivent à nous frayer un passage dans la circulation. Allons-y, je meurs de faim.

Yhombi-Opango monte dans la CX avec Ulrich, tandis que son épouse, ses gardes du corps et ses collaborateurs s'entassent dans trois berlines. Le cortège s'ébranle. L'heure est venue pour Scherbius de tirer sa révérence.

— Général, colonel, un grand merci pour votre accueil, s'exclame-t-il en montant dans sa 604, sous le regard soupçonneux de Walter.

Pour faire bonne mesure, il baisse la vitre arrière et lance :

— J'espère vous voir au dîner d'État demain soir.

La 604 rattrape le convoi. Au poste de sécurité, un soldat fait signe aux voitures de ralentir et inspecte sommairement l'habitacle avant de les laisser passer. Scherbius intime au chauffeur de coller son véhicule à celui qui le précède. Peine perdue, le militaire se glisse adroitement entre les deux pare-chocs.

— Monsieur Ménard, dit-il. Puis-je revoir votre pièce d'identité, s'il vous plaît ?

Imposture de trop ou premier pas vers la guérison?

Scherbius passera le voyage officiel du président congolais dans un cachot de la BA 107. Persuadé d'avoir déjoué une tentative de kidnapping, le général Walter cherche à faire avouer à son prisonnier qu'il travaille pour la CIA. Scherbius s'indigne des desseins qu'on lui prête. Il soutient avoir voulu apporter sa pierre à l'édifice de notre politique étrangère en donnant au dirigeant africain un aperçu des plaisirs de la capitale. L'enquête établit de fait qu'il avait loué une suite au Crillon, réservé une table chez Maxim's et pris des places au Lido[1].

Au bout de trois jours de ce dialogue de sourds, Walter remet Scherbius entre les mains de la justice. Le juge qui instruit le dossier est vite confronté à une double difficulté. Le nom sous lequel s'entête à s'identifier le prévenu ne figure dans aucun registre de l'état civil. Surtout, ni le gouvernement ni l'armée ne veulent d'un procès qui attirerait l'attention sur un épisode somme toute peu glorieux

1. Où il prévoyait de plaider, entre deux numéros, pour l'amélioration des conditions tarifaires d'Elf Aquitaine dans l'exploitation du gisement pétrolier de Pointe-Noire.

de la diplomatie française. Scherbius profite du flottement du ministère public pour négocier un compromis inespéré : l'abandon des chefs d'accusation contre sa promesse de suivre un traitement psychiatrique[1].

Cette énième imposture de Scherbius ne semble de prime abord guère différente des autres. À y regarder de plus près, cependant, elle présente trois particularités majeures.

D'abord, elle était vouée à l'échec. Quand bien même Scherbius aurait réussi à faire grimper Yhombi-Opango dans sa 604, combien de temps aurait-il déjoué les barrages de police ? Pas plus de quelques minutes sans doute.

Ensuite, elle était mal préparée. Scherbius n'avait par exemple pas prévu que le président congolais serait accompagné de son épouse. Il n'avait pas potassé la carte routière des Yvelines, pas caché un deuxième véhicule dans les parages de la base – autant d'indices qui montrent qu'il ne s'attendait pas vraiment à réussir.

Enfin, elle présente tous les signes de l'hubris. Après avoir tenu le rôle d'enseignants puis d'agents de la fonction publique, Scherbius s'attaque désormais aux plus hautes institutions de la République – l'armée, l'Élysée, le Quai d'Orsay. Pire, en prétendant servir la diplomatie française ou renégocier des contrats commerciaux, il s'arroge des prérogatives normalement conférées par les urnes.

Il ne fait pour moi aucun doute que Scherbius cherchait à se faire prendre. Son désir d'imposture, purement ludique à l'origine (qu'il paraît loin le temps de la piscine de Bar-

---

1. La dignité de Scherbius dans cette affaire aura été doublement bafouée, puisqu'il renoncera par la suite, sous la pression des services du Premier ministre, à porter plainte pour ce qui constitue pourtant une violation flagrante de ses droits civiques. Je n'ai pas eu accès au protocole rédigé par les services de la chancellerie, mais je suis prêt à parier qu'il contient quelques clauses qui horrifieraient les juristes d'Amnesty International.

le-Duc !), s'est transformé avec les années en un ogre insatiable, qui exige de lui des exploits toujours plus périlleux sans rien lui offrir en retour[1].

La grille d'analyse développée par mon regretté confrère Abraham Maslow permet de comprendre l'impasse dans laquelle se trouve le Scherbius de 1977.

Maslow est le père de ce qu'il est convenu d'appeler l'« approche humaniste ». Dans *Motivation and Personality* (1954), il postule que l'individu aspire avant tout à l'accomplissement personnel (*self-actualization*), un état qu'on pourrait décrire comme une utilisation optimale de ses potentialités ou un style de vie en parfaite adéquation avec son caractère, et qui passe par l'assouvissement préalable d'un certain nombre d'autres exigences, hiérarchisées sous la forme d'une pyramide à cinq étages.

La base est constituée par les besoins physiologiques, comme la faim, la soif, le sommeil ou la sexualité.

Le deuxième niveau correspond aux besoins de sécurité (stabilité familiale et professionnelle, propriété...).

On trouve au troisième échelon les besoins sociaux : amitié, amour, appartenance à des cercles, sentiment d'être accepté pour ce que l'on est.

Ces éléments de base satisfaits, en surgissent d'autres qu'on peut qualifier de besoins secondaires de développement, en ce sens qu'ils relèvent plus de la réalisation personnelle que du comblement de manques.

Le quatrième niveau de la pyramide est ainsi occupé par le besoin d'estime de soi, dont Maslow distingue une

---

1. Il est permis de se demander jusqu'où cette folle surenchère aurait conduit Scherbius si le fiasco de Villacoublay ne l'avait brutalement ramené sur terre. Se serait-il piqué de démanteler l'arsenal nucléaire soviétique ? De ressusciter le programme Apollo ? De réunifier les deux Allemagnes ?

forme haute (recherche de compétence, d'indépendance, de liberté) et une forme basse (désir de statut et de reconnaissance).

Enfin, culmine au sommet de la pyramide le besoin d'accomplissement que Maslow résume d'une formule : « Ce qu'un homme peut être, il doit l'être[1]. »

Demandons-nous à présent, à l'aune de ces critères, à quel stade de son développement personnel Scherbius est rendu.

Il subvient à l'évidence à ses besoins primaires, à une inconnue près qu'est sa sexualité.

Son adresse au black jack le met en théorie à l'abri du besoin financier. Je dis « en théorie » car les casinos peuvent à tout moment changer leurs règles de fonctionnement. En outre, quand bien même Scherbius a prouvé qu'il pouvait occuper un emploi salarié, sa situation n'en reste pas moins précaire : il déménage fréquemment, il n'a pas de compte bancaire, ses possessions matérielles tiennent dans une valise, etc. Personne ne veille sur lui. Son besoin de sécurité est donc, au mieux, partiellement assouvi.

On ne peut en dire autant, hélas, de ses besoins sociaux. C'est peut-être dans ce domaine que le contraste entre ses aspirations et la réalité est le plus criant. Car, bien que manifestant un puissant désir d'appartenance, caractéristique des orphelins ou des jeunes rejetés par leurs parents, Scherbius essuie (ou croit essuyer, ce qui revient au même) rebuffade sur rebuffade. L'Église et l'armée n'ont pas voulu de lui. L'Éducation nationale réprouve ses méthodes. Les entreprises le cantonnent à des missions subalternes. Il a

---

1. Dans les dernières années de sa vie, Maslow réfléchissait à un sixième niveau, le besoin de transcendance de soi, en partant du constat que l'individu qui s'accomplit est souvent guidé par une cause qui le dépasse comme l'altruisme, la religion ou la spiritualité.

rompu les liens avec sa famille. Il ne peut garder le contact avec ses élèves. Enfin, l'étroitesse d'esprit de ses collègues le désole[1].

Faute d'assouvir ses besoins élémentaires, Scherbius n'a pas accès aux étages supérieurs de la pyramide de Maslow. Il ne s'estime pas. Ses rodomontades («Si Gilbert Karadec existe quelque part, je peux être Gilbert Karadec, aussi bien et parfois mieux que lui») ne trompent personne, et surtout pas lui. Il sait manœuvrer un chariot élévateur ? Accorder un piano ? La belle affaire ! Ces prouesses, pour impressionnantes qu'elles soient, ne procèdent d'aucune logique, ne s'inscrivent dans aucun dessein.

«*Ignoranti quem portum petat nullus suus ventus est*[2]» : la formule de Sénèque décrit à merveille le piège qui s'est progressivement refermé sur Scherbius. Il enchaîne les exploits au petit bonheur, tel le conducteur d'un bolide lancé à pleine vitesse, qui négocierait les embranchements surgissant sur sa route sans savoir où ils mènent. Il est un explorateur sans but. Un chercheur de truffes qui n'en aurait jamais vu.

Un dernier facteur entre en compte. Ce jour où il se livre pour ainsi dire aux autorités, Scherbius est fatigué. Voilà quinze ans qu'il sillonne la France, quinze ans qu'il use de noms d'emprunt, dort à l'hôtel, baisse la tête quand il croise un gendarme. Il éprouve le besoin de faire une pause afin de réfléchir au sens qu'il veut donner à son existence. Tant

---

1. Ce dernier point est, selon moi, crucial : Scherbius fréquente des manœuvres, des ouvriers spécialisés, des agents administratifs, quand il devrait rechercher la compagnie de professeurs de faculté, de médecins ou d'intellectuels, envers qui il éprouve un complexe d'infériorité d'autant plus regrettable qu'il est largement injustifié.

2. «Il n'est de vent favorable pour celui qui ne sait pas où il va» (Sénèque, *Lettres à Lucilius*).

pis s'il lui faut déballer ses écarts devant un juge, croupir quelques mois en cellule ou retourner sous les drapeaux. Au moins en prison bénéficiera-t-il d'un suivi psychiatrique. Car, au fond de lui, il rêve de rencontrer un médecin qui le délivrera de ses tourments et le remettra sur le chemin de l'épanouissement personnel.

La détresse trouve toujours
une façon de s'exprimer

La partie biographique de ce récit est terminée. J'ai rapporté aussi fidèlement que possible les confidences de Scherbius, en gardant pour moi les incohérences, voire les erreurs factuelles que j'y décelais. Contrairement à l'enquêteur qui cuisine son suspect pour lui arracher une vérité que celui-ci est censé connaître, mais vouloir lui dissimuler, je pars du principe que mes patients n'ont rien à cacher. S'il leur arrive de mentir, c'est à leur insu. Leurs fictions sont un symptôme de leur maladie, et, à ce titre, un indice qui me rapproche du diagnostic. C'est aux récits de ses délires qu'on identifie un paranoïaque, à ses rapports élastiques avec la vérité que l'on reconnaît un schizophrène. Un patient n'a rien à gagner à tromper son médecin, a fortiori quand il paie les consultations de sa poche.

Pendant deux mois, Scherbius a vidé son sac. Pas une fois je n'ai mis en doute la véracité de ses propos. Mes questions l'ont souvent forcé à affronter des sujets qu'il aurait préféré éluder. N'importe, il me remerciait invariablement à la fin de nos séances. « Merci, docteur, de ce que vous faites pour moi », disait-il en me serrant chaleureusement la main. Quand je répondais en souriant que je ne faisais pour l'instant que l'écouter, il pressait mes doigts avec une intensité redoublée. « C'est déjà énorme, bredouillait-il. Personne n'en a jamais fait autant pour moi. »

Par souci de fluidité, j'ai laissé de côté dans mon récit les observations que m'inspirait épisodiquement la gestuelle de Scherbius. À l'instar de ses mensonges, la communication non verbale d'un patient (un terme un peu pompeux que les psychiatres préfèrent à celui de langage corporel) constitue une pièce essentielle du puzzle que s'efforce de recomposer le praticien. Un hochement de tête, un rictus, un changement de timbre peuvent être lourds de sens, surtout quand, contredisant le discours tenu au même moment par le locuteur, ils trahissent ce que Festinger appelle une dissonance cognitive.

La communication non verbale de Scherbius corrobore le plus souvent ses propos. Il se recroqueville en me décrivant la solitude qui l'étreint à la sortie de la messe de minuit. Son regard se voile quand il parle des jeunes de Bonneville qu'il a arrachés à la délinquance. Il porte la main à son ventre dès qu'il évoque ses années de noviciat, signe que son corps n'a rien oublié des privations alimentaires endurées à Notre-Dame d'Acey.

De temps à autre cependant, ses mimiques trahissent une gêne, un conflit intérieur dont je fais discrètement mon miel. Il se raidit quand je mets le doigt sur les trous béants dans son emploi du temps. Il essaie de me dissimuler les maux de tête qui l'assaillent parfois pendant nos séances. Il rentre dans sa carapace lorsque je l'interroge sur son passé d'enfant de chœur.

De manière générale, il entretient avec le langage un rapport étrange, que je suis tenté d'attribuer à son expérience monastique. Deux ans chez les trappistes lui ont appris à la fois le poids des mots et leur vanité. Depuis, il parle beaucoup, mais révèle peu ; ce qu'il tait est presque toujours plus intéressant que ce qu'il dit. Un jour qu'il retroussait la manche de sa chemise, j'ai remarqué une longue cicatrice sur son avant-bras. Vestige d'un accident ? D'une tentative de suicide ou de scarification ? Il refusera d'assouvir ma curiosité, au motif « qu'il ne me doit rien ».

N'empêche, les extraordinaires facultés de mon patient ne le soustraient pas aux lois de la nature. Cris, larmes, apathie, hostilité, mutisme : la détresse trouve toujours une façon de s'exprimer. Cette souffrance, que nie si vigoureusement Scherbius, j'en ai rassemblé mille preuves, qu'il m'appartient à présent de comparer, soupeser, mettre bout à bout pour en comprendre le mécanisme.

Message à l'intention de mes amis américains

Un mot, avant de commencer, de ma méthode – ou plutôt de celle que je m'interdis de suivre.

Le monde de la psychiatrie, comme tant d'autres, hélas, est largement inféodé aux États-Unis. Il y a de cela un quart de siècle, l'Association américaine de psychiatrie (AAP) a pris l'initiative de répertorier l'ensemble des troubles mentaux. Le résultat, un manuel intitulé *Diagnostic and Statistical Manual of Mental Disorders*, mais plus célèbre sous ses infamantes initiales DSM, a été mis à jour en 1968[1]. J'ai contre lui une longue liste de griefs.

L'outil de connaissance qu'il était à l'origine s'est transformé peu à peu en produit commercial. Chaque praticien, étudiant, documentaliste de l'hémisphère occidental en possède un exemplaire, acquis à prix d'or. Le fait que les adhérents de l'AAP bénéficient d'un tarif préférentiel a pour conséquence incongrue que le thérapeute dunkerquois subventionne sans le savoir le confident des stars de Beverly Hills !

Les entreprises pharmaceutiques n'ont pas été longues à comprendre le profit qu'elles pouvaient tirer d'une coopéra-

---

1. Une troisième édition serait actuellement en préparation.

tion étroite avec l'AAP. Qu'une molécule se voie désignée comme le traitement de choix contre l'énurésie ou la cyclothymie, et ce sont en effet des millions de dollars de profits assurés. Avec un peu de recul, on comprend que l'AAP et les laboratoires ont intérêt à développer le marché de concert, en recensant toujours plus de maux – et les remèdes correspondants.

Le troisième effet pervers du DSM est plus insidieux. En arrosant le monde de leur vade-mecum, les Américains ne font ni plus ni moins qu'exporter leurs maladies mentales. Entendons-nous bien, les grandes pathologies, telles que les addictions ou les psychoses, ne connaissent pas les frontières. Mais descendons d'un étage. Dans le DSM-I de 1952, par exemple, toutes les déviations sexuelles étaient regroupées au sein d'une catégorie unique. Seize ans plus tard, le DSM-II reconnaît neuf sous-catégories : l'homosexualité, le fétichisme, la pédophilie, le travestissement, l'exhibitionnisme, le voyeurisme, le sadisme, le masochisme et les « autres déviations sexuelles ». Des psychiatres français, allemands ou japonais seraient-ils parvenus à la même nomenclature ? Peut-être. Ce qui est certain en revanche, c'est qu'ils observent désormais leurs patients à travers un nouveau prisme, taillé à des milliers de kilomètres de chez eux par des experts assurément très compétents, mais qui ne partagent ni leur langue ni leur culture. Dans d'autres sphères, ce phénomène porte un nom : l'impérialisme.

J'ai un dernier reproche à adresser au DSM : il incite à la paresse. Mes confrères qui en ont fait leur vulgate n'ont plus de psychiatres que le titre. Ils pointent des symptômes comme ils rempliraient une grille de loto, en déduisent une maladie, un traitement. Un jour, leurs ordonnances s'écriront toutes seules.

Pour toutes ces raisons, je ferai un usage limité de mon

DSM dans les prochains mois. Le dépistage méthodique des prodromes que préconise l'AAP bride la créativité, là où quelque chose me dit que le traitement de Scherbius va nécessiter inspiration et audace.

Apprenez, messieurs les Américains, que les cas les plus intéressants sont ceux qui ne rentrent pas dans les cases!

Des loyautés contradictoires

Deux questions n'ont cessé de guider ma recherche : de quoi souffre Scherbius ? Comment compose-t-il avec cette souffrance ?

Prenons les problèmes dans l'ordre.

Scherbius a vécu plusieurs traumatismes majeurs, dont chacun, séparément, a pu entraîner d'importants dérèglements de sa personnalité.

L'incarcération de son père, tout d'abord, a fait voler en éclats plusieurs dogmes du jeune homme : la toute-puissance paternelle, la présomption d'innocence, l'infaillibilité de la justice, le droit à la réinsertion après avoir purgé sa peine, etc. Cet épisode fondateur et dramatique à souhait explique selon moi pourquoi Scherbius incarne si souvent des personnages de fonctionnaires pointilleux mais compréhensifs. «Ce que vous voulez que les hommes fassent pour vous, faites-le de même pour eux» (Luc 6, 31) : qu'il interprète un huissier, un agent de la paix ou un inspecteur des impôts, Scherbius se comporte comme il aurait aimé voir le faire les deux brutes qui ont appréhendé son père – un mécanisme de réparation classique, généralement assez efficace.

Plus difficile à surmonter semble avoir été la déchéance

matérielle causée par l'emprisonnement de Joseph. La famille, plutôt aisée à l'origine, s'est enfoncée dans la précarité, pour ne pas dire la misère. Scherbius a vu sa sœur enterrer ses rêves de savoir et sa mère se priver de dîner pour que ses enfants mangent à leur faim. Lui-même a appris à rentrer par la porte arrière du cinéma, à secouer les parcmètres, à demander le pain de la veille en espérant que la boulangère apitoyée lui tendrait celui du jour pour le même prix.

Il a été prouvé que sombrer dans la pauvreté est, psychologiquement parlant, plus dur que d'y naître. Le déclassement s'accompagne presque inévitablement d'un sentiment de honte, voire de culpabilité. Le soir dans son lit, Scherbius cherche un fautif aux malheurs de la famille. Son père ? Impossible. Le propriétaire de l'entreprise textile ? Ce n'est pas lui qui a maquillé les comptes. Le juge ? Il n'a fait qu'appliquer la loi. « De toute façon, raconte-t-il, rien n'aurait pu apaiser ma colère. Alors, j'ai arrêté de me torturer. » Je lui confirme que c'est ce qu'il avait de mieux à faire.

Cette prospérité révolue explique sa frugalité. Il ne commettra pas deux fois l'erreur de se croire riche. « On ne peut pas perdre ce qu'on n'a jamais eu », observe-t-il, philosophe. Il possède deux costumes, autant de paires de chaussures, un nécessaire de toilette, un dictionnaire de citations fatigué, l'unique vestige de la bibliothèque familiale à avoir survécu à ses innombrables tribulations, le seul objet aussi auquel il s'avoue un tant soit peu attaché. « Papa, maman et Danielle l'ont tenu entre leurs mains. C'est un peu comme si nous étions réunis dans ces pages. »

À ces deux traumatismes – la perte du père, la clochardisation – s'en ajoute probablement un troisième, de nature sexuelle. « Probablement » est un adverbe inhabituel sous la plume d'un scientifique ; je l'emploie pourtant à dessein.

Un investigateur relève des empreintes digitales, analyse des cendres, vérifie des alibis. Le psychiatre, lui, n'a pas ce luxe. Il doit se contenter d'indices équivoques : un haussement d'épaules, une mâchoire serrée, un lapsus. Il élabore tant bien que mal une théorie à partir de ses observations, la partage avec son patient, l'amende à la marge sur la suggestion d'un confrère, et finit par l'adopter comme hypothèse de travail, parce qu'il faut bien avancer, parce que si l'on attendait d'être certain, au sens cartésien du terme, d'avoir identifié le mal dont souffre un patient pour le soigner, les hôpitaux seraient vite engorgés. La vérité en psychiatrie n'existe pas – ce qui n'interdit pas de chercher à s'en approcher.

Pour cette raison même, que Scherbius s'émeuve de mes supputations ne suffit pas à les rendre fausses. Je considère au contraire qu'il en a indirectement confirmé certaines, en refusant de les entendre jusqu'au bout ou en laissant échapper des bribes de phrases : « Ça ne s'est pas passé exactement comme ça », « De toute façon, je n'avais pas le choix ».

Puis-je démontrer que Scherbius a été violé ou exposé en bas âge à des pratiques répréhensibles ? Non. Mais j'en ai l'intuition. Or, comme l'a dit Henri Poincaré, « c'est avec la logique que nous prouvons et avec l'intuition que nous trouvons ».

J'envisage différents scénarios.

Dans le premier, qui a ma préférence, il a subi des attouchements de la part du prêtre de sa paroisse. Il a entre huit et douze ans, n'ose pas repousser les avances du prélat ; peut-être même y prend-il du plaisir. Les agressions intimes essuyées à cet âge crucial ne s'oublient pas. Parmi les répercussions psychologiques les plus fréquentes, citons la confusion que peut éprouver la victime quant à son orientation sexuelle ; un sentiment de honte, d'insécurité ou de solitude ;

des troubles d'apprentissage ; une libido déréglée ; le refuge dans un monde imaginaire.

Deuxième possibilité, Scherbius s'est éveillé à la vie sexuelle chez les trappistes, à l'initiative d'un condisciple ou d'un abbé. De telles relations sont illégales aux yeux de la loi, ou plutôt elles l'étaient au début des années 60, l'article 321 du Code pénal prévoyant que « sera puni d'un emprisonnement de six mois à trois ans et d'une amende de 60 francs à 15 000 francs quiconque aura commis un acte impudique ou contre nature avec un individu de son sexe mineur de vingt et un ans[1] ». Comme je doute que les religieux aient pris le risque d'accueillir un mineur en leur sein, j'en déduis que Scherbius a menti sur son âge lorsqu'il a frappé à la porte de Notre-Dame d'Acey ou qu'il a produit un faux certificat d'émancipation. Il prétend ne pas s'en souvenir. Cela signifierait que les ébats qui se sont déroulés (ou ont pu se dérouler, restons prudents) dans le monastère respectaient la lettre de la loi, à défaut de son esprit.

Troisième option, Scherbius est inverti. « Et alors ? » diront certains. L'homosexualité est mieux acceptée socialement aujourd'hui qu'à aucune autre période depuis l'Antiquité. Les progrès de la science y sont pour beaucoup. Dès 1935, Freud écrivait à la mère d'une patiente que « ce n'est pas un avantage, mais pas non plus quelque chose dont on doit avoir honte. Ce n'est ni un vice ni une dégradation et on ne peut pas non plus la classer parmi les maladies ». Comment oublier cependant qu'il a fallu attendre 1973 pour que l'Association américaine de psychiatrie supprime l'homosexualité de la liste des troubles mentaux ? Que des milliers d'hommes et de femmes sont morts dans les

1. Un seuil ramené à dix-huit ans dans la foulée du changement de l'âge de la majorité voté en 1974.

camps de concentration nazis en raison de leurs préférences amoureuses ? Que les territoires annexés de l'Alsace et de la Moselle ont été soumis durant la guerre à l'ignominieux paragraphe 145 du Code pénal allemand[1] ? Que l'Église catholique romaine assimile les pratiques homosexuelles actives à de «graves dépravations» et les présente comme «les tristes conséquences d'un refus de Dieu[2]»?

C'est tout le drame de Scherbius d'être ainsi tiraillé entre des loyautés contradictoires : il sert une Église qui le stigmatise[3]; rabat des soldats vers une armée où «les pédés ne sont pas les bienvenus[4]»; exécute les missions d'une République française qui fiche ouvertement les homosexuels! Plus d'un à sa place aurait déjà sombré dans la schizophrénie[5].

1. «Les actes sexuels contre nature qui sont perpétrés, que ce soit entre personnes de sexe masculin ou entre hommes et animaux, sont passibles de prison. Il peut aussi être prononcé la perte des droits civiques.» Bien qu'en théorie non visées par ce texte, de nombreuses lesbiennes ont été déportées pour «comportement asocial».
2. Congrégation pour la doctrine de la foi, *Déclaration* Persona humana *sur certaines questions d'éthique sexuelle* (1975).
3. Je n'exclus d'ailleurs pas que ce soit la véritable raison de son départ de chez les trappistes.
4. Général Louis Trochant, *Minute* (24 janvier 1977).
5. Je ne vois pas en revanche en Scherbius une victime de l'inceste. Joseph ne correspond pas au profil du père abusif, dominateur ou jouisseur.

« Ils n'étaient qu'eux »

Le parcours de Scherbius révèle une nostalgie frappante pour la période de l'adolescence. Qu'il remplisse les casernes, enseigne la philosophie au lycée ou joue les gardiens de prison en Haute-Savoie, on sent chez lui le besoin d'infléchir la destinée des jeunes, tant qu'il en est encore temps. Parmi ses films favoris, je note d'ailleurs *Les quatre cents coups*, *Les disparus de Saint-Agil*, *L'argent de poche* et *La fureur de vivre*.

Scherbius a, par ailleurs, depuis l'enfance, une conscience aiguë de sa différence. Il préfère la lecture au sport, la fréquentation des salles de cinéma à celle des cafés ou des dancings. *Le Schmilblic*, les pitreries de Darry Cowl, les exploits de la bande à Kopa le laissent de marbre. Dans l'école qu'il fréquente jusqu'au fatidique épisode du coup de règle, il est la tête de Turc, pour toutes les raisons qu'on peut imaginer : il compte trop vite, collectionne les prix d'excellence, snobe ses condisciples, etc.

« Je les trouvais tellement... unidimensionnels, se souvient-il. Ils recopiaient les cours, jouaient au foot à la récré, faisaient laborieusement leurs devoirs, lisaient *Le Journal de*

Tintin… et recommençaient le lendemain. Rien ne risquait jamais de leur arriver. *Ils n'étaient qu'eux.* »

Je lui demande en quoi il valait mieux que ses camarades. « Mieux, je ne sais pas, répond-il. Mais je me sentais capable d'accomplir davantage. Je pouvais être chacun d'eux si je le souhaitais : Hütter qui se croyait musicien, mais n'entendait pas que son violon avait besoin d'être accordé ; Schneider qui ne passait jamais le ballon, sous prétexte que son père avait joué une saison pour les Grasshoppers de Zurich ; Dinger, l'apprenti cinéaste qui confondait Einstein et Eisenstein. Surtout, ils s'accrochaient à leur petit rêve misérable, de peur que la vie n'ait qu'un plan pour eux. — Et ce n'est pas le cas ? » me sens-je obligé de demander. Il me dévisage d'un air consterné, comme s'il craignait de s'être mépris sur mon compte. « Non, évidemment. Vous, moi, les esprits supérieurs, nous façonnons notre existence. Je suis ce que je veux être, c'est tellement simple quand on l'a compris. »

Il fait remonter cette épiphanie à sa première lecture d'*Ainsi parlait Zarathoustra* au début des années 70. « Deviens ce que tu es. Fais ce que toi seul peux faire[1] », prêche Nietzsche par la voix du prophète. Dans le cas de Scherbius, cela veut dire repousser les frontières de l'imagination, incarner tous les possibles, être le plus petit commun multiple de l'humanité.

À la suite de l'affaire du coup de règle, il change d'établissement scolaire. Il en profite pour adopter un nouveau comportement vis-à-vis de ses camarades. Sans aller jusqu'à rechercher leur commerce, il se plie, au moins en apparence, à certains de leurs codes. Il échange des vignettes de footballeurs à la récré, joue au ping-pong (« avec prise

---

1. Une formulation étonnamment proche, quand on y songe, du « ce qu'un homme peut être, il doit l'être » de Maslow.

de raquette porte-plume », précise-t-il fièrement), s'applique
à parsemer ses devoirs de maths d'erreurs qui désespèrent
son prof. Il entretient quelques copains, « histoire de ne pas
passer pour un minus », bien que leur conversation axée sur
le sport et les filles le désole.

C'est peu dire qu'il est conscient de sa singularité. Source
de fierté autant que d'abattement, elle fait de lui un para-
doxe vivant. Un extraterrestre qui tantôt recherche et
tantôt fuit la compagnie des hommes. Un nomade qui ne
demande qu'à se fixer. Un solitaire en mal d'affection, à qui
ses mensonges incessants interdisent de nouer une relation
de confiance avec qui que ce soit.

Ces conflits permanents génèrent une tension démentielle
qui transforme Scherbius en une bombe à retardement.

L'heure du diagnostic

L'heure est venue de poser un diagnostic.

Scherbius souffre, selon moi, d'un mal rarissime et, partant, peu connu : le trouble de la personnalité multiple (TPM), un désordre mental dans lequel plusieurs identités distinctes se disputent le contrôle de l'individu.

Mes soupçons, nés dès les premières séances, se sont mués en certitude à mesure que Scherbius remplissait un à un les critères listés par Ellenberger[1].

I. Il est incapable, malgré sa prodigieuse mémoire, de reconstituer précisément ses allées et venues. Son emploi du temps est criblé de zones d'ombre pouvant aller d'une heure à plusieurs mois. Il se cabre quand je lui en fais la remarque, m'accusant de m'emmêler dans les dates ou de mettre sa parole en doute. Sous ses dénégations cependant, je vois bien qu'il enrage de ne pas savoir où s'évapore son temps, un phénomène habituel chez les TPM qui, ne pouvant répondre des faits et gestes de leurs alter ego, passent souvent pour des menteurs.

1. *The Discovery of the Unconscious*, Henri Ellenberger, 1970.

2. Il souffre depuis l'adolescence de maux de tête quasi chroniques.

3. Il s'est présenté à notre vingt-troisième séance avec un attaché-case en cuir brun que je ne lui connaissais pas. Quand je lui en ai fait la remarque, il a paru émerger d'un rêve. Il a affirmé n'avoir jamais vu cette mallette et ignorer par quel miracle elle se trouvait au bout de son bras. La serrure était protégée par un code à quatre chiffres, qu'il ne se souvenait pas avoir choisi. Nous avons essayé plusieurs combinaisons, avant de songer à la plus évidente de toutes, le 0000 par défaut du fabricant. « Vraiment, ai-je demandé une dernière fois avant d'ouvrir le porte-documents, vous n'avez aucune idée de ce qu'il contient ? — Puisque je vous dis que non », a-t-il gémi, en proie à une terreur indicible. J'ai sorti tour à tour une pompe à vélo, la carte routière Michelin n° 83 (Carcassonne-Nîmes), un soutien-gorge Dim en dentelle (il a poussé un cri de honte et enfoui son visage dans ses mains), trois tickets de cinéma non datés pour le film *Les duellistes* au Studio des Ursulines, plusieurs aérogrammes vierges, un stylo Bic quatre couleurs auquel manque le rouge, un *Guide des plantes tropicales*, une boîte de chevrotines et un trousseau de clés sans identification. Scherbius me supplie de croire qu'il n'a jamais vu ces objets. Sa sincérité saute aux yeux.

4. Il lui arrive de rencontrer des gens qui le connaissent sans que la réciproque soit vraie, de se réveiller dans un bus sans avoir le souvenir d'y être monté, de ne pas se rappeler s'il a ou non écrit une lettre, de ne pas se reconnaître dans le reflet du miroir.

Très peu de professionnels sauraient mettre ces symptômes bout à bout. Heureusement, j'en fais partie, dans la mesure où ma thèse de doctorat portait sur la découverte des personnalités multiples par une poignée de cliniciens français à la fin du siècle dernier !

Une brève histoire du TPM

L'histoire du désordre mental aujourd'hui connu sous le nom de trouble de la personnalité multiple s'étend sur plus d'un siècle. Ne pouvant exiger de mes lecteurs la patience d'un jury de thèse, je me bornerai à en relater les grandes lignes. L'intrigue – des scientifiques français pillés par leurs homologues américains – est de toute façon tristement familière.

On recense peu de cas de TPM (ou, plus exactement, peu de cas du trouble aujourd'hui connu sous ce nom) avant le XIXᵉ siècle. Il est toutefois permis de penser que certaines des sorcières qu'on disait possédées par le Démon étaient en fait atteintes de TPM.

Les premiers cas recensés coïncident avec l'avènement de la psychiatrie en tant que discipline scientifique au siècle dernier. L'idée selon laquelle la folie n'est pas un crime se fraie lentement un chemin dans la loi, sinon dans les mœurs. Des «asiles» spécialisés ouvrent leurs portes en Europe et aux États-Unis. Le plus souvent installés en rase campagne, ils ont davantage pour but de protéger les civils des «aliénés» (comme on les appelle alors) que de guérir ces derniers, mais c'est un début[1].

1. Certains philosophes, comme Michel Foucault dans son récent *Sur-*

En 1850, le « dédoublement » est assimilé à une forme de somnambulisme. L'épilepsie temporale semble être un facteur prédisposant, mais le nombre très réduit de cas rend les spéculations hasardeuses.

Signe de la curiosité que suscite le sujet, plusieurs savants de premier plan participent aux recherches. Janet hypnotise les patients. Charcot s'intéresse aux chocs émotionnels qu'ils ont vécus dans leur enfance. Azam se passionne pour le cas de Félida X., une dédoublée bordelaise.

En 1885, deux médecins, Henri Bourru et Prosper Burot, font sensation en annonçant qu'un de leurs patients, un jeune homme du nom de Louis Vivet, possède une demi-douzaine de personnalités. Ce dernier point marque à lui seul un changement complet de paradigme : au-delà de deux, on ne peut plus parler de « dédoublement » ou de « l'autre » personnalité. Comme disent les Anglais, *Two is company, three is a crowd.*

L'histoire de Vivet est fascinante. Abandonné par son père, battu par sa mère, une prostituée alcoolique, il fugue à huit ans, est arrêté pour vol à neuf, et passe sa jeunesse en maison de correction. Son dossier le décrit intelligent et de bonne composition. À dix-sept ans, alors qu'il travaille dans les champs à Saint-Urbain dans la Haute-Marne, survient l'événement qui va bouleverser sa vie. Une vipère, en

---

veiller et punir, crient haro sur l'institution psychiatrique. Comme eux, je déplore le manque de moyens dont souffrent la plupart des établissements. Comme eux, je dénonce l'hypocrisie des élus qui veulent qu'on les débarrasse de leurs malades mais refusent de construire les hôpitaux modernes dont notre société a besoin. Comme eux, je me souviens que les restrictions alimentaires imposées par le régime vichyste ont causé la mort de dizaines de milliers de malades durant l'Occupation. J'appelle toutefois ces perpétuels insurgés à un peu de flegme. La médecine a plus progressé en un siècle que durant les dix précédents ! Comme l'écrivait le fabuliste, « patience et longueur de temps font plus que force ni que rage ».

s'enroulant autour de son bras gauche, le plonge dans une panique effroyable. De retour à la ferme, il s'évanouit puis convulse violemment, à plusieurs reprises. Quand il reprend connaissance, il est paralysé des membres inférieurs.

Il est transféré à l'asile de Bonneval dans l'Eure-et-Loir, où il apprend le métier sédentaire de tailleur. Une nouvelle crise le terrasse ; il convulse et crie pendant deux jours. Lorsque son calvaire s'achève, il se lève et demande ses vêtements, afin d'aller travailler aux champs. Sa paralysie a duré un an. Plus surprenant encore, il ne reconnaît ni les médecins ni les autres patients. Son caractère aussi a changé. Il est devenu querelleur et morose, il a perdu son appétit. Le psychiatre, Léon Camuset, diagnostique un dédoublement de la personnalité.

Vivet quitte Bonneval à dix-huit ans, pour s'établir comme ouvrier agricole près de Bourg-en-Bresse. Des rechutes à répétition lui valent d'être interné à l'asile de Saint-Georges où il passe un an et demi. Il monte à Paris en 1883, est admis à la Salpêtrière, puis à Bicêtre, où les pièces du puzzle vont commencer à se mettre en place.

Une nouvelle crise d'épilepsie le laisse hémiplégique du côté droit. Il reste de bonne humeur malgré son handicap. Trois mois plus tard, il saute de son lit au réveil, complètement guéri[1]. Selon un schéma désormais familier, il ne se souvient pas avoir été paralysé, harcèle le personnel soignant, chipote dans son assiette. Il s'enfuit de Bicêtre, fait un bref passage dans la marine, avant d'échouer à l'École de médecine navale de Rochefort, où Bourru et Burot vont le prendre sous leur aile.

Ils observent chez Vivet pas moins de six personnalités

---

1. Nonobstant son hémiplégie, les médecins avaient réussi plusieurs fois à le faire marcher sous hypnose.

distinctes, chacune dotée d'une mémoire, d'un caractère et même de symptômes somatiques propres (essentiellement des paralysies locales). Ils passent de l'une à l'autre par l'hypnose ou en plaçant des aimants en différents endroits du corps[1]. Deux de leurs confrères, Mabille et Ramadier, assistent même à un spectacle inouï qu'ils qualifieront de *déroulement spontané* : les personnalités se succèdent sous leurs yeux incrédules, de la plus jeune à la plus âgée[2].

Vivet quitte Bicêtre pour la dernière fois le 20 octobre 1886. Est-il guéri ? Las de son statut de cobaye ? Toujours est-il qu'il ne donnera plus signe de vie.

Bien que revenant souvent dans les colloques, la question de savoir si l'on a ici affaire au premier TPM de l'histoire[3] n'a selon moi pas grand intérêt. Si le cas de Vivet continue de passionner psychiatres et romanciers[4], c'est avant tout en raison de son extraordinaire richesse : une symptomatologie variée (à chaque personnalité correspondent un ensemble de souvenirs, un métal, une infirmité) ; de violents traumatismes affectifs (absence du père, maltraitance de la mère) ; un événement déclencheur (la confrontation avec la vipère). Tout est là, et sans doute un peu plus[5].

En cette fin de xixe siècle, la France est le berceau incontesté de la recherche sur les personnalités multiples. Elle compte plus de cas que n'importe quel autre pays, peut se

1. Une technique connue sous le nom de métallothérapie, qu'on doit à un autre médecin français injustement oublié, Victor Burq.
2. Car les personnalités des TPM n'ont pas toujours le même âge ni le même sexe. Nous y reviendrons.
3. Ce titre reviendrait en fait à Félida X.
4. Robert Louis Stevenson avoua s'en être inspiré pour son *Étrange cas du docteur Jekyll et de M. Hyde* (1886).
5. On a accusé Vivet d'avoir simulé certains symptômes pour complaire à ses médecins. C'est, selon moi, prêter de bien grandes capacités à un garçon de ferme.

prévaloir d'une douzaine de spécialistes (aux noms déjà cités, il convient d'ajouter *a minima* ceux de Binet, Ribot, Richer et Voisin), d'un environnement éditorial de qualité, de structures d'accueil d'avant-garde. Et pourtant, par une de ces usurpations dont ils ont le secret, ce sont les Américains qui vont écrire les chapitres suivants de l'histoire du TPM.

En 1906, un neurologue de Boston, Morton Prince, publie *The Dissociation of a Personality*, le fruit de six années d'observations sur une de ses patientes. Christine «Sally» Beauchamp[1], vingt-trois ans, se plaint de troubles nerveux. Placée sous hypnose, elle révèle une deuxième, puis une troisième personnalité. «Bien que partageant le même corps, écrit Prince, chacune a un caractère différent, qui se manifeste par ses propres opinions, croyances, idéaux, goûts, habitudes, expériences et souvenirs.» Après des années d'efforts, le bon docteur parvient à réconcilier les personnalités entre elles. Sally Beauchamp, éperdue de gratitude, tombe dans les bras de l'assistant de Prince. On nage en plein conte de fées! Malgré une pique gratuite contre Janet, un style boursouflé (quatre cent cinquante pages!) et sa piètre valeur scientifique, *The Dissociation of a Personality* rencontre un large succès commercial.

Cinquante ans plus tard, Hollywood adapte en Cinémascope *The Three Faces of Eve*, un livre écrit par deux psychiatres. Eve White[2] est une ménagère effacée, affligée de fréquents maux de tête. Elle a un double néfaste nommé, vous l'aurez deviné, Eve Black. Son médecin, le sagace docteur Luther, soupçonne que la dissociation remonte à un

1. Un pseudonyme. Elle s'appelait en réalité Clara Norton Fowler.
2. Dont le vrai nom, Chris Costner Sizemore, a été récemment rendu public.

événement traumatique. Eve finit en effet par se rappeler qu'à l'âge de six ans, ses parents l'ont forcée à embrasser le cadavre de sa grand-mère. Paraît sur ces entrefaites une troisième personnalité, Jane, qui absorbe les deux autres et épouse un brave garçon qui passait dans le coin. J'exagère à peine.

Une pluie de dollars s'abat sur la Twentieth Century Fox. Pour son premier rôle à l'écran, Joanne Woodward décroche l'Oscar de la meilleure actrice. Quant à la patiente à l'origine du projet, elle s'empresse d'écrire une suite à son mémoire, le dispensable *The Final Face of Eve*.

On ne change pas une formule qui gagne. En 1973, une journaliste publie *Sybil*, le récit du traitement par Cornelia Wilbur d'une certaine Sybil Isabel Dorsett[1]. La malheureuse abrite plus de personnalités que Louis Vivet, Félida X., Sally Beauchamp et Eve réunis : seize en tout, dont deux masculines. Pour cette raison sans doute, les ventes du livre dépassent celles combinées de ses prédécesseurs : 400 000 exemplaires pour la seule édition originale aux États-Unis, auxquels s'ajoutent des traductions dans le monde entier[2].

Avec de tels chiffres, l'adaptation à l'écran n'est pas longue à suivre. La chaîne NBC confie le rôle-titre d'un téléfilm à la jeune Sally Field et celui du docteur Wilbur à… Joanne Woodward en personne ! L'interprète oscarisée de *The Three Faces of Eve* est passée de l'autre côté du miroir. Le succès commercial est une fois de plus au rendez-vous.

Est-il besoin de préciser que ces œuvres ne présentent aucun intérêt scientifique ? Elles tonitruent avec un méga-

---

1. Un nom d'emprunt.
2. Les sirènes du dollar ont eu raison de la résistance des éditeurs d'Albin Michel. C'est bien dommage. Quel formidable message la France aurait envoyé en refusant de traduire *Sybil* ou, mieux encore, en réimprimant Janet !

phone ce que Bourru et Burot chuchotaient très bien il y a trois quarts de siècle. Maltraitance, traumatismes émotionnels, conflits entre les personnalités : tous ces aspects apparaissent déjà – et avec quelle force ! – chez Vivet.

À quelque chose pourtant malheur est bon. Au moins les téléspectateurs outre-Atlantique connaissent-ils désormais les bases du MPD (*Multiple Personality Disorder* dans la langue de Shakespeare). Oh, bien sûr, le nom de Félida X. ne leur évoque rien, pas plus que le fauteuil trépidant de Charcot ou les considérations terminologiques de Camuset. Mais ils savent que chaque personnalité possède ses propres souvenirs, que le TPM touche surtout les femmes et se déclare rarement avant l'adolescence. Peu de Français peuvent en dire autant.

Les chercheurs nord-américains – les plus intègres d'entre eux, au moins – poussent l'affront jusqu'à reconnaître leur dette envers les pionniers de l'École de la Salpêtrière. Henri Ellenberger, l'auteur du magistral *The Discovery of the Unconscious*, prit en son temps position pour Janet dans la querelle qui opposa celui-ci à Freud. Richard Kluft, David Caul, George Greaves, Cornelia Wilbur ne nient pas avoir lu et assimilé les classiques. C'est ainsi que, génération après génération, les psychiatres yankees continuent de piller la recherche française[1] en toute impunité.

Impérialisme du DSM, plagiat éhonté : combien de temps tolérerons-nous ces pratiques ?

Personnellement, ma patience est à bout.

---

1. Je tiens de source sûre que ma thèse de doctorat a été lue sur les campus de Berkeley et Princeton.

« *Sept règles à suivre pour que votre fille développe de multiples personnalités* »

Qu'avons-nous appris sur le TPM depuis Louis Vivet ?

Le DSM, en retard d'une guerre comme d'habitude, évoque dans son édition de 1968 une « hystérie de type dissociatif » présentant divers symptômes tels que « l'amnésie, le somnambulisme, la fugue ou la personnalité multiple ». Pour la précision, on repassera.

Le chercheur Ralph Allison a publié en 1974 dans les colonnes de la revue californienne *Family Therapy* une tribune au titre provocateur : « Sept règles à suivre pour que votre fille développe de multiples personnalités ».

Arrêtons-nous un instant sur cette liste plus sérieuse qu'il n'y paraît.

« Règle n° 1 : Ne désirez pas votre enfant. » Contrairement à Vivet qui n'était pas désiré, Scherbius semble l'avoir été.

« Règle n° 2 : Entretenez une relation conflictuelle avec votre conjoint en inversant régulièrement les rôles, de façon à ce que l'enfant ne sache jamais à quel saint se vouer. » C'est une assez bonne description du calvaire qu'a vécu Scherbius. Il a tour à tour admiré, plaint puis méprisé son père ; aimé, rejeté puis ignoré sa mère.

« Règle n° 3 : Assurez-vous qu'un des parents, si possible

le préféré, se volatilise avant les six ans de l'enfant. » Scherbius a plus près de onze ans que de six quand son père lui est ravi, mais les circonstances de l'arrestation de Joseph font à mon sens plus que compenser cet écart.

« Règle n° 4 : Encouragez la rivalité entre frères et sœurs ou, à tout le moins, gardez-vous d'intervenir dans leurs histoires. » Combien de fois ai-je entendu Scherbius se plaindre d'avoir été livré à la cruauté de Danielle ?

« Règle n° 5 : Ayez honte de votre lignage. » Pourquoi Joseph a-t-il fui la Provence ? Pourquoi les jeunes mariés ne se sont-ils pas installés en Vendée, fief de la famille de Suzanne ? Notons que Scherbius ignore jusqu'au nom de ses grands-parents.

« Règle n° 6 : Faites en sorte que sa première expérience sexuelle soit traumatisante et qu'elle ne puisse pas vous en parler. » J'ai envisagé plus haut les différentes façons dont Scherbius a pu perdre sa virginité : aucune n'était une vallée de roses.

« Règle n° 7 : Si vous lui rendez la vie misérable, elle n'aura qu'une envie : se marier et débarrasser le plancher. Choisissez-lui alors comme époux un pervers qui prendra votre suite. » Les conseils d'Allison s'adressent aux parents d'une jeune fille. Je rappelle cependant que Scherbius s'est enfui du domicile familial à seize ans.

Si l'on considère les règles ci-dessus comme le terreau propice à l'épanouissement du TPM, la graine prend presque toujours la forme d'un traumatisme survenu pendant l'enfance. La victime développe alors inconsciemment des personnalités alternatives pour se distancier dudit traumatisme et éviter d'en affronter les implications.

Scherbius a vécu deux commotions capitales à l'adolescence : l'une qu'il évoque volontiers (l'arrestation de son père), l'autre qu'il réprime de toutes ses forces (à mon avis, un viol). Laquelle des deux est à l'origine de son désordre ? Probablement la seconde – l'écrasante majorité des cas de TPM répertoriés depuis 1945 semblent imputables à des sévices sexuels –, même s'il paraît évident que leur conjonction n'a pu qu'aggraver les choses.

Sous la violence de ces deux chocs, survenus à intervalle rapproché, l'individualité de Scherbius a volé en éclats. Dans le vide laissé par l'explosion se sont engouffrés d'autres personnages qui illustrent ses contradictions et ses conflits irrésolus.

Flora Rheta Schreiber, l'auteur de *Sybil*, dissèque ce mécanisme avec une précision chirurgicale, qui ferait presque oublier la banalité affligeante de sa plume. Hattie, la mère de Sybil, est dotée d'une imagination démoniaque pour tyranniser sa fille. Pour lui montrer « ce que ça ferait d'être mort », elle l'enferme dans une malle, en lui ayant au préalable enfoncé du coton dans les oreilles et un chiffon humide dans la gorge. Elle lui administre un lavement puis l'attache au pied du piano en lui interdisant d'uriner malgré les vibrations qui la mettent au supplice. Elle lui insère des objets variés dans le vagin. Face à la haine que doit lui inspirer sa mère dans ces moments-là, Sybil choisit de « s'absenter ». Elle se réfugie par exemple dans une personnalité qui déteste Hattie (et peut donc se laisser aller mentalement à l'invectiver) ou dans une autre, religieuse et soumise. De la dissociation comme mécanisme de survie.

Le cas qui nous occupe présente un degré de complexité supplémentaire. Car Scherbius, non content de sauter d'une personnalité à l'autre, change tout aussi facilement de personnage.

Attention à ne pas confondre ces deux notions : Scherbius a incarné un très grand nombre de rôles, mais n'abrite selon moi qu'une poignée de personnalités.

Alexandre, l'imposteur qui m'est arrivé après le fiasco de Villacoublay, est la figure principale – l'hôte en quelque sorte. C'est lui qui a assisté à l'arrestation de son père. Il est sympathique, cultivé, coopératif, mais souffre de troubles de la mémoire. Il est incapable de se rappeler ce qu'il a fait lundi dernier à l'heure où nous avions rendez-vous[1] ni où il habitait au printemps 1971. Durant ces absences, la personnalité-hôte cède la place à d'autres, qui mènent leurs propres activités *à l'insu d'Alexandre*. Chaque « multiple » est conscient des autres à des degrés divers, sans qu'aucun ne possède toutes les pièces du puzzle.

J'estime avoir rencontré à ce stade cinq variations distinctes de Scherbius. Quand retentit la sonnette, je ne sais jamais qui se tient derrière la porte. Un coup d'œil me suffit le plus souvent à identifier Jérôme, Frédéric ou Jean-Louis. Par moments cependant, je dois m'y reprendre à deux fois : étudier l'habillement, la coiffure, les nuances du rasage.

Permettez-moi de vous présenter les membres de cette petite troupe.

Jérôme est un grand contemplatif. Après son noviciat à Notre-Dame d'Acey, il ressurgit, modeste bibliothécaire, à Baden dans le Morbihan. Trop timide pour enseigner, de santé fragile, il affectionne les emplois solitaires, où sa patience et sa minutie font merveille. Il astique des armes de collection à Cherbourg, répare l'horloge astronomique de Fougères, coud des gants à Lannion. Il passe ses loisirs à l'église et au bord des étangs, à nourrir les canards. Il ne s'habille qu'en gris, ce qui me facilite grandement la tâche.

Jacques est doux et posé. C'est un éducateur dans l'âme. C'est lui qui enseigne les maths à Sarreguemines et les sciences à Bourgoin-Jallieu, lui encore qui supervise les

---

1. Il a manqué onze de nos quatre-vingt-deux séances.

jeunes délinquants à Bonneville. Il n'aime pas l'hôtel, préférant loger dans un studio qu'il repeint rituellement «dans une couleur chaude» à son arrivée. Il joue très correctement du saxophone[1], soutient le Football Club de Nantes, et cuisine, avec un penchant pour les recettes antillaises. Je comprends, à plusieurs indices, qu'il a une vie sociale et sentimentale assez riche, dans le détail de laquelle il refuse malheureusement d'entrer.

Frédéric est le recruteur militaire. Également prof d'éducation physique et d'arts martiaux, il a conduit un camion fourrière à Perpignan et dirigé la brigade canine de la ville de Fréjus pendant un été. Avec lui, je surveille mon langage, car il prend facilement la mouche, témoin cette algarade qui le vit gifler un collègue en salle des profs à Vesoul. Il s'enorgueillit d'avoir couché plusieurs fois en prison – pour coups et blessures, outrage à agent et vandalisme[2] – sans jamais avoir été condamné. Il compense une certaine étroitesse lexicale par un usage désinhibé de l'argot. Il fréquente assidûment les clubs de musculation, en déplorant que Scherbius et «les autres tantes[3]» n'en fassent pas autant. Il loge dans des hôtels borgnes, où la présence de prostituées le gêne apparemment moins que celle de «bougnoules». Il lit peu, et uniquement la presse (*Minute*, *Détective*...), possède la filmographie de Bruce Lee sur le bout des doigts, s'habille dans les surplus militaires, et n'a plus mis les pieds dans une église depuis qu'en 1969, le pape Paul VI a invité les Français à mieux respecter les traditions des populations immigrées.

1. Si j'en crois mon épouse Louise, qui est musicienne.
2. Un tag raciste sur la façade d'un foyer Sonacotra.
3. Mes lecteurs me pardonneront, j'espère, ces termes ignobles qu'un souci de véracité m'interdit d'édulcorer.

Jean-Louis est l'artiste de la bande. C'est lui qui enseigne la musique à Vernet et le dessin à Pierrelatte, qui imagine les costumes des *Contes d'Hoffmann* à l'Opéra Garnier et inaugure la MJC d'Angers, au nom d'Alain Peyrefitte. Il possède une immense culture classique, joue d'au moins quatre instruments (piano, orgue, clavecin et violoncelle), dessine admirablement et sort au théâtre presque tous les soirs. Il est laïc, végétarien, tiers-mondiste, lit Aragon et Manchette. Ses convictions politiques se situent aux antipodes de celles de Frédéric. Il milite au parti communiste et défend, même après le Printemps de Prague, le droit de l'URSS à s'ingérer dans les affaires de ses satellites. Il fréquente presque exclusivement des hommes, mais ne se formalise pas quand je lui en fais la remarque.

« Alors, je ne suis pas fou ! »

J'attends de recevoir l'authentique Scherbius – et non l'un de ses multiples – pour lui faire part de mes conclusions. Comme je le prévoyais, il commence par nier l'évidence. La personnalité principale d'un TPM n'a jamais conscience de ce qui se passe sous son toit ; elle voit bien que quelque chose ne tourne pas rond mais se refuse à pousser son investigation. Cornelia Wilbur a dû forcer Sybil à écouter les enregistrements réalisés durant leurs sessions pour que sa patiente accepte la vérité.

Mais Scherbius est un garçon intelligent. Il m'accompagne dans mon raisonnement, pose des questions sur Vivet, note les références du livre de Morton Prince. À mesure que les briques du diagnostic se mettent en place, je le vois reprendre des couleurs.

— Alors, je ne suis pas fou ! soupire-t-il avec soulagement, quand j'en arrive aux récents travaux d'Ellenberger et Allison.

Je ne peux m'empêcher de sourire.

— Vous n'entendrez jamais un psychiatre utiliser ce terme. Pour moi, vous êtes atteint d'un trouble psychique rare, mais répertorié.

Il se rembrunit aussitôt.

— Donc, je suis malade.

— Tout dépend à qui vous posez la question. Les experts de l'OMS parlent de «maladies mentales»; les Américains préfèrent, quant à eux, le mot «désordre».

— Et vous ? demande-t-il d'un ton anxieux.

— Je pense que vous souffrez d'un déséquilibre, comme un boxeur sonné qui vacille sur ses jambes.

— Sonné ? Mais par quoi ?

Je lui expose ma théorie : les traumatismes à répétition qui ont fracassé son identité en mille morceaux – l'arrestation de son père, la marginalisation de la famille, un épisode sexuel… À ces derniers mots, il change de sujet.

— Combien de personnalités avez-vous décelées chez moi ?

— Pour l'instant, cinq.

Je les lui décris à grands traits. Autant l'érudition de Jean-Louis l'enchante, autant la grossièreté de Frédéric le révulse. Il se sent obligé de m'expliquer qu'il n'est pas raciste, que jamais il ne parlerait des femmes ou des immigrés en termes aussi vils. Je le rassure.

— Ne vous excusez pas de vos mauvais penchants, nous en avons tous. Les esprits faibles laissent libre cours aux leurs; vous, au contraire, réprimez les vôtres en les attribuant à Frédéric. Vos multiples servent d'exutoire à certaines tendances plus ou moins flatteuses de votre personnalité.

— D'après vous, ils me permettent surtout de lire *Minute* en cachette.

— Ne m'avez-vous pas entendu ? Vous jouez d'au moins cinq instruments de musique ! Vous dessinez comme Michel-Ange !

— J'ai du mal à le croire. Vous avez une feuille ?

Il trace, en tirant la langue, une maisonnette, un chemin,

deux arbres chétifs. Clairement, on est loin du plafond de la chapelle Sixtine.

— N'importe, dis-je, vous possédez ces compétences. Elles sont quelque part en vous et ne demandent qu'à s'exprimer. Je pense du reste que vous abritez d'autres personnalités. Vous souvenez-vous avoir été sapeur-pompier à Draguignan ?

— Non.

— Démineur pour la Sécurité civile ?

— Encore moins.

— Vous m'avez pourtant raconté ces épisodes en grand détail le mois dernier.

— Moi ? Vous êtes sûr que ce n'était pas plutôt Frédéric ?

Je félicite Scherbius pour sa suggestion, qui prouve qu'il a compris la situation. Mais non, il ne s'agissait pas de Frédéric.

— Il porte un tatouage, ou plutôt une décalcomanie, RF – pour République française – sur le bras. Sous un prétexte fictif, j'ai demandé au pompier et au démineur de relever leurs manches : sans résultat.

— Comment comptez-vous les retrouver ?

— Avec votre accord, j'aimerais vous hypnotiser. J'arriverai plus facilement ainsi à recenser les personnalités qui cohabitent dans votre tête.

Scherbius ne saute pas de joie à cette idée.

— Vous l'avez déjà fait ?

— Quantité de fois. Mon doctorat portait sur les médecins qui ont popularisé l'hypnose à la fin du siècle dernier et en ont fait une pratique scientifique à part entière. Depuis, je l'emploie régulièrement pour des cas d'amnésie, de phobie, de troubles névrotiques. C'est une technique simple, sans danger, susceptible de produire des résultats spectaculaires dans des délais assez courts.

— Je ne crois pas...

J'enchaîne, bien décidé à vaincre ses réticences :

— Elle a contribué à guérir Sally Beauchamp, Eve White, Sybil Dorsett...

— Parce qu'elles n'avaient rien à cacher !

Nous y voilà. Scherbius redoute ce que je risque de découvrir pendant qu'il sera à ma merci.

— Vous n'avez rien à craindre de moi. Nos échanges sont confidentiels.

— C'est sans doute ce que disait Cornelia Wilbur à Sybil !

— Je vous arrête tout de suite : Sybil voulait qu'on écrive son histoire.

— Ah oui, et pourquoi selon vous ?

— Pour accabler sa mère ? Édifier les masses ? Récolter quelques dollars ? Qu'en sais-je ?

Je fais miroiter à Scherbius les avantages d'une vie débarrassée du fléau qui le hante depuis vingt ans.

— Finis, les absences, les trous dans votre emploi du temps, les amis qui changent de trottoir en vous croisant, les inconnus qui vous tapent sur le ventre. Vous pourrez choisir une voie et vous y tenir, en sachant qu'avec vos talents, le succès ne manquera pas de couronner vos entreprises. Et puis, vous vous donnerez enfin les moyens de rencontrer l'amour...

Il se rend à mes arguments, en assortissant son accord de deux conditions.

— Premièrement, vous n'enregistrerez pas nos sessions.

Il lève la main pour couper court à mes protestations. Malgré les apparences, je ne suis pas surpris. Son autre requête en revanche me prend de court.

— Et deuxièmement, vous ne me poserez aucune question sur la Thaïlande.

— J'ignorais que vous connaissiez l'Asie.

— Qui vous dit que je m'y suis rendu ?

— Mais alors, pourquoi...

— Il suffit. J'exige également que vous vous engagiez à me réveiller si j'abordais, de moi-même, le sujet en état d'hypnose.

Je promets, tout en pensant qu'il n'aurait aucun moyen de savoir si je contrevenais à ses instructions.

De l'importance des métaphores charcutières

Afin de mettre toutes les chances de mon côté, je relis l'ensemble des écrits de mes confrères ayant endormi des TPM, en m'émerveillant une fois de plus devant l'extraordinaire vitalité de la science française durant cette décennie magique qu'on a surnommée l'âge d'or de l'hypnose.

Charcot ouvre le bal en 1882, en publiant *Sur les divers états nerveux déterminés par l'hypnotisation chez les hystériques*, dans lequel il décrit les trois grandes formes de l'hypnotisme – la léthargie, la catalepsie, le somnambulisme – et remarque qu'à son réveil, le patient ne garde aucun souvenir de la séance. Dans ses *Leçons sur les maladies du système nerveux*, il avance que les symptômes hystériques trouvent leur origine dans un choc émotionnel enfoui (on dirait aujourd'hui « refoulé ») dans les profondeurs de l'inconscient et fait de l'hypnose l'un des moyens par lesquels le thérapeute peut remonter à la source du traumatisme. Dans les années qui suivent, Janet, Richer, Binet, Breuer et un certain Sigmund Freud vérifient le bien-fondé de sa théorie.

Cependant, la question se pose de savoir que faire de ces traumatismes une fois identifiés. Janet invite ses patients à les oublier (la méthode suggestive), Breuer à les revivre (la méthode cathartique). Freud tâte des deux approches, avant de se détacher de l'hypnose, dans laquelle il voit une manipulation ne pouvant aboutir à une guérison totale. L'impudent déclarera en 1917 que la psychanalyse naquit le jour où il renonça à l'hypnose.

Le succès foudroyant qu'a connu la psychanalyse (et qu'il ne m'appartient pas de juger sinon pour dire qu'il ne repose sur aucun fondement scientifique) a jeté le discrédit sur l'hypnose, assimilée pour certains à un remède de rebouteux. Tragique erreur ! Sans la parer de toutes les vertus[1], l'hypnose est un processus naturel, dont l'efficacité a été démontrée dans de nombreuses situations (traitement des phobies, substitut à l'anesthésie, etc.). Je note du reste que plusieurs éminents psychanalystes (savoureux oxymore), tels Ferenczi, Chertok et Kubie, n'y ont jamais renoncé totalement. Et que, toute freudienne qu'elle soit, Cornelia Wilbur y a eu recours pour soigner Sybil Dorsett.

Mais revenons à Scherbius ou plutôt à Jean-Louis, puisque c'est l'artiste marxiste qui se présente lundi 9 janvier 1978 dans mon cabinet pour notre première séance d'hypnose. Je m'en félicite intérieurement, car je le soupçonne d'être la personnalité omnisciente du lot[2].

— Bonjour, Jean-Louis, dis-je. Avant que nous ne commencions, permettez-moi de vous présenter mes vœux pour cette année qui commence.

Il hoche gracieusement la tête avant de s'asseoir.

— Merci, docteur. Vous êtes bien aimable. En espérant

1. On ne peut nier le fait que certains sujets sont plus réceptifs que d'autres ni celui qu'un patient malintentionné peut, avec du métier, berner son thérapeute.

2. De même que Vicky était, des seize personnalités de Sybil, la seule à pouvoir décrire toutes les autres.

qu'elle sera moins cruelle pour les saltimbanques que la précédente.

En l'écoutant égrener la liste des artistes qui ont quitté ce monde en 1977 (la Callas, Chaplin, Groucho Marx, Rossellini et quelques autres), je remarque pour la première fois que sa tessiture est plus aiguë que celle de Scherbius. Il est ténor, tout comme Jacques, tandis que Scherbius et Jérôme sont barytons et que Frédéric est basse.

Je le laisse parler un peu plus longtemps que nécessaire pour apaiser sa nervosité. Enfin, je lui fais signe que nous allons commencer.

— Comment allez-vous procéder ? demande-t-il d'un ton craintif.

L'art de l'hypnotiseur consiste à choisir parmi l'éventail des techniques disponibles la plus adaptée à son sujet. Si la formule injonctive («Dormez, je le veux!») fait merveille avec les patients suggestibles, elle se brise généralement sur la résistance des sceptiques. Une méthode plus douce consiste à bercer le patient de phrases relaxantes : «Vous êtes bien… Vous avez envie de dormir… Vos paupières sont lourdes… Vos yeux se ferment…» Elle prend plus de temps et, surtout, ne pardonne pas l'erreur. Un lapsus, une sirène d'ambulance, l'aspirateur de la concierge suffisent à ruiner le processus, sachant que le sujet, une fois réveillé, ne se rendormira pas.

Pour toutes ces raisons, je recourus ce jour-là à la technique dite de la *confusion des sens*. Imaginée par mon confrère Milton Erickson, elle consiste à désorienter le patient par des directives alambiquées, en pariant sur le fait qu'au bout d'un moment, il se réfugiera dans le sommeil pour mettre fin à cette saturation cognitive[1].

---

1. Comme toutes les méthodes révolutionnaires, l'hypnose par confusion a ses détracteurs. «Sadique», «cruelle», «humiliante» sont les

— Je vais vous poser quelques questions, dis-je en rapprochant mon fauteuil du sien. Fermez les yeux.

Jean-Louis s'exécute. Il est enfoncé dans la bergère, le visage crispé. Nos jambes se touchent presque. Je laisse s'écouler quelques secondes avant de commencer.

— Pensez à votre main gauche, dis-je d'un ton doux, mais ferme.

La main de Jean-Louis posée sur l'accoudoir frémit imperceptiblement.

— Pensez à votre main droite.

Je guette les réactions de mon patient. Les commissures de ses lèvres se soulèvent discrètement, signe qu'il est rassuré du tour que prend la séance.

— À présent, visualisez l'orteil de votre pied droit. Celui qui se trouve entre le plus à gauche et celui du milieu.

Le sourire retombe. Pourquoi, s'interroge sans doute Jean-Louis, cette formule tarabiscotée quand j'aurais pu parler du deuxième orteil en partant de la gauche ou du secundus, en admettant que ce terme scientifique lui fût connu ? La réponse est que je cherche à le déstabiliser. Il ne le sait pas encore, mais les prochaines minutes vont être pénibles pour lui.

— Pouvez-vous dire « non » en hochant la tête ?

Jean-Louis hésite un court instant, avant de secouer la tête de haut en bas, comme pour répondre : « Oui, je peux le faire. »

— J'ai dit « non ».

Cette fois, il hoche la tête de gauche à droite, croyant me faire plaisir.

— Vous ne savez pas dire « non » en hochant la tête ?

épithètes qui reviennent le plus souvent sous leur plume. Puissent les pages qui suivent leur montrer l'étendue de leur erreur.

Sans lui laisser le temps de s'expliquer, j'enchaîne :

— Pensez aux Marx Brothers. À Groucho. Concentrez-vous sur son visage. Ses cheveux. Ses lunettes. Son cigare. Maintenant, oubliez Groucho et songez à son frère. Celui avec la moustache.

Jean-Louis ne sait plus que penser : Groucho est le seul des Marx Brothers à porter la moustache ! A-t-il mal entendu ? Est-ce moi qui me suis trompé ? Il ne le saura jamais, car je suis déjà passé à un autre sujet.

— Pensez à votre grand-mère maternelle. La mère de votre père. Je veux dire la femme dont votre père était le fils…

Dix minutes de ce régime produisent l'effet escompté. Jean-Louis lâche tout doucement prise. Ses traits, ses épaules s'affaissent, ses paupières ne palpitent plus. Il dort. Je note l'heure à ma montre.

Je m'assure qu'il a accès à l'ensemble de ses souvenirs en le lançant sur *Le Misanthrope* auquel nous avons tous les deux récemment assisté à la Comédie-Française. Il me vante la mise en scène de Pierre Dux et l'abattage de Michel Duchaussoy. Je l'interromps.

— C'était un très beau spectacle, en effet. Votre ami Jérôme l'a-t-il apprécié ?

— Frère Jérôme ne va pas au théâtre. Il dit que c'est pécher.

— Et Frédéric ?

Jean-Louis éclate de rire.

— Frédéric, au théâtre ? Elle est bien bonne !

— Pourquoi ? Il est agoraphobe ?

— Non, c'est juste un plouc.

Cornelia Wilbur notait dans *Sybil* que les personnalités multiples ne s'entendent pas forcément bien entre elles. J'en ai la confirmation.

— Pourquoi dites-vous ça ?

— Il a voté Le Pen en 74 !

— Ah oui ? Et sous quelle identité ?

— La sienne : Frédéric Bercoff.

— Vous savez où il a voté ?

— Eh oh, je ne l'ai pas accompagné dans l'isoloir ! Dans son patelin en Lorraine, j'imagine.

Je change d'angle d'attaque.

— Et vous, Jean-Louis, vous avez voté ?

— Non, je n'ai pas de carte d'électeur.

— Vous avez essayé d'en demander une ?

— Ils m'ont fait des difficultés à la mairie – comme quoi je n'avais pas les pièces nécessaires. Dommage, j'aurais voté Mitterrand. Un homme d'une grande culture. La prochaine fois, peut-être.

J'exulte. À lui seul, cet échange ouvre des champs d'investigation fabuleux. Tout TPM qu'il soit, Scherbius n'a pu voter qu'une fois. Pourquoi a-t-il confié son bulletin au plus extrémiste de ses alter ego ? Et Frédéric a-t-il remarqué que le nom figurant sur sa carte d'électeur n'était pas le sien ? Voilà typiquement le genre de questions auxquelles Morton Prince et Cornelia Wilbur auraient été avisés de s'intéresser.

Mais je n'oublie pas que cette première séance a avant tout pour but de débusquer les autres personnalités de Scherbius.

— Et votre ami pompier, que devient-il ?

Jean-Louis fronce les sourcils.

— Je suppose que vous faites allusion à Gérard. Il a été blessé dans un incendie à Brignoles, en essayant de sauver un gamin piégé dans les flammes.

— Rien de grave, j'espère ?

— Non. Enfin, si. Son pantalon était déchiré. Il a été salement brûlé au mollet. On a appris plus tard que c'est le jeune lui-même qui avait mis le feu à la grange. Gérard était dégoûté : risquer sa peau, oui, mais pas pour un pyromane! Du coup, il est devenu démineur.

Le pompier et l'artificier constituent donc bien un seul et même personnage.

— J'aimerais rencontrer Gérard, dis-je. Pourriez-vous me le présenter?

— Bien sûr. Mais il ne passe pas souvent à Paris.

C'est le moment de vérité. Je viens de demander implicitement à Jean-Louis de s'effacer au profit de Gérard : va-t-il exaucer mes vœux? Rien n'est moins sûr.

J'essaie les méthodes classiques pour provoquer le basculement d'une personnalité à l'autre[1]. Je claque des doigts, agite un grelot, sifflote la première mesure de *La Marseillaise* – en vain. Jean-Louis ne réagit pas; pour un peu, je le croirais tout à fait endormi.

Une idée me traverse l'esprit. Si, comme je pense depuis longtemps, le premier épisode de dédoublement de Scherbius remonte à l'arrestation de son père, un élément sensoriel associé à cette veillée funeste induirait peut-être le même effet. Mais lequel? Ce soir-là, il lisait *De la Terre à la Lune*. La radio était allumée, mais je ne me rappelle pas qu'il ait mentionné le programme qui jouait. Un des gendarmes était moustachu, l'autre portait une chevalière. Sans trop y croire, je cogne mon alliance contre le bureau, m'attirant pour seule réponse un léger ronflement de Jean-Louis. J'inventorie mes souvenirs : Joseph avait dénoué sa cravate, Suzanne resserré les pans de son peignoir... Soudain, je sais : les coups à la porte! Je revois Scherbius frissonner en décrivant «ces cosaques qui tambourinaient comme dans une dictature».

---

1. Ce que les Anglo-Saxons appellent le *switch*.

— Jean-Louis, dis-je d'une voix douce.

— Oui ?

— Figurez-vous que Gérard est justement de passage à Paris. Je l'attends d'un instant à l'autre.

— Tant mieux ! Il me tarde que vous fassiez sa connaissance.

Je me lève sur la pointe des pieds et entrouvre la porte de mon bureau. L'instant est critique. Trop puissants, mes coups risquent de terrifier Jean-Louis ; trop légers, ils ne trouveront pas leur chemin jusqu'à son inconscient. Je frappe quatre coups rapprochés et regagne ma place à pas de loup.

— Tiens, bonjour, Gérard ! dis-je d'un ton jovial.

— Bonjour, docteur, me répond une voix profonde.

En l'espace d'une seconde, l'homme assis devant moi s'est entièrement métamorphosé. Il a les traits durs, presque minéraux, la mâchoire plus anguleuse, les lèvres plus étirées que Jean-Louis. Même ses cheveux semblent soudain plus ordonnés. Si je ne craignais de compromettre mon expérience, je soulèverais ses paupières pour vérifier la couleur de ses yeux.

— Jean-Louis m'a dit que vous aviez rejoint la Sécurité civile. Vous ne manquez pas de courage.

— Oh, c'est un travail comme les autres, répond Gérard.

— Permettez ! Vous risquez votre vie pour un salaire dérisoire.

— On ne fait pas ça pour l'argent, ça c'est sûr.

Il s'exprime d'un ton calme, qui force le respect.

— Pour quoi le fait-on alors ?

— Pour la patrie. Pour les gosses. Pour les copains. Réussir ou périr, telle est notre devise.

— J'ai appris que vous aviez été blessé en tentant de secourir un jeune…

— Un jeune crétin, vous pouvez le dire ! Il essayait de griller une fourmi avec une loupe dans une grange à foin ! J'ai failli y rester. Lui va très bien, merci !

— Vous avez été brûlé ?

— Au mollet gauche. J'ai déchiré mon pantalon sur un clou sans m'en rendre compte, en hissant le gamin sur mon dos. Quand le feu a pris à mes bottes, je ne me suis pas inquiété plus que ça. Notre équipement est ignifuge. N'empêche, il a vite fait beaucoup trop chaud à mon goût ! Et l'odeur, bon Dieu, l'odeur ! On se serait cru dans une rôtisserie, avec moi dans le rôle du poulet ! Le toubib a dit que j'étais brûlé au troisième degré. Une minute de plus et j'y laissais ma guibolle.

— Verriez-vous un inconvénient à ce que je jette un œil à la blessure ?

De même qu'à chaque personnalité de Vivet était associée une paralysie différente, certains TPM présentent des stigmates qui changent avec leur biographie. Je suis curieux d'observer si la jambe de Gérard porte une trace de sa mésaventure.

Il se raidit, tend instinctivement la main vers son tibia. Qu'elle existe ou non, il faut comprendre que cette blessure est bien réelle pour lui. S'il rechigne à me la montrer, c'est par pudeur ou par crainte de m'infliger un spectacle horrifiant.

— Je suis médecin, dis-je pour le rassurer. Je ne vais pas m'évanouir.

Après une nouvelle hésitation, il remonte son pantalon en dessous du genou et me présente sa jambe. Je réprime de justesse un haut-le-cœur. Le mollet, sec et rabougri, ressemble à un olivier calciné par la foudre. Les flammes ont ravagé le derme et l'épiderme jusqu'à la base du tendon rotulien. Au milieu de l'étendue couleur de cendre, une

tache plus claire indique qu'une greffe de peau a été nécessaire.

— Pour réduire les risques d'infection, dit Gérard,
comme s'il avait lu dans mes pensées. Ils m'ont prélevé une
lamelle de la taille d'une tranche de jambon dans le gras de
la cuisse.

— Les terminaisons nerveuses ?

— Intégralement détruites. J'aurais plus de sensations
avec une jambe de bois.

Je suis obligé d'admettre que la brûlure de mon hôte
paraît authentique. La carnation, la greffe cutanée excluent
qu'elle ait pu être induite par autosuggestion, ce qui voudrait
dire que Scherbius, Jean-Louis et consorts vivent avec une
blessure *dont ils ignorent la provenance* ! Non, cela ne tient
pas debout.

Soudain, j'entrevois une autre explication, la seule possible à vrai dire : une décalcomanie hyperréaliste, sem-
blable au tatouage RF de Frédéric. Pour en avoir le cœur
net, j'étends la main vers la jambe de Gérard.

— Holà, pas touche ! glapit celui-ci d'un ton indigné en
rajustant prestement son pantalon.

Surpris, je lève la tête. Gérard a toujours les yeux fermés.
Comment a-t-il anticipé mon geste ? Je ne le saurai jamais ;
il est monté sur ses grands chevaux et ne semble pas près
d'en descendre.

— Incroyable ! C'est toujours pareil avec vous, les toubibs : on vient pour un rhume et on repart avec un doigt
dans le cul !

— Pardonnez-moi, je ne voulais pas…

— Je me fous de ce que vous vouliez. Qu'est-ce qui vous
défrise ? Ça ne suppure pas assez ? Parce que si ce n'est que
ça, ça peut s'arranger !

Il sonde du bout des doigts les entrailles de la bergère,

comme s'il espérait en ramener un bistouri ou un objet tranchant. La prudence voudrait que je le réveille, mais je ne puis me résoudre à écourter une séance si prometteuse. Tandis que Gérard continue à déblatérer contre le corps médical, l'idée me vient d'un stratagème. Je cours à la porte, frappe quatre coups et lance le premier prénom qui me passe par la tête.

— Entrez, Frédéric ! Je parlais justement de vous...

La transformation a été si rapide que je ne saurais dire exactement en quoi elle a consisté. Pourtant, le résultat est là : Gérard a cédé la place à Frédéric, le maître-chien raciste qui réussit l'exploit de faire passer la raie sur le côté pour une coupe militaire.

— Ah ouais ? aboie-t-il. Et on peut savoir avec qui ?

— Avec Jean-Louis, votre ami artiste.

Je regrette aussitôt mes paroles. Frédéric respire pesamment, comme s'il se retenait d'exploser, puis il se penche vers moi avec une lenteur étudiée, en faisant saillir ses muscles sous sa chemise. Je me rappelle un peu tard qu'il est ceinture noire de kung-fu.

— Je conchie les tarlouzes. C'est compris ou tu veux que je te le grave sur le front à coups de pioche ?

— Compris, dis-je en gribouillant sur mon carnet pour me donner une contenance.

— Tant qu'on est dans les clarifications, j'emmerde aussi les négros, les bougnoules, les niaqoués et les youpins. Tu me reçois, mon pote ?

— Cinq sur cinq.

— Et je ne peux pas sacquer les cocos. Il y a plus d'intelligence dans l'œil d'un berger allemand que dans une réunion de cellule du PC.

Il ponctue chaque phrase d'un craquement d'articulations à réveiller un mort. Je tente de reprendre la situation en main.

— La dernière fois que nous nous sommes vus, vous conduisiez un camion fourrière...

— Fini, ça, lâche Frédéric, en se renfonçant dans son fauteuil.

— Vous avez démissionné ?

— Voilà, c'est ça, on va dire que j'ai démissionné.

Je juge préférable de ne pas approfondir le motif de son départ pour l'instant.

— Vous avez trouvé un autre emploi ?

— Je suis vigile au BHV.

— Un rayon en particulier ?

— La robinetterie. Je sais ce que vous pensez : qui irait faucher une bonde ou une pomme de douche, hein ? Eh ben, je vais vous le dire : les rastaquouères. Sauf qu'avec moi, ils ont pas l'ombre d'une chance. J'ai un radar pour ces empaffés. Quand j'en vois un glisser discrètos un mitigeur dans son ben, je l'amène gentiment dans le placard à balais et je lui fais passer l'envie de recommencer.

Je peine à endiguer la logorrhée nauséabonde de Frédéric. Il déborde d'agressivité et semble prêt à en découdre avec la terre entière. Je finis par le couper au milieu d'une diatribe sur la supériorité de la race blanche.

— La dernière fois, vous me disiez que votre jambe vous tourmentait...

— Ça m'étonnerait, grommelle-t-il.

Je fais mine de ne pas comprendre.

— Pourquoi ? Vous n'avez pas mal à la jambe.

— Je dis que ça m'étonnerait, parce que je n'en parle pas.

— Vous pouvez vous confier à moi. Je suis médecin.

— C'est bien ce qui m'inquiète.

Il part dans une nouvelle divagation, qui n'épargne aucun acteur du système de santé. Je le recadre patiemment.

— C'est votre jambe droite, n'est-ce pas ?

— Non, la gauche.

Il n'est pas tombé dans mon piège.

— Que vous est-il arrivé ?

— Je vous l'ai dit, je n'ai pas le droit d'en parler.

— Comment cela, « pas le droit » ?

— J'ai signé un papier.

— Encore une fois, ce que vous dites dans ce bureau reste strictement entre nous. On appelle ça le secret médical.

— Ouais, ouais.

Il ne semble pas convaincu. Je lutte contre la tentation de le relancer. Je teste à quel point il a besoin de s'épancher. Il craque avant moi.

— Si ce que je vais te dire me revient aux oreilles, je saurai que t'as jacté.

— Ça n'arrivera pas.

— Tant mieux. Mais une supposition que ça arrive. Je te défoncerai la gueule. Je te retournerai comme un gant, tu sauras plus dire l'envers de l'endroit. C'est clair ?

— Très.

— Bon. T'as entendu causer de la SNPE ? La Société nationale des poudres et explosifs. Ça sonne mieux à l'oreille que Manufacture d'armes chimiques, hein ? C'est pourtant ce qu'ils fabriquent.

— Comme du napalm ?

— Peuh, le napalm, c'est pour les boy-scouts ! Non, je te parle de vraies saloperies, de celles que même si t'en réchappes, il te pousse un bras dans le dos.

— Allons donc ! La Convention de Genève…

Frédéric éclate de rire.

— Interdit le gaz moutarde, bien sûr ! Crois-moi, ça n'empêche pas toutes les armées du monde de mener leurs recherches, ou plutôt de financer des entreprises qui se salissent les mains à leur place. Bref, moi je travaillais à la SNPE à Toulouse. On testait comme qui dirait des nouveaux produits : bombinettes au soman, épandeurs de sarin...

— Sur des hommes ?

— Oh non ! Pour commencer, sur des rats. Puis à chaque EV, on montait d'un cran : chats, chiens, singes, jusqu'aux vaches.

— EV ?

— Efficacité Vérifiée. C'est coton à expliquer, un paquet de critères entrent en compte.

J'ai envie de vomir.

— Bon, pour te la faire courte, un jour on a eu une fuite dans une cuve de phosgène. J'ai sauté dans ma combinaison chimique pour filer un coup de main aux copains. Sauf que, comme un gland, j'ai craqué mon fute au niveau du mollet en enfonçant une porte. Le gaz a fait son boulot. Le temps que je réalise ce qui m'arrivait, je grillais comme une merguez.

Tout en écoutant Frédéric décrire la greffe de peau qu'il a subie (« un morceau gros comme une tranche de jambon »), je note le saisissant parallélisme entre son récit et celui de Gérard. Tous deux ont bravé le danger pour secourir leur prochain ; tous deux portaient une combinaison protectrice, qu'ils ont déchirée dans le feu de l'action ; tous deux ont été marqués par l'odeur de chair grillée. Rien ne permet de dire sous quelle personnalité Scherbius s'est brûlé le mollet. Le sait-il d'ailleurs lui-même ? Car l'histoire de Frédéric vaut celle de Gérard. Et je ne doute pas que si je les interrogeais, Jérôme et Jean-Louis se montreraient très convaincants eux aussi.

Je feuillette mes notes, satisfait du chemin parcouru pendant cette première séance. J'ai établi une routine pour naviguer d'une personnalité à l'autre, fait la connaissance de Gérard, découvert cette blessure au mollet qui m'ouvre des perspectives fascinantes.

Un dernier tour de passe-passe et Frédéric cède à nouveau la place à Jean-Louis, que je réveille sans difficulté. Il refuse de croire qu'il a dormi, jusqu'à ce que j'aborde le sujet de sa jambe. Confirmant ma théorie, il raconte s'être brûlé contre un spot halogène dans les coulisses du Châtelet, alors qu'il venait en aide à un technicien enseveli sous les décors. Il remercie le ciel d'avoir pu bénéficier d'une greffe de la peau.

Le lambeau qu'on a prélevé sur sa cuisse, précise-t-il, mesurait la taille d'une tranche de jambon.

Un héros dostoïevskien

Durant les trois mois suivants, j'ai hypnotisé Scherbius à plus de trente reprises, en le désorientant.

J'entends d'ici mes confrères se récrier : qu'avais-je besoin de mobiliser l'artillerie lourde quand existent tant d'autres techniques plus bénignes ? Certes, un simple « Dors, je le veux » aurait produit le même résultat. Mais peut-être aurait-il érigé à jamais un mur dans l'inconscient de mon patient. Scherbius ne semblant ressentir aucun effet secondaire de ses séances, je n'ai pas vu l'intérêt de m'écarter d'un protocole qui bénéficie, par ailleurs, du soutien de psychiatres réputés. Aux puristes qui diront que j'ai tiré le moineau à la 22 long rifle, je répondrai que le calibre s'oublie, mais que le tableau de chasse demeure.

Justement, qu'ai-je appris pendant ces séances ?

D'abord, que Scherbius répond exceptionnellement bien à l'hypnose. Quelle que soit la personnalité sous laquelle il se présente à mon cabinet, quinze minutes suffisent à l'endormir. À l'inverse, un mot ou un claquement de doigts le sortent de son sommeil.

Il passe d'une personnalité à l'autre avec une fluidité impressionnante. Le *switch* est quasi instantané. Ma technique consistant à orchestrer les visites en frappant à la porte n'a jamais été prise en défaut. En deux occasions, j'ai omis à dessein de nommer l'arrivant ; dans les deux cas, c'est Scherbius qui a surgi devant moi.

J'ai dénombré onze personnalités différentes, toutes masculines, ce qui est doublement rare[1] et me conforte dans l'idée que Scherbius continue à refouler un grave traumatisme sexuel. Aux alter ego déjà connus (Scherbius, Jérôme le contemplatif, Jacques l'éducateur, Jean-Louis l'artiste homosexuel, Frédéric le maître-chien raciste, Gérard le démineur) viennent s'ajouter Daniel, Jacky, Francis, Guy et Howard.

Daniel est cuisinier ou, plus exactement, saucier. Il a appris son métier en Alsace et travaille depuis peu dans un restaurant étoilé de la capitale.

Jacky est taxidermiste. Il empaille tous les animaux, du toutou de compagnie au rhinocéros exposé au musée d'Histoire naturelle de Londres. Il a appris l'anglais en lisant Beatrix Potter et John James Audubon.

Francis est historien. Il prépare une thèse sur trois héros de la Résistance fusillés en 1944 dans un petit village du Lot après avoir été bâillonnés avec un drapeau tricolore. Il se lamente d'être né « vingt ans trop tard » et s'acquitte de sa cotisation au Parti communiste en vendant *L'Humanité Dimanche*.

Guy est actuaire à l'Union des Assurances de Paris. Les tables d'espérance de vie n'ont pas de secret pour lui. Il me révèle un fait insolite : passé la cinquantaine, un homme qui perd sa femme la suit, en moyenne, deux ans plus tard dans la tombe.

---

1. Environ 90 % des TPM sont des femmes. Bien qu'il n'existe pas de statistiques sérieuses sur la question, on estime généralement qu'entre 5 et 20 % des personnalités développées par un TPM appartiennent au sexe opposé.

Enfin, Howard[1] est architecte. Ses dessins de gratte-ciel futuristes n'intéressent pas les promoteurs, qui lui réclament des logements traditionnels. Il n'en a cure. Il préférerait mourir que de trahir ses idéaux.

À part leur sexe, ces onze personnages[2] ne possèdent pas grand-chose en commun. Ils ne sont nés ni le même jour ni la même année (dix-huit ans séparent l'aîné, Gérard, du benjamin, Daniel). Si cinq d'entre eux ont grandi dans l'est de la France, Howard est parisien, Jacky stéphanois et Guy ne manque jamais une occasion de rappeler ses origines bordelaises. Jacques nage le cent mètres en moins d'une minute, alors que Guy a une peur panique de la noyade. Jérôme jeûne pendant le carême et communie sous les deux espèces, là où Howard voit dans la foi «la malédiction de l'Humanité, l'antithèse absolue et l'ennemie de la pensée». Au deuxième tour de l'élection présidentielle de 1974, cinq auraient voté Giscard, cinq Mitterrand et un Le Pen.

Les facultés du capitaine ne sont pas équitablement réparties entre ses coéquipiers. Bien que tous soient plutôt à l'aise avec les chiffres, seul Guy semble en mesure de reproduire les prouesses calculatoires de Scherbius. Francis et Guy ont la mémoire photographique, Jacques et Daniel l'oreille absolue. Sept des onze personnalités parlent couramment allemand, cinq lisent l'anglais. Jean-Louis maîtrise de surcroît l'italien, l'espagnol et le russe, «à force d'écouter de l'opéra». Cornelia Wilbur avait observé le même phénomène chez Sybil, étudiante en art dont seule une poignée des quinze avatars dessinaient correctement.

---

1. Son père, un G.I., serait rentré aux États-Unis après la guerre.
2. Soit le nombre de joueurs composant une équipe de football. Quand Scherbius le remarqua, il devint tout naturellement «le capitaine» et les multiples «ses coéquipiers». L'analogie n'est pas mauvaise.

Comme dans le cas de cette dernière, les coéquipiers savent qu'ils constituent des variations de la personnalité de Scherbius. Qu'ils soient conscients de la situation ne signifie pas qu'elle les satisfait. Ils se plaignent de ne pouvoir conserver un emploi ou de ne jamais savoir de combien de temps ils disposent avant de retourner dans les limbes. « Je peux me coucher à Colmar et me réveiller un mois plus tard à Quimper, déplore Francis. Entre-temps, ma thèse n'a pas avancé d'un pouce. »

J'ai d'abord eu du mal à comprendre comment des personnalités si variées avaient pu se construire sans un minimum de continuité. Jean-Louis, encore lui, m'explique que chaque alter ego a bénéficié à ses débuts d'une forme d'exclusivité. Frédéric a eu six mois pour se couler dans son rôle de recruteur militaire ; Daniel trois pour maîtriser l'art de la béchamel ; Howard autant pour apprendre à dessiner une tour de bureaux, depuis les ascenseurs jusqu'aux sorties de secours. On est loin de Sybil, dont les personnalités prenaient le contrôle pour quelques heures ou, plus rarement, quelques jours.

Par souci de clarté, je reporte chaque « apparition » dans un grand cahier en utilisant des couleurs distinctes. Une chronologie approximative prend peu à peu forme devant moi.

Le jour de l'arrestation de son père, Scherbius connaît une dissociation éclair, au profit de Jérôme, Jean-Louis ou Frédéric[1]. Hormis cet épisode précurseur, Scherbius traverse l'adolescence seul maître à bord. C'est lui qui s'improvise maître-nageur à Bar-le-Duc, lui encore qui fugue sur un

---

1. Les trois jurent, détails à l'appui, avoir assisté à la scène. Je n'exclus pas qu'ils se soient succédé très rapidement, comme dans le déroulement spontané de Vivet.

coup de tête et laisse ses pas le porter jusqu'à Notre-Dame d'Acey. En frappant (quatre coups?) à la porte du monastère, il provoque une dissociation : Jérôme entre en scène ; il n'en sortira que deux ans plus tard, poussé dehors par les trappistes.

À ce stade, Scherbius reprend la main. Il rentre en Lorraine, consomme la rupture avec ses parents et se fait réformer. Après quoi, il passe le témoin à Frédéric, qui le gardera un semestre entier.

Reconstituer le chassé-croisé des personnalités durant les années suivantes s'avère plus ardu. Scherbius a beau prétendre qu'il est le seul à travailler en intérim, je le soupçonne de s'effacer à l'occasion devant l'un de ses alter ego. D'abord, il avoue[1] des blancs dans son emploi du temps ; ensuite, Jean-Louis, Howard, Gérard et Jacky ont des souvenirs précis de cette période (qui va grosso modo de 1964 à 1969). Pour moi, le profil du poste fait le larron : à Daniel les missions derrière les fourneaux, à Howard celles en bureaux d'étude. Jean-Louis coud, Frédéric pose des parpaings, Gérard répare des chaudières. Ensemble, ils font de Scherbius l'employé idéal, un formidable couteau suisse, qui donne un nouveau sens au mot « polyvalence ».

La phase suivante – les années d'enseignement – procède selon moi de la même logique. C'est Scherbius qui a surpris la conversation entre deux professeurs dans un café à Montbéliard, lui encore qui, en appelant le rectorat, a décroché un poste de latiniste au pied levé. Je parierais en revanche que Jacques, Jean-Louis et Francis se sont partagé ses vacations, tandis qu'il reprenait le contrôle pendant les vacances scolaires et peut-être certains week-ends.

---

1. Toujours à contrecœur, tant il déteste admettre devant moi que la réalité parfois lui échappe.

À l'inverse, je reconnais la patte du «capitaine» derrière la plupart de ce que je nomme les impostures administratives. Ces dernières remplissent, rappelons-le, une fonction cathartique. Scherbius s'en servant pour réparer symboliquement l'affront fait à son père, il ne sous-traiterait son rôle pour rien au monde, sinon peut-être dans des cas très particuliers[1]. Pour autant, je constate – sans pouvoir encore l'expliquer – que les autres personnalités continuent durant cette période à vaquer à leurs activités. Jean-Louis se cultive, Gérard démine, Frédéric fait régner l'ordre au BHV... Tout se passe comme si, après des années d'entraînement, les onze multiples menaient enfin des vies concomitantes. Comme si l'homme assis devant moi avait réussi à s'affranchir de la double dictature du temps et de l'espace.

*

Contrairement à Scherbius qui, avant que je lui décrive ses autres personnalités, n'en subodorait même pas l'existence, les coéquipiers se connaissent entre eux. Les relations qu'ils entretiennent défient parfois le sens commun.

Jean-Louis, Jacques et Jérôme sont amis. Si étrange que cela puisse paraître, les 3J, comme ils se sont baptisés, disent s'inviter à dîner, se prêter des livres, partir en vacances ensemble. Ils se chambrent comme de vieux complices. Jean-Louis brocarde affectueusement le jansénisme de Jérôme, qui feint de s'apitoyer sur les goûts musicaux de Jacques. Leur amitié semble exempte de toute tension sexuelle, et ce malgré l'inclination de Jean-Louis.

---

1. Difficile de ne pas reconnaître Howard dans le rôle de l'architecte des Bâtiments de France d'Arras ou Jacques dans celui du gardien de la maison d'arrêt de Bonneville.

Gérard, l'aîné de la troupe, a pris Frédéric sous son aile. Il regrette que son protégé « se trompe de colère » et le presse de retourner dans l'armée, où il trouvera à canaliser sa fureur. Tous les autres, sans exception, craignent Frédéric, le jugeant irascible, violent, xénophobe et « bas de plafond » (Jean-Louis). Jacques, Daniel et Guy rapportent s'être déjà sentis menacés par lui, comme s'il leur arrivait d'être physiquement réunis.

Francis et Daniel se sont rencontrés lors d'un colloque à la Sorbonne ; Francis donnait une intervention sur le massacre d'Oradour-sur-Glane, Daniel tenait le buffet. Ils se seraient immédiatement reconnus, « ayant beaucoup entendu parler l'un de l'autre ».

Jacky a empaillé le labrador de Gérard et les serins de Jean-Louis. Le samedi, il dîne dans le restaurant de Daniel. Quand arrive l'addition, il laisse rituellement, en guise de pourboire, un porte-clés de l'AS Saint-Étienne.

Guy fréquente la même paroisse que Jérôme. Après l'office, les deux hommes remplissent un bulletin de tiercé devant un café. Jérôme, qui ne connaît rien aux chevaux, se laisse guider par la poésie d'un nom ou la couleur d'une casaque, tandis que Guy épluche cotes, palmarès, handicaps, et ne parie que lorsqu'il est à peu près sûr de son coup.

Je ne résiste pas à la tentation de demander aux coéquipiers ce qu'ils pensent de leur capitaine. Leurs réponses couvrent un large spectre, allant de « sac à merde » (Frédéric) à « homme-orchestre » (Jean-Louis). Howard, avec son intransigeance coutumière, évoque « un fumiste, un touche-à-tout sans suite dans les idées ». Plus subtil, Jérôme voit en Scherbius un « héros dostoïevskien qui convoite les pouvoirs de Dieu au mépris de ses limitations de mortel ». Je demande à Jérôme à quelles limitations il fait allusion. Sa réponse fuse si vite qu'on la jurerait préparée : « Il va tenter de vous convaincre que chacune de ses personnalités lui confère un supplément d'empathie, qu'à force d'étendre son répertoire il englobera bientôt l'ensemble de la race humaine. Rien n'est plus faux. Il croit qu'il commande à son mal, quand il n'en est que le jouet. Guérissez-le, docteur, avant qu'il ne nous précipite tous dans l'abîme. »

L'analyse de Jérôme est intéressante à plus d'un titre.

D'abord parce qu'elle recoupe le jugement que portent les autres coéquipiers sur leur capitaine. Pour Guy, Scherbius est « fou » ; pour Jacky, il est « maboul » ; pour Frédéric, il est « frappadingue » ; pour Gérard, il a « un pet au casque ». Aucun n'envie son sort.

Ensuite, parce qu'elle dessine le portrait d'un homme qui, tout en souffrant comme un damné, refuse de s'avouer qu'il est malade. Aveuglé par ses dons, ivre de sa supériorité, Scherbius ne remarque pas le tribut de plus en plus lourd qu'exigent ses exploits. Il est comme un pilote de course à qui des années de succès ont fait oublier les plus élémentaires consignes de sécurité : il freine trop tard, coupe à travers les chicanes, ne ralentit plus sous la pluie. Chaque nouvelle victoire le conforte un peu plus dans la certitude de son génie... jusqu'au jour où il envoie son bolide dans un mur et bascule en un éclair de la gloire au trépas. Il est révélateur que je n'aie jamais entendu Scherbius dire qu'il était « brisé », « cassé », « malade » ou aucun de ces mots, sans réel fondement scientifique mais si éloquents, qu'emploient mes patients pour exprimer leur vulnérabilité.

« Il va tenter de vous convaincre [...] qu'à force d'étendre son répertoire il englobera bientôt l'ensemble de la race humaine. » Cette phrase est si riche que je soupçonne Jérôme de ne pas en avoir mesuré toutes les implications. Elle sous-entend que Scherbius est occupé à un grand dessein, consistant à incarner au moins une fois dans sa vie chaque membre de la société. Moine trappiste ? Fait. Professeur de latin : fait. Costumier dans un théâtre subventionné ? Fait.

Passons sur l'irréalisme d'un tel projet (qui non seulement est limité par construction à un pays et une époque, mais réduit chaque profession à un archétype fallacieux) et attardons-nous sur le sens de l'expression « à force d'étendre son répertoire ». J'ai expliqué plus haut que Scherbius n'a créé qu'une petite partie des personnages qu'un observateur serait tenté de lui attribuer. Il a été maître-nageur et inspecteur des impôts, mais pas gardien pénitentiaire et démineur, confiant dans cet exemple à Jacques et Gérard les missions qu'il ne pouvait, ou ne voulait pas, remplir[1]. Tel un général, il jette ses troupes à l'assaut de l'ennemi, en engendrant à volonté de nouveaux soldats, un privilège exorbitant dont on n'ose imaginer l'usage qu'en eussent fait Napoléon ou César.

C'est là que réside la spécificité de Scherbius. Il n'est ni le premier imposteur ni la première personnalité multiple, il est le premier imposteur à personnalités multiples, une combinaison détonante que mon devoir consiste à stabiliser avant qu'elle n'explose.

---

1. Le terme de coéquipier prenant ici tout son sens.

Peut-on guérir un TPM ?

Peut-on guérir un TPM et, si oui, comment ? Deux approches ont fait leurs preuves : la suggestion et la réconciliation.

Janet était le maître incontesté de la première. Il implantait de faux souvenirs à ses patients hystériques, ensevelissant en quelque sorte le traumatisme initial sous une nouvelle histoire. Il soigna ainsi en 1889 une certaine Marie, qui souffrait d'une paralysie partielle du visage et ne voyait plus de l'œil gauche. En endormant la jeune femme, Janet réussit à remonter à l'origine du mal : quand elle avait six ans, ses parents l'avaient obligée à partager le lit d'une fillette, dont la moitié du visage était couverte par un vilain impétigo. Janet raconta à une Marie toujours sous hypnose que la gamine de son enfance n'avait pas d'impétigo, mais, au contraire, une peau remarquablement douce. Il réussit même à la convaincre de tendre la main dans son sommeil pour caresser le visage de la petite fille. Au réveil, les symptômes avaient disparu.

La psychothérapie suggestive inventée par Janet a encore des adeptes aujourd'hui, notamment Milton Erickson. Elle aurait sans doute connu un destin plus glorieux sans le procès ridicule que lui intenta Freud. Après avoir longtemps vanté les mérites de l'hypnose[1], l'Autrichien s'en détourna en 1895 au motif qu'en ne confrontant pas le patient à ses blocages, elle ne «lui impose qu'un effort insignifiant[2]». Reconnaissons à M. Freud une certaine cohérence puisque les grands prêtres de la religion[3] qu'il fonda réussissent simultanément à martyriser et appauvrir leurs fidèles, sans jamais les soulager de leurs maux. Janet trompait peut-être ses patients; Freud, lui, se trompait tout court.

De nos jours, le traitement de référence consiste à réconcilier les personnalités du TPM au moyen d'une panoplie de techniques, certaines bien connues, d'autres plus expérimentales (programmation neurolinguistique, thérapie comportementale dialectique...). La cure dure longtemps – cinq ans dans le cas de Sally Beauchamp, le double dans celui de Sybil. Le succès n'est jamais garanti.

Je doute, pour être honnête, de l'efficacité de ces traitements sur Scherbius. Même sous hypnose, il se cabre à l'évocation de sa sexualité. Ses autres personnalités sont moins des versions avortées que des extensions de lui-même. En outre, les remèdes ayant opéré sur une ménagère du Midwest risquent de ne pas convenir à un héros dostoïevskien.

En fait, je n'ai pas honte de dire que j'ignore encore comment je vais soigner Scherbius.

---

1. Peu de gens savent qu'il travailla à la Salpêtrière aux côtés de Charcot en 1885.
2. *Introduction à la psychanalyse*, p. 482.
3. Je conseille à ceux qui s'offusqueraient de ce terme d'assister à un des séminaires que donne M. Lacan à la faculté de droit. On oscille, selon les séances, entre la grand-messe et l'école du dimanche.

Du pain sur la planche

Quand je me sens écrasé par l'ampleur de la tâche qui m'attend, je pense au concours de circonstances miraculeux qui a présidé à la genèse de ce livre. Il aura fallu qu'un imposteur lorrain pèche par excès de confiance, qu'un général de l'armée de l'air et un directeur de cabinet aient servi ensemble en Indochine, qu'un juge éclairé arrache un prévenu des mains du système pénal pour le remettre entre celles de la médecine, et qu'entre tous les psychiatres de Paris Scherbius jette son dévolu sur le seul capable d'identifier son mal. Passé un certain nombre de coïncidences, le scientifique ne croit plus à la chance. Les fées se sont à l'évidence penchées sur le berceau de Scherbius. Après l'avoir conduit à ma porte, elles m'ordonnent à présent de le guérir.

Me trouvera-t-on mesquin, avant d'accepter le défi, d'en souligner l'ampleur ? Scherbius est un être complexe, qui a fait de la tromperie son métier. Il abrite une dizaine de personnalités, qui mènent ou sont convaincues de mener leur propre vie, exercent une profession, parlent des langues, jouent d'un instrument de musique. Chacune de ces propositions effraierait un psychiatre chevronné ; leur conjonction terrifie le novice que je suis.

Et cependant, une intuition me guide : c'est dans la richesse de la personnalité de Scherbius que sont à chercher la clef de son trouble et celle de sa guérison.

Sally Beauchamp, la patiente de Morton Prince, était une étudiante de vingt-trois ans, d'une intelligence limitée. Sans surprise, les personnalités qu'elle s'inventa manquaient de relief.

Sybil, la protégée de Cornelia Wilbur, avait plus d'épaisseur. Plus sagace que Beauchamp, plus âgée aussi (elle avait quarante ans quand elle se décida enfin à entamer une thérapie), elle enseignait l'art à l'université. Parmi ses personnalités alternatives figurent plusieurs profils intéressants, comme Marcia, écrivain et peintre torturée ; Vicky, une pétulante jeune Française ; Vanessa, musicienne de talent ; ou Sid, un homme à tout faire.

Non seulement Scherbius possède un intellect hors pair, mais les dons très particuliers dont la nature l'a doté (sa mémoire visuelle, son aplomb, son sang-froid...) permettent à ses alter ego de s'exprimer sans contraintes. Les personnalités de Sybil sont rarement dans l'action, se bornant à discuter de leurs peintures ou de leurs tenues vestimentaires. Les multiples de Scherbius, eux, ont les moyens de leurs aspirations. Ils savent vidanger un moteur, tourner les pages d'un concertiste ou dédouaner un cargo panaméen. La différence peut paraître ténue, elle est incommensurable.

On me passera l'expression : j'ai du pain sur la planche. Ou plutôt, nous avons du pain sur la planche, car Scherbius m'a assuré de sa totale coopération. Il a levé le secret médical pesant sur nos séances, renoncé à son droit de regard sur mon manuscrit. Que de chemin il a parcouru en l'espace de six mois ! Il a appris qu'il refoulait un grave traumatisme sexuel, qu'il partageait son corps avec dix alter ego, qu'il parlait russe et jouait du clavecin, qu'une part de lui aimait tabasser les Arabes et qu'une autre noircissait des cahiers de plans de gratte-ciel qui ne sortiront jamais de terre. Il a encaissé ces nouvelles avec dignité, en montrant un intérêt grandissant à mesure que nous progressions. Le récit de la guérison de Sally Beauchamp l'a ému aux larmes – signe selon moi qu'il aspire à réunifier ses personnalités.

Il sait que la route sera longue. Que le succès ne sanctionnera pas nécessairement ses efforts. Qu'il ira sans doute plus mal avant d'aller mieux. Rien de tout cela ne l'effraie. J'admire sa bravoure.

Certains penseront que j'aurais pu attendre d'avoir rendu la santé à Scherbius pour lui consacrer une monographie. Je comprends leur point de vue : pourquoi se plongeraient-ils dans l'exposé d'un problème, sans l'assurance que celui-ci possède une solution ? La guérison est tout sauf certaine et prendra, dans le meilleur des cas, plusieurs années. Alice Samuel et moi avons décidé de donner la priorité à l'information du public. Qui sait combien d'hommes et de femmes se reconnaîtront dans les absences inexpliquées de Scherbius ? Combien de médecins découvriront l'existence d'une pathologie certes moins répandue que la rougeole ou le daltonisme, mais dont les effets sont infiniment plus graves à long terme ? Combien de jeunes psychiatres, inspirés par mon exemple, jetteront leur DSM et se formeront à l'hypnose ?

J'ai cité tantôt le chiffre d'une centaine de cas de personnalités multiples répertoriés à travers les âges. Le chiffre réel est selon moi bien supérieur. Car tout concourt, quand on y réfléchit, à sous-estimer la prévalence du TPM : les patients n'ont pas conscience de se dédoubler ; ceux qui soupçonnent la vérité sont consumés par la honte ; et les rares qui trouvent le courage de consulter se heurtent à l'ignorance du corps médical. Je m'attends à ce que mon livre fasse sortir du bois pléthore de cas. J'invite mes lecteurs à m'écrire, mes confrères à m'adresser leurs patients épineux.

Brisons ensemble le cercle du silence ! TPM du monde entier, unissez-vous !

SCHERBIUS

MAXIME LE VERRIER

(DEUXIÈME ÉDITION)

Éditions du Sens

1983

« Qui n'aime la chasse qu'en la prise :
il ne lui appartient pas de se mêler à notre école »

Tout ce que vous venez de lire est faux – ou à peu près.

Scherbius m'a menti, ou devrais-je dire, nous a menti, car il avait conscience de s'adresser, à travers moi, à un large public. Il n'a pas grandi dans les Vosges ou séjourné chez les trappistes. Il n'a pas enseigné les langues mortes ou accueilli un monarque africain à Villacoublay. Il ne souffre pas de TPM. Il a simulé l'état d'hypnose et inventé de toutes pièces les personnalités qui s'invitaient pendant nos séances.

Je l'ai compris progressivement, en mettant bout à bout différents indices : son refus obstiné de se prêter à des vérifications factuelles, sa disparition peu après la sortie du livre, les incohérences pointées par des lecteurs attentifs.

Les soupçons se sont transformés en quasi-certitude quand l'investigateur privé que j'avais engagé n'a pas réussi à corroborer le moindre point de sa biographie.

Mais il a fallu que l'aveu tombe de la bouche du coupable pour que j'en prenne véritablement la mesure. C'était le 27 juillet 1980. Scherbius rentrait de Moscou, où sa dernière supercherie avait bénéficié d'un retentissement planétaire. Un juge français avait assorti sa peine de prison avec sursis de l'obligation de suivre un traitement psychiatrique. Mon nom avait été suggéré. Scherbius n'avait pas dû s'y opposer, car nous nous sommes retrouvés debout, face à face dans mon bureau, en chemisettes dans la moiteur de l'été. Je lui ai demandé si ce que j'entendais autour de moi était vrai ; s'il m'avait menti. Il a opiné de la tête. « Mais pourquoi ? » ai-je gémi. Il a haussé les épaules et lâché : « À quoi vous attendiez-vous de la part d'un imposteur ? » J'aime penser que Brutus témoigna plus d'égards à César au moment de lui enfoncer sa lame dans le cœur.

Car Scherbius ne s'est pas contenté de me tromper : il m'a sciemment et méticuleusement trahi. Il m'a servi une histoire abracadabrante, sur laquelle il m'a regardé bâtir un diagnostic erroné. Il mentait les jours où nous avions rendez-vous et ceux où il séchait nos séances. Il a fourré des objets hétéroclites dans une mallette pour m'induire en erreur, a simulé des migraines, m'a rapporté des symptômes qu'il avait lus dans des livres, bafouant le contrat qui a, de toute éternité, gouverné la pratique médicale : le malade se met à nu devant le médecin qui, de son côté, lui parle sans détour.

Scherbius m'a également humilié. Qu'on songe que j'ai consacré un an de ma vie à essayer de soigner un patient qui ne voulait pas guérir, négligé mon épouse au moment où son ventre s'arrondissait, assommé mon entourage de mes théories sur ce fascinant patient que j'espérais si furieusement réconcilier avec lui-même. Mon éditrice et mon attachée de presse ont été, elles aussi, injustement éclaboussées par le scandale.

Mais c'est vis-à-vis de vous, chers lecteurs, que je me sens le plus contrit. Vous m'avez accordé votre confiance. Mes diplômes, mon expertise, mon aisance ont dû, dans un premier temps, forcer votre admiration. « Voilà quelqu'un qui sait de quoi il parle », vous êtes-vous sans doute dit plus d'une fois, en me voyant hypnotiser Scherbius ou poser sur lui un diagnostic aussi rare qu'imparable. J'ose à peine imaginer ce que vous avez pensé en apprenant la vérité, quelque part entre 1979 (quand les premières rumeurs ont commencé à filtrer dans la presse) et aujourd'hui. Je vous dois des excuses, les plus humbles, les plus plates qui se puissent imaginer.

Mon patient était un loup déguisé en husky ; qu'il ait interprété son rôle à la perfection ne change rien au fait que mon métier consiste à reconnaître les prédateurs sous leur camouflage. J'ai failli à ma tâche. J'aurais dû demander à voir les papiers de Scherbius, le mettre au défi de parler russe ou jouer du clavecin devant moi[1] au lieu de prendre le récit de ses prouesses pour argent comptant, et user de mes contacts dans l'administration pour vérifier ses états de services. J'ai fait preuve, je m'en rends compte maintenant, d'une complaisance coupable, en accordant le bénéfice du doute à un homme qui, de son propre aveu, ment comme il respire.

Un médecin généraliste peut tenir pour acquis qu'à moins d'une énorme déficience lexicale, ses malades décrivent à peu près correctement leurs symptômes. Il n'en va pas de même en psychiatrie. Les troubles dont souffrent nos patients corrompent souvent leur production verbale, compliquant le recueil des données et, au bout du compte, l'établissement du diagnostic. Nous sommes des navigateurs qui devraient constamment douter de leurs instruments. Bêtement, je me suis fié à ma boussole.

*

1. Je l'ai personnellement entendu parler allemand, anglais et italien. Ma femme, Louise, devant qui il a joué du saxophone, qualifie son niveau de « semi-professionnel ».

Parmi les innombrables erreurs qu'on me reprochera, j'en assume certaines.

Oui, c'est vrai, je suis allé vite en besogne. Un an à peine s'est écoulé entre la visite de Scherbius-Monnet et la publication de mon livre. Il me semblait essentiel d'imprimer du rythme à cette affaire. J'y ai perdu en circonspection, mais gagné en élan. Je ne le regrette pas.

Oui, c'est vrai, j'ai diagnostiqué Scherbius très tôt. J'étais sûr de moi, mon patient souffrait : au nom de quoi lui aurais-je caché sa maladie plus longtemps ? Sans doute lui a-t-il été plus facile ensuite de simuler les symptômes du TPM, mais je n'ai jamais interdit à mes patients de se documenter.

Oui, c'est vrai, j'ai passé quelques caprices à Scherbius. J'ai respecté ses zones d'ombre. Je ne l'ai pas interrogé sur sa sexualité moitié autant que je l'aurais souhaité. Je n'ai pas cherché à savoir ce que cachait sa curieuse interdiction d'évoquer la Thaïlande. Les patients ont des droits, y compris celui de déclarer certains sujets hors limite.

Oui, c'est vrai, j'ai étrillé la psychiatrie américaine. Elle le mérite. Elle produit trop, part dans toutes les directions, rémunère grassement des cohortes de jeunes chercheurs qui n'ont rien publié. Elle vulgarise à outrance, servant au public yankee des monographies simplistes sur des sujets compliqués[1]. Là encore, je persiste et je signe.

Ces points réglés, je souhaite m'adresser à Scherbius. Il a lu la première édition du livre, je ne doute pas qu'il lira la seconde. J'aimerais qu'il sache que je lui garde mon estime, mon amitié et, surtout, mon soutien. Il m'a ridiculisé ? La belle affaire ! Quand on prête le serment d'Hippocrate, on

---

1. Témoin ce récent torchon, *Billy Milligan : L'homme aux 24 personnalités*, sur lequel j'aurai l'occasion de revenir.

laisse son amour-propre au vestiaire. Je me suis trompé ? Qu'à cela ne tienne, je ferai mieux la prochaine fois ! Et si j'échoue encore, je recommencerai jusqu'à ce que je réussisse. Thomas Edison déposa mille brevets avant d'inventer l'ampoule électrique, Winston Churchill perdit cinq élections avant de devenir Premier ministre, la première entreprise automobile de Henry Ford fit faillite et Van Gogh ne vendit qu'une toile de son vivant. Qu'on ne compte pas sur moi pour déposer les armes.

Scherbius n'est pas une personnalité multiple, soit. Mais parce qu'il souffre – de cela au moins je suis certain –, je tenterai de l'aider aussi longtemps qu'il voudra bien de moi. Je ne promettrai pas que le succès couronnera mes efforts, car les serments n'engagent que ceux qui les reçoivent. Comme disait Montaigne, « Qui n'aime la chasse qu'en la prise : il ne lui appartient pas de se mêler à notre école ».

Pourquoi réimprimer une fiction ?

Quand j'ai publié *Scherbius* en 1978, Alice Samuel et moi projetions de lui donner une suite à brève échéance. Les séances d'hypnose auxquelles Scherbius avait accepté de se prêter devaient me permettre de remonter aux origines traumatiques de la dissociation, ouvrant la voie à une possible guérison.

J'aurais pu, en apprenant que j'avais été roulé, en rester là. Au bout de quelques années, mes lecteurs se seraient lassés de demander à leur libraire un deuxième tome qui ne venait pas. Les plus curieux auraient fini par découvrir le pot aux roses. Nul doute que mon incurie les eût copieusement divertis.

Mais je ne suis pas homme à baisser les bras. Je n'en ai pas fini avec Scherbius. J'écrivais il y a cinq ans qu'il méritait un livre. Aujourd'hui, je pense qu'il en mérite un second. Trop de questions restent en suspens. De quel trouble rare souffre-t-il ? À quelles sources se nourrit son imagination ? Qu'attendait-il de notre coopération ?

En réfléchissant à la forme que pourrait prendre ce deuxième opus, une certitude s'est vite imposée à moi : je ne pouvais pas repartir de zéro. Quelque décevantes que se soient finalement révélées mes séances avec Scherbius, elles valent d'être versées au dossier. Car un patient, fût-il un expert ès dissimulations, ne prononce pas un demi-million de mots sans dévoiler par intermittence le fond de sa pensée. Mentir est plus difficile que de dire la vérité : cela nécessite un contrôle, une concentration impossibles à soutenir sur la longue période. Si Scherbius n'a pu inventer tous ces noms, tous ces métiers, toutes ces villes, sans puiser à l'occasion dans son expérience, alors la première édition recèle, çà et là, des fragments de vérité.

L'investigateur que j'ai engagé a formellement écarté certaines anecdotes, comme le séjour chez les trappistes et les leçons socratiques à Hyères. D'autres – le cours de natation à Bar-le-Duc, les trois jours à Toul… – possèdent à mes yeux une plausibilité supérieure, encore que je me méfie désormais de mon intuition. Comment reconnaître avec certitude les passages authentiques ? La réponse, en admettant qu'elle existe, se trouve dans mon texte. Brûler celui-ci reviendrait, si l'on m'autorise cette expression triviale, à jeter le bébé avec l'eau du bain : en purgeant les mensonges, nous perdrions aussi toute chance d'accéder un jour à la vérité.

En repartant de zéro, j'aurais aussi l'impression d'implorer la clémence de mes lecteurs, comme ces enfants qui quémandent une deuxième chance quand un jeu ne tourne pas en leur faveur. Je m'y refuse absolument. Je ne me désolidarise pas de mon livre. Je le regrette, mais je ne le renie pas. Ne pas annexer le texte original à cette deuxième édition équivaudrait à faire disparaître les preuves du crime. Ce serait un peu trop facile.

Voilà pourquoi, au lieu de repartir d'une page blanche, symbole d'une virginité restaurée, j'ai préféré enrichir le premier livre, en lui conservant son titre. Si j'étais sur un plateau de cinéma, j'actionnerais mon clap en scandant

« Scherbius, deuxième ». Quand on y songe, qu'un réalisateur tourne une nouvelle prise signifie rarement que la première a été inutile. Il déplace un peu sa caméra, rectifie l'éclairage, distille des indications aux acteurs, et réitère l'opération autant de fois qu'il le juge pertinent. Le spectateur qui découvre la scène en salle ignore combien de tentatives sont entrées dans sa fabrication, pourtant chacune ou presque était nécessaire. Pour citer Thomas Edison, l'homme aux mille brevets, « chaque nouvel échec constitue un pas vers la victoire ».

Pourquoi réimprimer une fiction ? Parce qu'au milieu des mensonges scintillent quelques paillettes de vérité, les seuls indices dont je dispose pour diagnostiquer Scherbius.

Le roman d'un autre

Retour en arrière, pour filer la métaphore cinématographique.

Scherbius sort en octobre 1978. Alice Samuel en a fait imprimer cinq mille exemplaires, un tirage osé pour le premier livre d'un psychiatre inconnu. Elle tempère toutefois mes espérances : peu d'ouvrages de sciences humaines atteignent ce seuil.

Soixante-dix titres sortent chaque jour en France, samedi et dimanche compris ! Ils arrivent chez les libraires dans des cartons, où la plupart moisiront quelques semaines avant d'être retournés tels quels aux éditeurs. Il faut être inconscient ou carrément présomptueux pour prétendre trouver sa place entre le *Quid* et *Le livre des records*, les recueils de cuisine et les manuels de jardinage, *SAS* et *San-Antonio*. C'est pourtant le pari que fait Alice, en espérant que la personnalité de Scherbius séduira un public plus large que l'audience traditionnelle des ouvrages de psychiatrie.

Très vite, nous comprenons qu'il se passe quelque chose. Marlène, l'attachée de presse des Éditions du Sens, a adressé, comme c'est la coutume, une centaine d'exemplaires aux médias dans l'espoir qu'ils consacreront, qui un entrefilet, qui une brève chronique à mon livre, donnant aux ventes une impulsion que les recommandations des libraires et un bouche-à-oreille favorable se chargeront ensuite d'amplifier. «Mon rôle, m'a expliqué Marlène, consiste à frotter des silex au-dessus d'un tas de brindilles. On ne peut pas prédire quand une étincelle va jaillir, et encore moins si le feu va prendre.» Dans le cas de *Scherbius*, elle est vite fixée. *France-Soir*, *Le Monde*, *Libération*, les demandes d'interview affluent. La presse quotidienne régionale, pas en reste, publie des extraits du livre, ce qu'on appelle dans le métier «les bonnes feuilles». Le séjour de Scherbius chez les trappistes, son expérience de sommelier à La Tour d'Argent, l'accueil raté du président congolais à Villacoublay figurent parmi les épisodes plébiscités.

Fidèle à lui-même, Scherbius se fait passer pour votre serviteur auprès de l'envoyé de *VSD*, raconte à la correspondante d'Antenne 2 qu'il joue au tennis avec son patron («cet enfant de salaud a le plus beau revers décroisé du club»), au rédacteur de *Ouest-France* qu'il a été gardien de phare à Ploumanac'h. Ces facéties, qui nous horrifient Alice et moi, font le bonheur des journalistes. Bientôt, ils ne demandent même plus à me voir. Je n'en prends pas ombrage. L'essentiel est de mettre le livre entre les mains du public.

Nous réimprimons cinq mille exemplaires, puis encore autant à la suite de la diffusion d'un reportage sur FR3 Lorraine. Une nouvelle salve d'articles propulse *Scherbius* dans les palmarès des meilleures ventes, entre *La vie mode d'emploi* de Georges Perec et *L'été meurtrier* de Sébastien Japrisot. Il n'en sortira plus pendant cinq mois.

Le succès public du livre me permet de reporter mes efforts sur la communauté scientifique. J'adresse une longue étude au *Journal français de psychiatrie* ainsi qu'une communication plus concise à *L'Information psychiatrique*, la revue des professionnels hospitaliers. Les deux sont acceptées dans des délais inhabituellement courts et sans modifications, un exploit compte tenu de leur hardiesse.

Je rédige un troisième texte, en anglais cette fois, pour l'*American Journal of Psychiatry*, la revue mensuelle de la toute-puissante Association américaine de psychiatrie. Je m'attache à employer des références américaines, afin de montrer à quel point Scherbius transcende les catégories consacrées. « *My patient has multiple personality disorder like Sybil but is also an impostor like Fred Demara, a combination which, to my knowledge, is totally unprecedented* [1] », écris-je en conclusion. Je garde mes griefs contre le DSM pour une autre fois ; ce n'est pas le moment de me mettre l'AAP à dos.

Six semaines plus tard, un courrier signé Mona Williams, la rédactrice en chef, m'informe que le comité éditorial a retenu mon texte « *among the many hundreds we receive every month* [2] » et me propose – suprême honneur ! – de le présenter en personne, « *along with Mr. Scherbius* [3] », lors du prochain congrès de l'AAP à Chicago. Mon cœur se gonfle de fierté : cette invitation sonne ni plus ni moins que le retour de la France dans un débat scientifique dont elle a été évincée il y a près d'un siècle !

Mme Williams pose toutefois deux conditions à ma venue : 1) que j'autorise son équipe à pratiquer « *some minor editorial changes* [4] » dans mon texte ; et 2) que je fournisse

---

1. « Mon patient a plusieurs personnalités, comme Sybil, mais est aussi un imposteur, comme Fred Demara – un cocktail sans précédent à ma connaissance. »
2. « Parmi les centaines que nous recevons chaque mois. »
3. « En compagnie de M. Scherbius. »
4. « Quelques mineures corrections éditoriales. »

« *all affidavits and physical evidence ascertaining, beyond reasonable doubt, the accuracy of Mr. Scherbius' biographical information*[1] ». Je ne me formalise pas de la première requête, sachant que j'exigerais sans doute la même chose si un confrère américain tapait à la porte d'une revue hexagonale. La seconde demande, en revanche, me laisse perplexe. Quel genre de preuves suis-je censé produire ? Une déclaration sur l'honneur de Scherbius suffirait-elle ?

Pour en avoir le cœur net, j'appelle l'AAP le soir même. C'est l'après-midi dans la banlieue de Washington. J'ai préparé mes questions ; à trente-deux francs la minute, je n'ai pas le luxe de pouvoir chercher mes mots. Après quelques frustrantes erreurs d'aiguillage, la standardiste me met en communication avec le docteur Williams.

— *Docteur Le Verrier*, s'exclame-t-elle après avoir enfin saisi mon nom, *how lovely of you to call!*

— *It is a pleasure too*, réponds-je dans mon anglais un peu raide. *I have received your letter. Would you mind clarifying what you mean by « all affidavits and physical evidence ascertaining, beyond reasonable doubt, the accuracy of Mr. Scherbius biographical information »?*

— *But of course! Surely you must have checked your sources, the way a journalist does. After all, Mr. Scherbius seems a very imaginative fellow. We need to know what proportion of his account you have personally verified and what else might have been embellished. Am I making sense?*

— *Yes, you are. But I mean, what kind of documents are we talking about?*

— *Oh, they can be pretty much anything : police reports,*

1. « Toute attestation ou preuve physique établissant, au-delà d'un doute raisonnable, l'authenticité de la biographie de M. Scherbius. »

newspaper articles, affidavits of the people who were abused.
If I were in your shoes, I guess I would hire an investigator...
— *Like a police detective?*
— *No. More like a private eye. I'm sure you have those in*
France.
— *We do, but will the* Journal *reimburse me for the cost?*
Mme Williams a pris un ton peiné, comme souvent les
Américains quand il s'agit d'ouvrir leur portefeuille.
— *I'm afraid we won't. You see, we expect the communi-*
cations submitted to us to be 100 % ready to print[1].
Après quelques (brèves) formules de politesse, je rac-
croche. La conversation a duré neuf minutes. Mon appel sui-
vant est pour Alice Samuel. Elle compatit à ma contrariété,
mais refuse d'assumer les frais d'enquête, au motif que la
presse et les libraires, eux, ne réclament pas de complément
d'information.

Le lendemain, je contacte Bernard Thiriet, détective à
Nancy. Plutôt que de lui retracer par le menu la biographie

---

1. «Docteur Le Verrier, comme c'est gentil à vous d'appeler!
— Tout le plaisir est pour moi. J'ai reçu votre lettre. Pourriez-vous préciser ce que vous entendez par des "preuves physiques établissant l'authenticité de la biographie de M. Scherbius"?
— Naturellement. J'imagine que vous avez vérifié vos sources, à la
façon d'un journaliste. Après tout, M. Scherbius semble doué d'une grande
imagination. Nous avons besoin de savoir quelle part de son récit vous avez
vérifiée et quelle part est susceptible d'avoir été embellie. Me fais-je bien
comprendre?
— Absolument, mais de quel genre de preuves parlons-nous?
— Eh bien, par exemple, des rapports de police, des articles de journaux, des attestations de personnes ayant été dupées. À votre place, j'em-
baucherais un détective privé.
— Un policier?
— Non, un investigateur. Je suis sûre qu'il en existe en France.
— Bien sûr, mais la revue me remboursera-t-elle mes dépenses?
— J'ai bien peur que non. Les communications qui nous sont adressées
doivent être 100 % prêtes à l'impression.»

de Scherbius, je l'envoie acheter le livre en librairie. Nous convenons qu'il limitera, pour commencer, ses investigations à la Lorraine, où nous disposons de plusieurs pistes solides : la condamnation puis l'incarcération de Joseph, la caserne de Toul où Alexandre a effectué ses trois jours, et enfin les lycées qu'il a visités un par un sous l'identité de Frédéric Bercoff. Je m'étrangle en apprenant le niveau des honoraires de Thiriet : mille cinq cents francs par jour, plus les frais, à commencer par mon livre qu'il me refacture au prix public ! Même après remise, on est très au-delà de ce que j'avais imaginé.

Scherbius passe à mon cabinet dans la soirée. Quand il se réveille de sa séance d'hypnose, je lui annonce que nous partons aux États-Unis, sur les terres de Sybil et de Sally Beauchamp. Il accueille la nouvelle avec détachement, comme si les organisateurs de congrès du monde entier se disputaient ses faveurs. Sa première question est pour savoir combien nous sera payée notre intervention.

— Le courrier précise que nos dépenses seront intégralement prises en charge. Pour le reste, il ne mentionne aucun dédommagement.

— Alors, vous irez sans moi.

Je lui explique que les sociétés savantes n'ont pas pour habitude de rémunérer leurs conférenciers, et que, moi-même, je n'ai pas écrit cet article à des fins mercantiles. Si je vais à Chicago, ce sera pour rencontrer mes confrères et porter haut les couleurs de la recherche française.

— Facile à dire, répond-il. Vos droits d'auteur vont vous rapporter une fortune. Vérifiez tout de même que l'invitation de Mme Williams tient toujours si je ne suis pas du voyage.

Plus encore que les mots, c'est le ton nonchalant avec lequel Scherbius les a prononcés qui me glace. La science, l'héritage de la Salpêtrière, il s'en moque. Il veut être payé pour son temps, comme un receveur des postes. Et si le salaire ne lui convient pas, il n'aura aucun scrupule à me faire passer pour un guignol.

Mona Williams consent à grand-peine au principe d'une rétribution forfaitaire de mille dollars. J'insiste pour qu'elle règle Scherbius en liquide, dès notre arrivée aux États-Unis. À la façon dont elle répète « *in cash ?* », il est clair qu'elle me soupçonne de prélever ma part. Je m'en défends avec une véhémence maladroite qui ne fait qu'aggraver mon cas. J'en veux à Scherbius de me mêler à ces tractations de bas étage. Ma frustration vire à la colère, quand il qualifie les mille dollars « d'aumône très insuffisante pour lui donner envie de quitter Paris au printemps » et exige que je triple la somme sur mes deniers.

Je le jette dehors, loin de me douter que je ne le reverrai pas avant dix-huit mois.

Je reçois peu après le premier rapport de Thiriet. Il est catastrophique, sur tous les fronts. Aucun homme répondant à la description de Joseph Scherbius n'a été condamné, et encore moins emprisonné, pour maquillage de bilans comptables entre 1954 et 1958 dans un tribunal lorrain. Moyennant cinq cents francs (!), un employé du ministère de la Défense a interrogé les registres de la caserne de Toul. Seuls deux appelés ont été exemptés pour excès de zèle entre 1962 et 1965. L'un mesurait 1,96 m, l'autre avait un angiome sur le visage. Enfin, les secrétaires des lycées de Remiremont, Commercy et Verdun se souviennent fort bien des visites des recruteurs de l'armée de terre. Elles n'ont en revanche reconnu ni le nom de Bercoff ni la photo qui leur a été présentée.

Coût du fiasco : 8 958 francs TTC, Thiriet ayant, dans son infinie candeur, oublié de mentionner que ses prestations étaient soumises à 17,6 % de TVA.

À cet instant, j'envisage quatre hypothèses.

Thiriet a pu se tromper. Malheureusement, je n'y crois pas. C'est un brigand, mais il connaît son métier.

Si Scherbius est né pendant la guerre, il a pu être exempté avant 1962, et Joseph jugé avant 1954. Cependant, deux des trois secrétaires de lycées ont pris leur poste dès 1950. Leurs témoignages restent valables.

Ou alors il a transposé le théâtre de ses exploits dans d'autres contrées pour garder le secret sur ses origines. Si c'est le cas, il va falloir qu'il se mette à table, car je ne suis pas assez riche pour procéder par élimination.

Enfin, dernière possibilité, il a menti sur toute la ligne. C'est celle que privilégie Thiriet : « Au fond, votre imposteur l'est peut-être jusqu'au bout. Et s'il se contentait d'imaginer des bobards sans jamais les mettre en pratique ? »

Le temps joue contre moi. Si je retourne devant Mona Williams les mains vides, je peux dire adieu à mes rêves américains. J'assigne donc trois nouveaux objectifs à Thiriet : le cours Maintenon de Hyères, où Scherbius aurait enseigné presque une année entière ; la maison d'arrêt de Bonneville ; la débandade de Villacoublay. Ils me semblent assez simples à vérifier – si simples en fait que je regrette de ne pas m'en être acquitté moi-même à l'époque.

Une semaine après, Thiriet anéantit la dernière parcelle d'espoir qui me restait.

Il a parlé à six professeurs ayant enseigné au cours Maintenon au tournant des années 70. Aucun n'a souvenir d'un remplaçant de philo qui serait demeuré plus de quelques semaines en poste. À la description des hauts faits de Scherbius, le proviseur actuel a remarqué que son prédécesseur n'aurait pas toléré un tel trublion plus de cinq minutes dans son établissement.

La pioche n'est pas meilleure à Bonneville. La maison

d'arrêt compte bien une section réservée aux mineurs, mais son responsable occupe ses fonctions depuis quinze ans. Thiriet a annexé à son rapport le discours prononcé par Michel Poniatowski le 23 novembre 1974. Le texte du ministre est à celui de Scherbius ce qu'une version latine d'un élève de troisième est à une ode de Pindare.

Mais c'est l'épisode de Villacoublay qui me porte le coup de grâce. On se souvient que Scherbius m'avait raconté en 1977 s'être engagé à suivre une cure psychiatrique en échange de l'abandon des poursuites du parquet. Afin de m'épargner le désagrément de traiter avec les « ronds-de-cuir de Matignon », il avait proposé d'assurer la communication avec les services comptables du Premier ministre. Nous procédions de ce fait à un échange rituel à la fin de chaque séance : je lui remettais une facture, tandis qu'il me tendait le paiement de la précédente, en coupures neuves issues, croyais-je alors, des fonds secrets[1].

Comme Alice Samuel s'émouvait du risque juridique que nous courions à relater un épisode que Scherbius s'était engagé à tenir confidentiel, l'avocat des Éditions du Sens avait trouvé une parade ingénieuse. Nos échanges étant couverts par le secret médical, mon patient était libre d'évoquer avec moi tout événement lié à son désordre. À partir du moment où il m'autorisait à utiliser la matière de nos entretiens, Alice et moi étions légalement hors d'eau. Scherbius, lui, restait passible de poursuites, un risque dont il ne semblait pas faire grand cas.

Ces bizarreries trouvent leur explication dans le rapport de Thiriet. Joachim Yhombi-Opango s'est bien posé à Villacoublay le 5 juin 1977. Il a été accueilli, selon les usages du

---

1. Il va sans dire que j'ai déclaré les honoraires perçus jusqu'au dernier centime.

protocole, par le président Giscard d'Estaing et le ministre des Affaires étrangères, Louis de Guiringaud. « D'après plusieurs témoins, écrit Thiriet, nul incident n'est venu troubler la cérémonie. »

Sous mes yeux, s'étale, noir sur blanc, la preuve ultime de la duplicité de Scherbius. Il n'était pas à Villacoublay ce jour-là. Il n'a pas été arrêté, n'a pas négocié d'accord avec un juge. Il m'a contacté de son plein gré et a réglé mes honoraires de sa poche, avec le produit de ses gains au casino, à moins que, sur ce point aussi, il ne se paye ma tête depuis le début.

Je préviens les trois revues qui devaient me publier que je retire mes communications, en invoquant le besoin de conduire des examens complémentaires. La véritable raison serait trop brutale : je croyais avoir produit une biographie, j'ai en fait écrit un roman – pire, le roman d'un autre.

Le TPM, un secteur d'avenir

Scherbius n'est donc pas une personnalité multiple.

Au risque de donner l'impression de me justifier, je suis pourtant obligé de dire qu'il présentait tous les symptômes. Il avait des absences qui duraient des mois entiers. Il pouvait se comporter de façon extrêmement différente d'un jour à l'autre, émettre des jugements ou des préférences qui, la veille, l'auraient fait bondir. Il lui arrivait de se réveiller dans des lits où il ne se souvenait pas s'être endormi, de porter des vêtements qu'il n'avait pas choisis. Il avait presque tout le temps mal à la tête.

Naturellement, ce que je prenais pour des symptômes n'en étaient pas. Scherbius semait derrière lui les petits cailloux qu'il me savait programmé pour ramasser. Car les psychiatres, pour leur malheur, n'ont d'autre choix que de faire confiance à leurs patients. La dépression ne se lit pas dans les analyses d'urine, selon la savoureuse expression d'un de mes professeurs de médecine.

Par une certaine ironie du sort, cependant, les cas de TPM enregistrent depuis cinq ans une progression foudroyante des deux côtés de l'Atlantique. Ils restent proportionnellement plus nombreux aux États-Unis, où la maladie est mieux connue à la suite du succès commercial de *Sybil*. Sans noyer mes lecteurs sous les statistiques[1], disons que les cas qui se comptaient en dizaines dans les années 70 se chiffrent désormais par centaines. En début d'année, *The American Journal of Clinical Hypnosis* a consacré un numéro spécial aux personnalités multiples, tandis que huit éminents confrères[2] fondaient de leur côté The International-nal Society for the Study of Multiple Personality and Dissociation. L'intérêt pour les TPM dépasse du reste la sphère médicale, si j'en juge par le dossier qu'a consacré l'année dernière le magazine *Time* à un Texan de vingt-neuf ans affligé d'une trentaine de personnalités différentes.

Le succès phénoménal d'un livre, *The Minds of Billy Milligan*[3] d'un certain Daniel Keyes, prouve mieux qu'un long discours la fascination qu'exercent les personnalités multiples sur le grand public. Psychologue de formation, Keyes enseigne l'anglais à l'université de l'Ohio. Il s'est pris d'intérêt pour le cas de Milligan, un jeune homme accusé de viols et de vol à main armée, qui a été acquitté après avoir convaincu la Cour qu'il était tiraillé entre vingt-quatre personnalités[4].

Parmi celles-ci, Billy, l'hôte, est un petit délinquant sexuel ayant souvent maille à partir avec la police.

Arthur, un Anglais très instruit, lit l'arabe et affiche de vastes notions en médecine.

Ragen est yougoslave. Il parle serbo-croate. C'est un expert en armes à feu, sujet à des explosions de violence.

---

1. De toute façon difficiles à vérifier, certains praticiens ayant parfois le diagnostic un peu rapide.
2. Myron Boor, Bennett Braun, David Caul, Jane Dubrow, George Greaves, Richard Kluft, Frank Putnam et Roberta Sachs.
3. *Billy Milligan, L'homme aux 24 personnalités,* Balland, 1982.
4. Il a été interné à l'issue de son procès.

Seuls Arthur et Ragen connaissent toutes les autres personnalités, qu'ils classent en deux groupes : les Dix et les Indésirables, à qui les avocats de Milligan parviendront commodément à imputer les actes reprochés à leur client.

Enfin, le Professeur représente la synthèse des vingt-trois multiples. Keyes dit n'avoir jamais rencontré individu plus intéressant ou intelligent.

On avait aimé le premier livre de M. Keyes. Son sympathique roman de science-fiction, *Flowers for Algernon*[1], avait remporté un gentil succès à sa sortie. Cette fois hélas, il s'est attaqué à un sujet qui dépasse de loin ses capacités[2]. Plutôt que d'admettre qu'il ne comprend rien au volet médical de la dissociation, il tend son micro aux vingt-trois personnalités, qui se succèdent sur scène comme dans un mauvais radio-crochet[3].

Il remercie Cornelia Wilbur, mais passe d'autant plus allègrement sous silence Janet et Charcot que leurs noms ne sont sans doute jamais parvenus à ses oreilles. On repousse les limites du grotesque quand l'omniscient Professeur entreprend de retracer, pour notre bénéfice, la vie de Billy *à partir de l'âge de un mois*! Keyes a voulu écrire un livre scientifique, il a signé un roman-feuilleton. À côté, *Sybil* passerait presque pour *L'origine des espèces* de Darwin.

The Minds of Billy Milligan s'est maintenu pendant trente-sept semaines dans le classement des best-sellers du *New York Times*. Il s'est écoulé à plus de deux millions d'exemplaires rien qu'aux États-Unis et a été traduit dans

1. *Des fleurs pour Algernon*, J'ai Lu, 1972.
2. Il faut dire que le modeste Brooklyn College où il a décroché sa maîtrise n'est pas connu pour engendrer des géants de la pensée.
3. Il se vante, dans une introduction laborieuse, d'avoir parlé à Milligan «des centaines de fois» et interviewé pas moins de «soixante-deux personnes dont il a affecté la vie».

onze langues. D'après mes calculs, sa coopération avec un violeur a rapporté à M. Keyes entre un et deux millions de dollars, sans parler des droits d'adaptation audiovisuelle.

L'éditeur du livre, la pourtant respectable Random House, a présenté Milligan comme le premier individu jugé pour un crime commis par une personnalité dissidente. Cette propension qu'ont les Américains à croire qu'ils ont inventé l'eau tiède me stupéfiera toujours. En 1892, un jeune homme accusé de tentative de meurtre plaida le dédoublement devant un tribunal de Nice. Plusieurs experts, dont Charcot qui avait fait le voyage de Paris, se succédèrent à la barre. Finalement, les jurés condamnèrent le garçon, tout en lui reconnaissant des circonstances atténuantes. Dommage pour le pauvre bougre qu'il n'ait pas été américain : avec un bon agent, il aurait pu devenir millionnaire !

Signe que les troubles de la personnalité multiple appartiennent désormais au paysage médical, ils ont fait leur entrée dans la troisième édition du DSM, qui a été publiée aux États-Unis en 1980 et sera bientôt disponible en France. Rappelons que l'expression n'apparaissait qu'une fois dans le DSM-II, et encore, au détour d'une autre notice : «le patient souffrant de névrose hystérique de type dissociatif peut expérimenter des altérations de son niveau de conscience, sous la forme d'amnésie, de somnambulisme, de fugues et de personnalités multiples».

Le TPM est donc désormais reconnu comme un trouble à part entière. Il se caractérise, selon les rédacteurs du DSM, par la coexistence au sein de l'individu de deux ou plusieurs identités qui contrôlent tour à tour le comportement du sujet. Chaque personnalité constitue une entité intégrée et complexe, avec des souvenirs uniques, des habitudes et un réseau de relations sociales. La transition de l'une à l'autre est soudaine et souvent déclenchée par le stress.

Les auteurs de l'article notent que le patient n'est pas conscient de l'existence de ses multiples, qui sont souvent fort différents de lui. Certains appartiennent au sexe opposé ou sont plus jeunes que leur hôte. Le trouble, presque toujours chronique, se déclare en général à l'adolescence. Il semble affecter davantage les femmes que les hommes et reste des plus rares. La maltraitance et, plus globalement, les traumatismes survenus pendant l'enfance sont considérés comme des facteurs prédisposants.

En fin de compte, le TPM est passé, en l'espace de cinq ans, d'un syndrome connu d'une poignée de spécialistes à une maladie grand public, adoubée par l'Association américaine de psychiatrie. Cela me fait réfléchir. N'est-il pas étrange que le diagnostic que j'ai prêté à Scherbius épouse si étroitement les dernières tendances de la recherche médicale ? Se pourrait-il que j'aie contribué, avec *Time Magazine* et d'autres, à tirer un trouble mental de l'oubli où il se morfondait depuis un siècle ? Ou ai-je simplement fait preuve d'une intuition phénoménale, en révélant une ligne de fracture fondamentale de l'esprit humain ? Je laisse le soin aux historiens de la psychiatrie de trancher ce débat. En attendant, je me félicite tous les jours d'avoir placé ma carrière sous les auspices d'une pathologie si prometteuse.

Professeur d'université à trente-deux ans

En France aussi, les cas de personnalités multiples sont en forte progression, une tendance dans laquelle je crois pouvoir m'attribuer une part de responsabilité.

Après la parution de *Scherbius*, j'ai reçu des centaines de courriers de lecteurs qui éprouvaient tout ou partie des symptômes associés au TPM : tel se plaignait d'absences incompréhensibles, tel autre avait le visage couvert d'ecchymoses et mal à la tête, mais ne se souvenait pas s'être battu. J'ai répondu à chacun, en lui enjoignant, presque systématiquement, de consulter un psychiatre – moi-même si mon correspondant était parisien, sinon un des confrères que j'ai formés à Lille, Marseille ou Strasbourg. À l'évidence, les praticiens français[1] n'ont pas totalement comblé leur retard sur leurs homologues américains. Il arrive encore à certains de diagnostiquer un peu vite une fugue dissociative ou des troubles schizophréniques, mais, dans l'ensemble, ils sont plus à même de reconnaître les TPM qu'il y a cinq ans[2].

---

1. Dont l'écrasante majorité a lu mon livre, si j'en crois l'accueil chaleureux qu'ils me réservent dans les réunions professionnelles.
2. J'invite au passage ceux qui se débattent avec des cas récalcitrants à me contacter.

À titre d'exemple, je suis, depuis quelques mois, Nelly[1], une adolescente qui compte pas moins de dix-sept personnalités. Nous avons identifié son traumatisme (elle a été violée par son oncle sous les yeux de sa tante). Comme elle réagit bien à l'hypnose, j'ai bon espoir d'arriver à lui faire oublier les faits. Nous pourrons alors entamer le processus d'unification. Quand j'ai dit à Nelly que dans deux ans, trois au plus, elle retrouverait une vie normale, pourrait apprendre un métier, se marier peut-être, elle a battu des mains. Peu importe dans ces moments que Scherbius m'ait mené en bateau. Car qui sait, sans mon livre, combien de malheureux souffriraient encore en silence ?

Ah, ce livre ! Nous avons vendu 93 000 exemplaires du grand format et 309 000[2] de l'édition poche, des chiffres qui, ramenés à la population américaine, valent quasiment les deux millions de *Billy Milligan*.

Très vite, les meilleures maisons étrangères se bousculent pour acquérir les droits de traduction. Nous signons des contrats pour l'anglais, l'allemand et l'italien. Alice Samuel me recommande d'accepter l'offre de Narato, un jeune éditeur japonais, pourtant moins-disant que le géant Kodansha. Les Turcs nous proposent un à-valoir insultant ; nous restons fermes. Les pays du bloc de l'Est nous ignorent : le contenu du livre est à l'évidence trop politique pour eux. Nos discussions avec les sociétés de production cinématographique peinent à décoller. Les projets audiovisuels, m'explique Alice, sont connus pour avancer lentement ; ils aboutissent typiquement quand on ne s'y attend plus.

Scherbius me vaut également un courrier de ceux que l'expression veut réservés aux ministres : des lettres de

---

1. Un pseudonyme.
2. Au 30 juin 1982.

patients, j'en ai parlé, mais également des demandes de préfaces, des services de presse, des appels à recension, des invitations à des conférences plus ou moins prestigieuses. Aimée, la fidèle assistante d'Alice, m'aide à surnager dans ce déluge de papier qui s'abat chaque jour dans ma boîte aux lettres. Je décline, à regret, la plupart des sollicitations pour me concentrer sur celles qui font vraiment avancer la cause du livre. Je me rends ainsi à Rio de Janeiro, avec Louise, au congrès de la World Psychiatric Association, et donne une série de conférences au Pays du Soleil-Levant, où Narato[1] tient toutes ses promesses.

Mais ces honneurs, quelque agréables ou flatteurs qu'ils soient, ne sont rien en comparaison du miracle qui se prépare. Deux mois après la sortie du livre, une légende frappe à ma porte. Francis Monnet, l'authentique Francis Monnet, souhaite me rencontrer. Il a lu mon bouquin («Comment aurais-je pu faire autrement? On ne parle que de ça à l'hôpital!»). Il n'en veut pas à Scherbius d'avoir usurpé son identité dans la scène d'ouverture («Je vois que vous avez tenu compte de ses conseils dans l'aménagement de la salle d'attente», plaisante-t-il en attrapant une pastille à la menthe). Après les compliments d'usage, il en vient à l'objet de sa visite. Et quel objet! Il me propose d'enseigner la psychiatrie à l'université Pierre-et-Marie-Curie, dont il dirige le département de médecine! Il a lu ma thèse. Entre les articles que j'ai publiés et le succès de *Scherbius*, il se fait fort d'obtenir ma confirmation.

Remarquant que j'ai les yeux qui brillent, il lance : «Professeur d'université à trente-deux ans, jolie carte de visite!» Je lui explique qu'il se méprend sur le motif de mon

---

1. Il contribuera hélas par la suite à faire de *The Minds of Billy Milligan* un succès de librairie au Japon.

émotion. Pierre-et-Marie-Curie n'est pas n'importe quelle faculté. Héritière de l'ancienne Sorbonne, elle englobe le campus de Jussieu, ainsi qu'une partie des installations hospitalières de Trousseau, Saint-Antoine et... la Pitié-Salpêtrière, où se sont illustrés tous mes maîtres ! « Vous allez trouver ça bête, dis-je en rougissant, mais j'aurais l'impression de boucler la boucle. » Il ne trouve pas ça bête, ou, alors, il a l'élégance de ne pas le montrer.

Je lui fais part de mon souhait de ne pas enseigner plus d'une à deux fois par semaine. Pas question de négliger mes recherches et encore moins de délaisser Scherbius qui, à l'époque, occupe toutes mes pensées. Et naturellement, j'entends conserver une clientèle privée. Monnet m'approuve en tout point. Il a une idée de cours à me soumettre. « C'est votre livre qui me l'a soufflée. Vous reprochez au DSM de modeler la vision du monde des psychiatres. Il me semble que vous pourriez aller encore plus loin, en montrant, exemples à l'appui, comment nommer une maladie est la plus sûre façon de la faire apparaître. »

Avec l'assentiment de Louise, j'accepte la proposition de Monnet. Confiants dans l'avenir, nous achetons un coquet trois-pièces rue des Écoles, d'où je peux me rendre à pied à mon cabinet, à l'université et à la Pitié-Salpêtrière via le Jardin des Plantes.

Il est dit que l'année 1978 me sourira jusqu'au bout : dans la nuit de la Saint-Sylvestre, Louise me donne un héritier. Philippe écarquille les yeux en arrivant dans le monde, la sage-femme dit qu'elle n'a jamais vu un bébé aussi éveillé.

1979 démarre sous des auspices moins joyeux. Scherbius est aux abonnés absents. Les rapports de Thiriet ont raison de mes dernières illusions. J'annule la publication de mes articles et ma participation au congrès de l'Association américaine de psychiatrie. En homme d'honneur, je remets ma démission à Francis Monnet. Après l'avoir remercié pour son soutien, je lui présente mes excuses d'avoir failli à ses attentes et l'assure de mon souci de protéger l'université du scandale que la nouvelle de mon départ ne va pas manquer de susciter.

Monnet lit ma lettre en diagonale, la roule en boule et l'expédie dans la corbeille. « Votre intransigeance vous honore, mon cher Maxime, mais vous êtes trop dur envers vous-même, dit-il. N'importe quel thérapeute serait tombé dans le piège que vous a tendu Scherbius. En attendant, vous avez attiré l'attention de la population et du corps médical sur un trouble méconnu. On me signale que les postes d'internes en psychiatrie sont pris d'assaut. Qu'allons-nous nous flageller sur la place publique, au moment même où la psychanalyse donne de réjouissants signes de faiblesse ? Lacan tourne en rond, Roustang et Chertok esquissent un retour vers l'hypnose. Je ne vais pas leur faire le plaisir de clouer au pilori un jeune chercheur, dont le seul tort aura été de prendre son patient un peu trop au pied de la lettre. »

Voyant que ces considérations tactiques ne suffisent pas à me convaincre, il ajoute : « Et puis, vous rendriez un mauvais service à Scherbius en jetant l'éponge. Ce garçon souffre, il a besoin de vous. Où serez-vous mieux qu'ici, entouré des meilleurs cerveaux de France, pour poursuivre vos investigations ? Non, vraiment, je ne peux accepter votre démission. »

Touché par la confiance, si rare dans les cercles universitaires, que me témoigne Monnet, je lui promets de redoubler d'efforts.

« *Je m'appelle Benoît Chevalier* »

L'année 1979 et la première moitié de 1980 s'écoulent sans que Scherbius donne signe de vie. Sur le moment, je ne m'en plains pas, car mon travail m'accapare. J'ai à cœur de me montrer digne des espoirs que Monnet a placés en moi. Mon cours «Pour une nouvelle nomenclature des troubles psychiatriques» remporte un succès si vif que j'en tire une conférence que je donne dans les grandes capitales européennes. J'accompagne parallèlement une quinzaine de patients, qui me fournissent la matière à une étude publiée par l'*American Journal of Clinical Hypnosis*. Des confrères ou des éditeurs, qui n'ont pas eu vent de la trahison de Scherbius, frappent régulièrement à ma porte. Je leur réponds, sans entrer dans les détails, que je ne me sens pas qualifié pour préfacer leur livre ou commenter leur article.

Le succès ne me fait pas perdre de vue mon objectif. L'énigme posée par Scherbius continue de me fasciner. À réécouter les enregistrements de nos sessions, je me convaincs que les raisons qui l'ont poussé à simuler un trouble sont plus intéressantes que le trouble lui-même. Et que celui qui parviendra à percer son mystère mettra le doigt sur un rouage essentiel de l'esprit humain.

Après vingt mois de silence, j'aurais dû deviner que Scherbius signerait un retour fracassant. Le 22 juillet 1980, je petit-déjeune en famille, quand la sonnerie du téléphone interrompt une mémorable partie de « Je te tiens, tu me tiens, par la barbichette ». Je décroche en promettant à un Philippe hilare qu'il ne perd rien pour attendre. Francis Monnet est au bout du fil, alors que je le croyais en vacances sur la côte. « Justement, dit-il, j'ai acheté la presse ce matin sur le port. Tu ne devineras jamais qui fait la une de *L'Équipe* ! »

Je me rue au kiosque de la station de métro Cardinal-Lemoine. La photo d'un archer torse nu s'étale en couverture du quotidien sportif, sous le titre « Gagner pour mon pays ». L'objectif a saisi Scherbius de trois quarts face. Il tient à bout de bras un arc de compétition. Les lèvres embrassent la corde, les yeux fixent une cible qu'on devine infiniment lointaine. La légende donne le ton de l'article : « Benoît Chevalier tentera à 15 heures de remporter l'or olympique à Moscou. "L'argent serait une déception", déclare l'intéressé. »

Je lis, incrédule, l'interview sur le trottoir. Bien qu'elle ait fait le tour du monde, en voici à toutes fins utiles la retranscription.

> — *Benoît, le public vous connaît mal. Pouvez-vous vous présenter ?*
> — *Je m'appelle Benoît Chevalier. J'ai trente ans, je suis célibataire. Je tire depuis l'âge de douze ans. Je suis quintuple champion de France. J'ai fini troisième aux championnats d'Europe de Zagreb en 74 et j'ai pris l'argent en 78 à Stoneleigh.*
> — *Au niveau mondial en revanche, votre palmarès est vierge.*
> — *Oui. L'an dernier à Berlin, je suis en course pour le titre et l'Américain sort une volée hallucinante. À Canberra, c'est différent : je laisse Isachenko me prendre le chou.*

— C'est-à-dire ?

— Une histoire stupide. Il m'a fauché mon chariot à l'aéroport pendant que j'avais le dos tourné. Pas de chance pour lui, je l'ai vu dans un miroir. J'ai récupéré mon bien, sans cacher ma colère. Il avait son carquois en bandoulière. En rigolant, il a esquissé le geste d'en tirer une flèche et de me mettre en joue. (Il mime la scène.) C'est ridicule, mais ça m'a foutu la pétoche. J'ai su que si je devais l'affronter, j'avais perdu d'avance.

— Et ça n'a pas manqué...

— En effet, je l'ai rencontré en quart. J'ai failli déclarer forfait tellement j'étais chamboulé. Au premier set, je ne mets pas une flèche dans la cible. Je prends 3-0 comme un débutant.

— Avec le recul, vous avez compris ce qui vous était arrivé ?

— Oui. C'était mes premiers mondes. Je voulais bien faire. Et là, manque de bol, je croise ce Ruskov au palmarès long comme le bras qui me fait un coup d'intox. Je suis tombé dans le panneau. J'ai retenu la leçon, on ne m'y reprendra plus.

— Décrivez-nous à quoi ressemble la vie d'un archer de compétition.

— Je me lève à 6 heures. Je tire deux fois par jour à l'Arc Club de Besançon. J'en profite pour remercier mon coach, Max Le Verrier, sans qui je ne serais pas ici. Je travaille à l'EDF, avec des horaires aménagés. L'un dans l'autre, je m'entraîne entre vingt-cinq et trente heures par semaine. Ça ne laisse pas des masses de temps pour la vie privée. Je suis un régime spécial, je me couche tôt, je fais du yoga. La clé, c'est la régularité.

— Vous n'étiez pas à Montréal pour cause de blessure. Qu'avez-vous pensé quand les Américains ont annoncé qu'ils boycotteraient les Jeux de Moscou et encouragé leurs alliés à en faire autant ?

— Que ça serait une catastrophe ! Nous autres, les petits

sports, nous vivons dans l'ombre, avec un coup de projecteur tous les quatre ans. Qu'on puisse nous priver des Jeux pour protester contre des mouvements de troupes en Afghanistan, ça me dépasse !

— Vous pensez que la politique n'a pas sa place dans le sport ?

— Absolument ! Chacun son rôle. Est-ce que j'écris les discours de M. Poniatowski ?

— Contrairement au Japon ou à l'Allemagne de l'Ouest, qui se sont alignés sur la position américaine, la France a annoncé au printemps qu'elle enverrait une délégation à Moscou. Pourtant, votre soulagement a dû être de courte durée, car, dans la foulée, l'Élysée a précisé qu'elle laissait chaque fédération libre de son choix.

— En effet. Trois d'entre elles se sont prononcées en faveur du boycott : l'équitation, la voile… et le tir.

— Nous en avons rendu abondamment compte dans nos colonnes à l'époque.

— Ce que vous n'avez pas signalé en revanche, c'est que, mécontents de cette décision, les archers ont fait sécession. À leur demande, la fédération de tir s'est scindée en deux, selon l'arme utilisée : arc d'un côté, pistolet et carabine de l'autre.

— En effet. Ce développement de dernière minute nous a échappé. Pour tout dire, nous nous attendions si peu à avoir des représentants tricolores dans les épreuves de tir à l'arc que nos journalistes attitrés n'ont pas fait le voyage à Moscou. Si vous ne m'aviez pas vous-même accosté hier au village olympique, nous serions peut-être passés à côté d'un exploit historique.

— Oh, historique, je n'aurai pas cette prétention. En 1920, Julien Brulé a remporté cinq médailles aux JO d'Anvers. Et avant cela, Eugène Grisot avait décroché l'or à Londres. C'était la belle époque : la France écrasait la compétition, comme dans les arts et les sciences du reste.

— Hélas, les choses ont bien changé. Le tir a été absent des Jeux olympiques entre 1920 et 1972, et, depuis son retour

à Munich, les supporters tricolores n'ont pas eu la moindre médaille à se mettre sous la dent.

— *À notre décharge, le nombre d'épreuves a fondu, de dix à deux : individuel hommes et femmes. Ça fait moins de breloques à se partager. Mais c'est vrai, il y a trop longtemps que l'on n'a pas entendu* La Marseillaise *dans une compétition internationale.*

— *À qui la faute ?*

(Benoît Chevalier hausse les épaules, comme si sa réponse risquait de nous entraîner très loin.)

— *C'est compliqué. Quand le tir est redevenu discipline olympique, les Chinois ont créé une section sport-études à Pékin, en recrutant les instructeurs chez les anciens maîtres d'armes de l'empereur. Le taux de déchets parmi les gamins est effrayant, mais les autorités s'en fichent tant que les médailles pleuvent. Aux États-Unis, on observe un retour vers les armes médiévales : arc, fronde, arbalète, catapulte, etc. On m'a parlé de chasseurs capables de loger une flèche entre les yeux d'un ours à cent cinquante mètres, mais j'ai peine à y croire. En tout état de cause, l'équipe américaine est très affûtée et ne repart jamais les mains vides. Plus près de nous, les Italiens sont abonnés aux podiums. Il y a une tradition d'archers en Toscane, qui remonte aux Médicis. Le deuxième fils de chaque famille est censé battre son père sur dix flèches avant sa majorité. Giancarlo Ferrari, médaillé de bronze à Montréal, a infligé un cinglant 98-32 au sien à l'âge de onze ans !*

— *Justement, parlons de vos adversaires. Qui craignez-vous ?*

— *Tout le monde et personne. Dans notre sport, on ne sait jamais d'où peut venir le danger. Tous les gars ou presque sont capables dans un bon jour de tirer à plus de mille deux cents points. C'est pourquoi je me concentre avant tout sur ma performance. Sur des petites choses : la respiration, l'alignement de la corde, la position du coude, le maintien du contact visuel avec la cible…*

— *Vous devez tout de même redouter certains concurrents plus que d'autres !*

— *Que ceci soit bien clair : je n'ai peur de personne. Après, je respecte évidemment le palmarès de mes adversaires. Je me méfie de Iecheïev qui aura l'avantage de tirer à domicile. Des Finlandais qui sont toujours au rendez-vous. Du Belge Cogniaux qui m'a fait grosse impression à l'entraînement.*

— *C'est incroyable, vous ne citez même pas Isachenko !*

(Il sourit.) — *Parce que je rêve de tirer à côté de lui. J'ai préparé une phrase que je lui susurrerai à l'oreille dans la chambre d'appel. Il va se liquéfier sur place, l'ami Boris !*

— *Les Russes vont pourtant chercher à briller devant leur public.*

— *Qu'ils se battent pour l'argent et le bronze. L'or m'appartient.*

— *Vous paraissez très sûr de vous. Habité même.*

— *Peut-être.* (Il réfléchit un instant.) *Ça m'a pris samedi pendant la cérémonie d'ouverture. En défilant dans le stade Loujniki, sous les acclamations de 100000 personnes, j'ai eu un flash. Je me suis vu sur la plus haute marche du podium, un bouquet à la main, l'or autour du cou, entonnant à pleins poumons les premières mesures de* La Marseillaise.

— *C'est tout le mal qu'on vous souhaite…*

— *Vous ne comprenez pas. Ce n'était pas un rêve. J'ai vu le futur.*

On connaît la suite : le standard de *L'Équipe* qui explose sous les appels des membres de l'Arc Club bisontin, la rétractation piteuse du quotidien, l'officialisation par Roger Gicquel de l'impensable :

Alexandre Scherbius, un imposteur rendu célèbre par l'ouvrage que lui a consacré son psychiatre, a encore frappé. Il s'est fait passer à Moscou pour un archer s'apprêtant à disputer l'épreuve olympique, et ce alors même que la fédé-

ration française de tir boycotte les Jeux. Cette incohérence a semble-t-il échappé à nos confrères de L'Équipe *qui ont mis Scherbius, ou plutôt Benoît Chevalier, à la une de leur édition d'aujourd'hui. Le Comité international olympique, qui n'a guère goûté la plaisanterie, a annoncé son intention de porter plainte. Alexandre Scherbius n'aura pas profité longtemps de sa nouvelle notoriété. Il a été arrêté par les autorités soviétiques dans l'après-midi, sans pouvoir participer au concours, qui a été remporté par le Finlandais Poikolainen, devant le Soviétique Isachenko et l'Italien Ferrari.*

Scherbius est expulsé manu militari. Je ne saurai jamais sous quel passeport il était entré en URSS. Selon les termes de l'accord conclu entre Paris et Moscou, il écope de six mois de prison avec sursis, assortis de l'obligation de suivre vingt séances de traitement psychiatrique. Le juge accompagne la lecture du verdict d'un conseil personnel : « Il est temps de vous amender, jeune homme. La République ne sera pas éternellement miséricordieuse. »

Durant les jours suivants, je ne m'éloigne jamais longtemps du téléphone. Il me tarde de retrouver Scherbius, d'autant que son interview, que je relis inlassablement, ouvre mille pistes nouvelles.

Je passe sur l'humour de potache (« la tradition qui remonte aux Médicis »). Je n'insiste pas non plus sur l'aisance avec laquelle il manie ce jargon du champion sportif, ses étonnantes figures de style (« les mondes »), sa familiarité (« il va se liquéfier sur place, l'ami Boris ! »), son racisme discret (« un Ruskov au palmarès long comme le bras »). Cette imposture contient à mes yeux des enseignements bien plus intéressants.

Le choix de l'épreuve, d'abord, est révélateur. Le tir à l'arc est une discipline millénaire, immortalisée par plusieurs grandes figures. Ulysse reprend sa place à Ithaque en tendant l'engin qu'aucun de ses rivaux n'avait réussi à dompter. Robin des Bois s'en sert pour détrousser les riches, Guillaume Tell pour fendre en deux la pomme posée sur la tête de son fils. On m'opposera que trois fédérations seulement ayant boycotté les Jeux, Scherbius n'avait pas l'embarras du choix. N'empêche : il aurait pu s'improviser cavalier ou marin, il a préféré mettre ses pas dans ceux d'Hercule et d'Achille.

Il s'est également attribué un nom lourd de sens. Benoît vient du latin *benedictus*, qui signifie «béni de Dieu», tandis que Chevalier évoque le gentilhomme. On retrouve là des thèmes – les origines, la religion – au cœur de la personnalité, réelle ou factice, de Scherbius.

De la même façon, le texte de l'interview fait écho à certaines de ses obsessions : l'amour du drapeau ; le besoin d'attaches (l'Arc Club bisontin, l'équipe de France…) ; l'appel de l'Histoire, avec une vision qui n'est pas sans évoquer Jeanne d'Arc.

Que Scherbius ait signé son retour à Moscou ne relève évidemment pas du hasard. C'est sa façon de nous dire que si l'imposture était une discipline olympique, il concourrait pour la médaille d'or.

Mais j'ai gardé le plus important pour la fin. Par-delà les lecteurs de *L'Équipe*, Scherbius s'adresse à moi. Je suis partout dans cet article : dans l'hommage discret au coach Max Le Verrier, «sans qui il ne serait pas ici» ; dans notre nostalgie partagée pour l'époque où scientifiques et archers français guidaient le monde ; dans l'allusion habile au discours de Michel Poniatowski. Difficile dès lors de ne pas voir dans cette fumisterie un déchirant appel à l'aide. Car que me dit Scherbius ? Qu'il est encore célibataire. Qu'il sacrifie sa vie privée sur l'autel de l'entraînement. Qu'il cherche la paix intérieure en pratiquant le yoga. Qu'il a vu le futur.

Arrêtons-nous un instant sur cette dernière phrase, peu usuelle dans les colonnes d'un journal sportif. À la faveur d'une épiphanie sans doute causée par une forme de saturation sensorielle, Scherbius s'est brusquement imaginé en or, portant haut les couleurs de son pays. Parce qu'il croit dans les forces de l'esprit, son souhait et sa perception de l'avenir se sont confondus. Il a désormais besoin de moi pour mettre son projet à exécution.

Comme je m'y attendais, il m'appelle quelques jours plus tard. Je lui donne rendez-vous à l'université.

« C'est vous le psychiatre »

Scherbius pénètre dans mon bureau de Jussieu avec le même aplomb que du temps où, grimé en Francis Monnet, il me donnait des conseils sur l'aménagement de ma salle d'attente.

— Mon cher Maxime ! m'apostrophe-t-il familièrement en passant le seuil de la porte.

Nous limitons nos effusions au minimum, car nous ruisselons tous les deux de sueur en cet été de canicule.

Il regarde autour de lui. Je sens qu'il jauge la taille de la pièce. Ses yeux s'arrêtent sur une pile de copies, sur le dictaphone dont je me sers pour composer mon courrier, sur les épreuves d'un article que j'ai promis à une revue italienne.

— Les affaires sont bonnes, on dirait.

— Entre les cours et mes recherches, je ne sais plus où donner de la tête.

S'approchant de la bibliothèque, il en extrait un des exemplaires de l'ouvrage qui porte son nom et se plonge dedans avec une attention un peu forcée, comme s'il tombait par hasard sur un livre dont on lui a beaucoup vanté les mérites. Au bout d'un moment, j'interromps sa lecture.

— Vous avez aimé ?

Ignorant ma question, il referme le volume et le soupèse comme il le ferait d'un filet d'oranges sur l'étal d'un marché.

— J'ai entendu dire qu'il s'était très bien vendu.

— Au-delà de nos espérances, réponds-je, en faisant mine d'ignorer où il veut en venir.

— L'édition de poche s'arrache, me dit mon libraire.

— Nous avons réimprimé plusieurs fois.

— L'étranger ?

— Une dizaine de pays ont déjà acheté les droits.

— J'imagine que seul le fait que vous ne disposiez pas de mes coordonnées bancaires vous a empêché de me virer un acompte sur mes droits d'auteur.

Nous y voilà.

— Allons, Alexandre, vous n'êtes pas l'auteur du livre. Vous nous avez autorisés à raconter votre histoire, en renonçant expressément à toute compensation financière.

Scherbius s'apprête à répondre quand il se ravise, probablement soucieux de ne pas ternir nos retrouvailles. Nous savons cependant, lui et moi, que nous n'avons pas épuisé le sujet.

— C'est votre fils ? dit-il en désignant un portrait de Philippe pris le jour de son premier anniversaire.

Je lui confirme, avec une fierté un peu ridicule, que je suis devenu papa, quand les paroles de Benoît Chevalier me reviennent à l'esprit. « L'entraînement ne me laisse guère de temps pour la vie privée. » Cette interview à *L'Équipe* contient son lot de sottises, mais aussi sans doute quelques profondes vérités. Je comprends au regard fuyant de Scherbius qu'il est toujours seul.

— Vous transmettrez mes hommages à Louise, dit-il, confirmant sans le savoir mon intuition.

— Je n'y manquerai pas.

Tout en baissant les persiennes, je fais signe à mon visiteur de s'asseoir. Le moment est venu de lui poser la question qui me travaille depuis dix-huit mois.

— Alors c'est vrai, Alexandre ?

— Quoi ?

— Vous m'avez menti ?

Il opine du chef, sans trahir la moindre gêne.

— Pourquoi ?

Cette fois, il écarquille les yeux, comme s'il jugeait ma demande positivement saugrenue.

— À quoi vous attendiez-vous de la part d'un imposteur ?

— À un peu plus de respect. Pour moi, mais aussi pour vous. Car à quoi pouvaient bien servir nos séances, dans ces conditions ?

Il hausse les épaules et regarde par la fenêtre. Il n'en dira pas plus, ni aujourd'hui ni plus tard. Je dois me rendre à l'évidence : la réponse à mes interrogations ne viendra pas de lui. C'est un bonimenteur ; on le croit à ses dépens.

La célèbre fable du scorpion et de la grenouille me revient en mémoire. Le premier demande à la seconde à traverser la rivière sur son dos. La grenouille se méfie du scorpion, mais celui-ci lui fait valoir qu'il serait fou de la piquer, car cela entraînerait leur mort à tous les deux. Au milieu du cours d'eau cependant, il plante son dard dans le dos du batracien. « Pourquoi ? » demande la grenouille en se noyant. « Parce que c'est dans ma nature », répond le scorpion en sombrant avec elle.

Je prie Scherbius de m'expliquer comment il a mené son affaire.

— Rien de bien sorcier. En préparation du rendez-vous où je me suis fait passer pour Monnet, j'ai lu un manuel de psychiatrie. Après, je me suis contenté de caler mon comportement sur le vôtre. J'ai très peu parlé, si vous avez bonne mémoire.

— Permettez, vous m'avez dit que votre patient ressemblait à Joseph Demara !

— Comment l'aurais-je pu ? Je n'avais jamais entendu ce nom. C'est vous qui m'avez demandé si je connaissais le travail de Robert Crichton.

— Vous réécrivez l'histoire !

Se souvenant qu'il tient mon livre, il l'ouvre, à la recherche du passage en question.

— Ah, voilà, dit-il en levant le doigt.

Nous comparâmes ensuite nos points de vue sur Ferdinand « Fred » Demara, l'imposteur américain qui inspira deux livres et un film au début des années 60.

— Spontanément, dis-je, c'est plutôt de ce côté que j'irais chercher. On retrouve le même éventail de professions chez Demara : prêtre, enseignant, chirurgien...

— Chirurgien ! C'est vrai, j'avais oublié ce dernier épisode.

— Il s'était fait engager comme médecin de bord dans la marine canadienne. Il a pratiqué des dizaines d'opérations, sans tuer personne.

— Son portrait manquait quand même un peu de profondeur. Comment s'appelait son biographe déjà ?

— Robert Crichton.

— Vous voyez ! triomphe Scherbius en refermant le livre.

— Hum, ce n'est pas clair...

— À qui la faute ? Vous êtes alors parti dans une longue tirade, dont j'ai retenu deux choses. Un, vous aviez une dent contre ce Crichton, et deux, il me fallait d'urgence me procurer son bouquin. J'en ai dégotté un exemplaire d'occasion chez Shakespeare and Company. Dès la séance suivante, je me suis attribué des éléments tirés de la biographie de Demara, comme le noviciat chez les trappistes ou le poste de surveillant pénitentiaire.

— Pourquoi ? Vous manquiez d'imagination ?

Ma question est si grotesque qu'il ne prend même pas la peine d'y répondre.

— Son histoire était si bonne que je ne voyais pas l'intérêt d'y toucher.

— Vous vous en êtes pourtant souvent écarté.

— Je n'allais tout de même pas vous la resservir mot pour mot. Mais quel régal de vous entendre vous extasier sur les similitudes quasi miraculeuses entre mon parcours et celui de mon cousin américain !

Il cite, de mémoire cette fois.

— « J'apprends à Scherbius que Demara a lui aussi tâté de la vie monastique. Il n'est pas surpris. » Et pour cause !

— Compris. Inutile de vous appesantir.

Il pince sa chemisette du bout des doigts pour la décoller de son torse.

— On étouffe ici ! Vous n'auriez pas quelque chose à boire ?

Je me lève, ouvre la porte et hèle ma secrétaire :

— Noëlle, pouvez-vous nous apporter deux verres d'eau ?

— Une limonade pour moi, lance Scherbius dans mon dos.

— Je suppose que vous vous êtes aussi documenté sur les TPM, dis-je en me rasseyant.

— Oui. C'était commode, vous terminiez chaque séance par un petit cours sur l'évolution des personnalités multiples à travers les âges. Après vous avoir quitté, je m'arrêtais à la bibliothèque Sainte-Geneviève, où vos conseils de lecture me fournissaient la liste des symptômes que vous chercheriez au prochain rendez-vous. J'ai commencé à manquer des séances, à changer de voix, de coiffure. Et puis, je suis arrivé un matin avec ce mystérieux attaché-case. Il a fallu que je vous souffle le code du fabricant, sans quoi on y serait

encore. Ah, votre tête en inventoriant le contenu de la mallette ! Un soutien-gorge Dim, une carte routière Michelin
n° 83, une boîte de chevrotines !

— Vous ne manquez pas d'air. Je pars du principe que
mes patients cherchent mon aide, pas à me rouler dans la
farine !

On frappe à la porte. Noëlle fait son entrée. Elle pose
un gobelet d'eau tiède sur mon bureau et une bouteille de
limonade fraîche devant Scherbius.

— J'ignorais que nous avions de la limonade !

— C'était la dernière, lâche Noëlle en tournant les talons.

Pendant quelques instants, Scherbius sirote sa boisson, en
poussant des petits soupirs de contentement. S'il espère me
faire sortir de mes gonds, il a frappé à la mauvaise porte.

— De vous à moi, Alexandre, souffrez-vous ou non du
trouble de la personnalité multiple ?

Il siffle sa dernière rasade, réprime un hoquet et repose la
bouteille sur mon bureau.

— Je ne sais pas, Maxime. C'est vous le psychiatre.

— Ne jouez pas les imbéciles. Vous connaissez le sujet
presque aussi bien que moi. Êtes-vous un TPM au sens du
DSM ?

— Lequel ? La version de 1974 ou celle d'avant-hier ?
C'est que dans votre branche, ça bouge presque aussi vite
que dans la haute couture.

Je change mon fusil d'épaule.

— Reconnaissez-vous avoir simulé l'hypnose ?

— Oui.

Je chancelle sous le poids de l'affront. Aucun patient
n'avait réussi jusqu'ici à tromper ma vigilance.

— Frédéric, Jean-Louis, Howard…

— Des légendes.

— Le russe, l'italien, le saxophone…

— Simples talents de société.

Je baisse instinctivement les yeux vers la jambe de Scherbius.

— La brûlure au mollet ?

— Tut tut, on ne demande pas à un magicien de révéler ses tours.

— Dites-moi au moins quelle part du livre est authentique : 50 % ? 30 % ? 20 % ?

Il accueille chaque pourcentage avec un air goguenard.

— Quelle importance ? Ça ne vous empêche pas d'avoir pondu un chouette bouquin. Encore que, dans le genre, je préfère celui de Crichton. Moins bavard.

Où l'imposteur n'est pas celui qu'on croit

Les séances reprennent dans mon cabinet. Je me suis donné un objectif qui semblera modeste : soutirer à Scherbius quelques éléments factuels qui me permettront d'établir son identité. Je pourrai, à partir de là, comprendre les épreuves qu'il a traversées et, qui sait, formuler un nouveau diagnostic.

C'est peu dire, hélas, qu'il ne me facilite pas la tâche. Il donne l'impression de purger une peine. Il récrimine contre tout et n'importe quoi : les horaires de nos sessions qui le privent du film de l'après-midi à la cinémathèque, la panne de l'ascenseur de l'immeuble, et, naturellement, mon «obsession malsaine à remuer le passé».

Ces jérémiades glisseraient sur moi si Scherbius ne prenait un malin plaisir à saboter mes tentatives de percer à jour ses antécédents. Il ne cesse de se contredire, de revenir en arrière, de s'enquérir de mes préférences, comme s'il dépendait de moi qu'il fût né à Cahors ou à Bastia.

Ses mensonges sont plus ou moins élaborés. Il peut abréger la supercherie au bout de cinq minutes ou faire durer le plaisir une semaine entière. Son imagination, toujours aussi féconde, se nourrit aux sources les plus variées. Il élucubre à partir d'une photo accrochée au mur, s'inspire d'un fait divers qu'il a lu dans le journal. Un jour, l'animal me sert l'intrigue d'*Un mauvais fils* de Sautet, que j'ai vu la veille au cinéma avec Louise !

Il devient vite évident que nous n'allons pas y arriver. À ce jeu du chat et de la souris, Scherbius a trop d'expérience. Afin de briser la monotonie de nos séances, je lui demande s'il accepterait de prendre du Pentothal, un barbiturique plus connu sous le nom de sérum de vérité. À ma grande surprise, il y consent, en expliquant « qu'il n'a rien à cacher ».

Je le force à ingérer les deux comprimés sous mes yeux. Il avale une gorgée d'eau, déglutit, ouvre la bouche, soulève la langue. Je suis convaincu. De fait, les premiers effets de la molécule se font vite sentir. Ses gestes, sa respiration se ralentissent. Je lui pose quelques questions simples (le jour de la semaine, le nom du juge qui l'a condamné), auxquelles il répond sans détour. Y voyant un gage de sa bonne volonté, je lui demande quand il est né. La date fuse : 21 juin 1955. J'en reste momentanément sans voix : Scherbius aurait dix ans de moins que je ne pensais ! Je profite de ce qu'il a les yeux fermés pour chercher sur ses traits les marques du passage du temps. Le front est lisse, exempt de la moindre ride ; sillons nasogéniens imperceptibles ; pas de cernes ou de poches sous les yeux : on ne peut pas exclure qu'il ait vingt-cinq ans.

Il répond tout aussi volontiers à mes questions suivantes. Il est né à Jœuf, en Lorraine. Sa mère, Anna, est fille de cafetier. Son père, Aldo, professeur de mathématiques, a poussé très tôt son garçon vers le football. Scherbius a fait ses classes à l'AS Jœuf, où il se signale par un sens du but hors du commun. Repéré par le FC Metz, il échoue au test de capacité respiratoire et atterrit à la place à Nancy.

Je pense en consignant ces détails qu'ils seront faciles à vérifier.

— Récapitulons. Vous avez dix-sept ans et vous jouez pour l'équipe réserve de l'AS Nancy-Lorraine, c'est bien ça ?

— Oui.

— Et après ?

— Oh, après, c'est bien documenté. La titularisation en DI contre Nîmes. Le bataillon de Joinville. La première sélection contre la Tchécoslovaquie. La Coupe du monde en Argentine…

Je sais maintenant pourquoi cette histoire me semblait familière. J'interromps rageusement sa litanie.

— Votre nom ?

— Michel Platini, et vous ?

Me voyant vexé, Scherbius propose de se soumettre à un détecteur de mensonges. Le professeur Charlie Skinner, un confrère américain de Monnet de passage à Paris, se charge de conduire l'expérimentation. Après avoir étalonné son appareil, il pose la première question.

— Date de naissance ?

— Le 25 septembre 1955.

1955 encore ! Je compulse fiévreusement les fiches des joueurs de l'équipe de France. Aucun n'est du 25 septembre. Skinner m'indique de la tête que Scherbius dit la vérité.

— Où êtes-vous né ?

— *In Lippstadt, in der Bundesrepublik Deutschland.*

À Lippstadt, en Allemagne de l'Ouest. Quel que soit l'idiome dans lequel nous nous adressons à lui, Scherbius répond à présent dans la langue de Goethe, qu'il parle à la perfection, comme j'ai déjà eu l'occasion de le mentionner. Skinner m'assure que cela n'a pas d'impact sur la validité du test.

En dépit de mon allemand rouillé, j'arrive à comprendre

qu'il est question d'un certain Heinrich, dont les trois fils jouent au football. Saisi d'un mauvais pressentiment, je demande :

— *Wie heisst du ?*

— *Ich heisse Karl-Heinz Rummenigge. Und du ?*

Quand un de mes thésards me souffle à l'oreille que Rummenigge est le Platini allemand, je fais signe à Skinner qu'il peut remballer son matériel. Il s'exécute, ahuri. J'aurai toutes les peines du monde à le convaincre que mon patient ne joue pas avant-centre au Bayern de Munich.

Ces deux épisodes affligeants m'éprouvent plus que je ne saurais dire. Pour la première fois, j'envisage sérieusement d'adresser Scherbius à un confrère. Je travaille soixante heures par semaine, je vois à peine mon fils grandir, je néglige mes recherches, pour m'occuper d'un bateleur de foire dont le passe-temps favori consiste à me tourner en ridicule.

Comme si cela ne suffisait pas, Scherbius refuse de me régler mes honoraires. Son argument : la justice l'a condamné à suivre un traitement psychiatrique, pas à en supporter le coût. Je lui rappelle qu'il n'a pas fait tant de simagrées il y a cinq ans, alors que pour le coup, à l'époque, rien ne l'y obligeait. Peine perdue, il campe sur sa position, espérant sans doute que je vais le dispenser des séances restantes. Les montants en jeu, sans être négligeables, sont trop faibles pour justifier une action en justice. Je note au passage que si, comme le veut l'adage, une thérapie n'a de sens que financée par le patient, le mien exprime on ne peut plus clairement qu'il ne souhaite pas guérir.

Je ne suis pas naïf. Scherbius me frappe au porte-monnaie, car il estime avoir été lésé lors de la répartition des profits de l'ouvrage qui porte son nom. Je lui rappelle qu'il a cédé gracieusement le contenu de nos séances aux Éditions du Sens et que, n'ayant ni écrit, illustré ou révisé le livre, il n'a aucune raison de toucher des droits d'auteur.

— Enfin, c'est aberrant ! proteste-t-il. C'est ma vie, tout de même !

— En l'occurrence, Alexandre, nous savons maintenant que ce n'est pas tout à fait votre vie. D'ailleurs, quand bien même vos tribulations seraient authentiques, ce n'est pas vous qui teniez la plume.

— Non, c'est vrai, je dictais et vous écriviez !

C'est à mon tour de prendre la mouche.

— Parce que c'est à cela que se résume mon livre selon vous : à une servile retranscription de vos aventures ? Qui vous a hypnotisé ?

Il se frappe théâtralement le front.

— Bon sang, c'était donc ça quand vous me demandiez de me gratter le nez avec la main dont je ne me sers pas pour tenir ma fourchette ?

— Qui a remis les personnalités multiples au goût du jour ?

— Les Américains !

Devant tant de mauvaise foi, j'abrège la discussion.

Il nous reste douze séances. Parce qu'il faut bien faire quelque chose, parce que la parole constitue le fondement de la psychiatrie, j'écoute les histoires de Scherbius, comme le sultan des *Mille et Une Nuits* celles de Shéhérazade. Tantôt il a été défloré par une poissonnière normande, tantôt il a grandi en faisant la manche dans les rues de Nuremberg. Il détient un bleu de Prusse, l'un des timbres les plus rares du monde. Il restaure des clavecins du XVIIIᵉ. Il a doublé le personnage de Minos dans les cascades de *Peur sur la ville*. Au premier signe de lassitude de ma part, il embraye sur une nouvelle fable, plus extravagante que la précédente.

À Louise qui me demande pourquoi je continue d'écouter

un homme qui m'a toujours menti, je réponds que ce torrent de mots charrie forcément quelques parcelles de vérité. Et donc, tel un orpailleur du Klondike, je tamise le discours de Scherbius, en quête d'un indice, d'une expression qui sonnerait un peu plus juste que les autres. Je continue d'enregistrer nos séances, mais je prends moins de notes qu'avant, me bornant à consigner lieux et dates, nouveaux motifs (quand Scherbius raconte par exemple avoir été placé à la naissance dans un orphelinat) ou compétences à vérifier ultérieurement (est-il, comme il le prétend, maître dans les arts du trombone à coulisse, de la préparation de cocktails et du tir de penalties ?).

Je garde un souvenir pénible de cette période. N'ayant pas encore rendu publique la duplicité de Scherbius, je continue à recevoir chaque jour un abondant courrier qui me rappelle ce que je lui dois. On m'invite dans des congrès, à parler à la radio ou à la télévision. Mes collègues de Pierre-et-Marie-Curie me soumettent leurs projets de communications et me font l'honneur de tenir compte de mes remarques. Je fais cours devant des amphis bourrés à craquer. Quand mes étudiants me donnent du « Monsieur le professeur », quand ils me demandent des conseils de carrière ou offrent de dactylographier mes manuscrits, je me retiens pour ne pas leur avouer la vérité. Dans ces moments, l'imposteur, c'est moi.

Je fixe un ultimatum à Scherbius

Il a toujours été entendu avec Alice que la thérapie de Scherbius donnerait matière à un deuxième livre. Depuis l'interview de Benoît Chevalier dans *L'Équipe,* elle me harcèle pour savoir quand je lui livrerai mon manuscrit. Je temporise en invoquant ma charge de travail à l'université. Je ne lui ai jamais parlé du rapport de Thiriet. Elle ignore donc, comme le reste de la France, que la première édition est un tissu de mensonges.

Je ne suis pas fier de tromper Alice. Elle a cru en moi avant les autres, en me donnant une chance après laquelle certains de mes confrères courent leur vie durant. Savoir que je lui ai fait gagner beaucoup d'argent atténue cependant quelque peu ma culpabilité. Pour des raisons qui me restent obscures, un best-seller rapporte bien plus à l'éditeur qu'à l'auteur. Au moins Alice a-t-elle fait bon usage de la manne qu'a représentée mon livre. Elle a étoffé ses équipes et son volume de publications, tissé un réseau de partenaires dans le monde entier, tout en restant à l'écart des scandales et des affaires de plagiat qui ont perdu tant de ses confrères. Les Éditions du Sens comptent aujourd'hui parmi les maisons les plus respectables de Paris. Après avoir fait leur fortune, je ne supporterais pas de leur apporter le déshonneur.

Je vide mon sac à Alice en octobre 1981, autour d'une bouillabaisse dans une brasserie de l'Odéon. Je lui décris le rapport de Thiriet, les aveux en bonne et due forme de Scherbius, ainsi que ses nouvelles affabulations sans queue ni tête.

— Je m'en doutais, dit-elle en allumant une cigarette.

Elle reste étonnamment calme, si calme en fait que je regrette de ne pas lui avoir parlé plus tôt.

— C'est fâcheux, mais pas tragique. Ton livre appelle une suite. Que dis-je, il l'appelle ? Il l'exige ! Tu as diagnostiqué Scherbius, annoncé que tu entamais un traitement, l'heure est venue de rendre des comptes à ton public. Il ne se passe pas une semaine sans qu'un libraire me demande quand arrive le deuxième opus et, crois-le ou non, son chiffre d'affaires le préoccupe moins que la santé de Scherbius. Vas-tu réussir à unifier ses personnalités ? Va-t-il retrouver ses parents ? Exorciser les démons de son passé ?

J'acquiesce en silence. J'ai observé la même chose de mon côté. Alice poursuit.

— Je n'ai pas besoin de te rappeler que nous avons vendu près de 400 000 exemplaires. Un livre étant lu en moyenne par deux ou trois personnes, ce sont un million de Français qui attendent des nouvelles de Scherbius. Si tu en as, tu dois leur en donner.

— J'en ai, mais elles ne présentent aucun intérêt. Quand on sait qu'il baratine sur toute la ligne, ses exploits perdent un peu de leur sel.

— Au contraire, ils n'en deviennent que plus fascinants. (Elle lève la main, comme si elle composait une affiche de music-hall en lettres de feu.) « Scherbius nous a menti. Notre détective n'a pas réussi à retrouver sa trace. Le mystère reste entier. »

— Admettons, dis-je, soucieux de ne pas paraître buté. Tu viens de résumer la première partie du livre. C'est la deuxième qui me tracasse.

Elle réfléchit une minute en tirant sur sa cigarette, avant de déclamer du ton exalté dont elle use pour galvaniser les libraires.

— Personne ne ment ainsi sans être atteint d'un sérieux désordre psychiatrique. Nous allons reprendre l'enquête de zéro et diagnostiquer Scherbius une bonne fois pour toutes !

— Je ne demanderais pas mieux, mais vingt séances supplémentaires avec lui ne m'ont rien appris. Pour être honnête, je ne suis même plus sûr qu'il souffre. Du reste, mon avis l'intéresse si peu qu'il refuse de payer mes honoraires !

— Hum.

Le serveur débarrasse nos bouillabaisses. Alice a à peine touché à la sienne.

— Tu prends un dessert ? demande-t-elle brusquement.

— Euh, je ne sais pas. Peut-être.

— Alors deux cafés, lance-t-elle d'autorité au garçon. (Elle se retourne vers moi.) Tu m'avais fait lire le bouquin de Crichton sur Demara. Il en a écrit un second, n'est-ce pas ?

— Oui. *The Rascal and the Road.* Les deux hommes se rendent en pèlerinage sur les lieux des principales impostures de Demara. C'est très mauvais…

— Vous allez en faire autant. Partez le temps qu'il faudra, je prends en charge tous les frais du voyage.

— Mais où irions-nous ? Je ne sais même pas où il est né !

— Laisse-lui le volant, il te conduira bien quelque part. Il a sûrement un tas d'histoires à raconter.

— Ce genre d'histoires porte un nom, Alice. On appelle ça des bobards.

— Pas forcément. Sans compter qu'à partager son quotidien, tu découvriras ses habitudes. Tes lecteurs adoreront savoir ce qu'il prend au petit déjeuner ou s'il regarde *Les Jeux de 20 heures.*

Au cours des semaines qui suivent, l'idée d'Alice fait son chemin en moi. Malgré mes réserves initiales, je dois dire que j'y vois l'occasion d'enfoncer définitivement Crichton. Son deuxième bouquin, sorti dans la foulée de l'adaptation cinématographique du premier, pue l'opportunisme à plein nez. Personnellement, j'estime qu'il n'aurait jamais dû voir le jour, tant il apporte peu d'éléments nouveaux sur la mentalité du « grand imposteur ». Durant leur équipée, l'auteur pose peu de questions à Demara, et jamais les bonnes. Ce n'est assurément pas un psychiatre, à peine un écrivain, tout au plus un chaperon, dont le rôle se limite à conduire la Pontiac noire (spirituellement surnommée « le fourgon de la mort ») et à régler les notes d'hôtels et de restaurants, où Demara se fait un point d'honneur de commander les mets les plus coûteux.

Je me décide à prendre l'avis de Scherbius. Il accueille le projet avec enthousiasme, jusqu'à ce qu'il comprenne qu'il ne sera pas rémunéré.

— D'abord les Américains, maintenant Alice Samuel ! On se paie sur la bête et on lui refuse un peu d'avoine !

Je lui fais valoir que nous serons intégralement défrayés. Pour une petite maison comme les Éditions du Sens, il s'agit d'un investissement considérable, sans garantie de résultats.

— J'ai parfois l'impression que vous oubliez que je sais compter, Maxime. 20 ou 30 000 francs de faux frais représentent une goutte d'eau par rapport aux profits qu'escompte votre amie Alice. Je pourrais du reste lui faire gagner dix fois ce montant, si elle me laissait optimiser sa fiscalité.

— Je lui transmettrai votre proposition. Elle ne change rien au fait que ni vous ni moi ne serons rétribués pour nos efforts.

— Alors, vous vous passerez de mes services.

Je m'attendais à la réaction de Scherbius. Ma réponse est prête.

— Je partirai de mon domicile le premier jour des vacances de Pâques, samedi 27 à 9 heures. À bon entendeur...

Bretagne, patrie des elfes et des korrigans

Le jour dit, Scherbius m'attend au pied de mon immeuble. Bien que n'ayant jamais douté de sa participation, je me garde de tout triomphalisme.

Il porte un pantalon de velours à grosses côtes, une chemise blanche, un gilet gris dont les coudes s'ornent de parements en cuir. Un imperméable mastic plié sur son bras et un sac de voyage aux dimensions étonnamment modestes complètent le tableau.

Il me suit sans un mot jusqu'à ma voiture. En découvrant la R30 noire toute cabossée, il a un mouvement de recul.

— Vous ne croyez tout de même pas que je vais monter dans votre cercueil sur roulettes !

— Il le faudra bien. C'est le seul véhicule à notre disposition, dis-je sèchement.

— Alice ne peut pas nous louer une Mercedes ? Je me méfie des constructeurs français.

— Vous avez tort. Elle a toutes les options et, sur l'autoroute, le moteur ronronne comme un matou au soleil.

— Combien de kilomètres ?

— À peine 60 000. Je tiens le livret d'entretien à votre disposition.

Il fait deux fois le tour de la Renault, soulève le capot, vérifie le niveau d'huile et s'accroupit pour évaluer l'usure des pneus.

— Ça ira, dit-il enfin. Je serais plus rassuré dans une allemande mais je suppose que vous n'avez pas les moyens. En tout cas, je prends le volant. Ne faites pas cette tête, vous avez vu l'état de votre carrosserie ?

— Je n'y suis pour rien ! C'est Louise, elle vient de passer son permis.

Il lève la main pour couper court à mes dénégations.

— Vos excuses ne m'intéressent pas. Soit je conduis, soit vous pouvez dire adieu à notre petite escapade.

Je fais semblant de m'incliner. Intérieurement, j'exulte. Mon plan pour lui laisser le volant a fonctionné à merveille. Consciemment ou non, il va me mener sur les lieux de ses exploits.

Nous chargeons les bagages dans le coffre. Scherbius examine longuement le tableau de bord, qui ne contient pourtant rien que de très classique. Il ajuste son siège, les rétroviseurs, puis tourne la clé dans le contact et donne des gaz, en tendant l'oreille vers le moteur.

— Hum. Vous avez changé la courroie…

— Le mois dernier, comment le savez-vous ? dis-je, interloqué, avant de reconnaître une manœuvre typique de Scherbius.

Son ton vaguement interrogatif laissait la place à toutes les interprétations. Si j'avais répondu que la courroie était d'origine, il m'aurait conseillé de la remplacer au plus vite.

— Par précaution, nous nous arrêterons dans le premier garage pour un contrôle technique. Vous me remercierez.

Je boucle ma ceinture de sécurité, tandis que Scherbius dédaigne ostensiblement la sienne.

— Où allons-nous ? demande-t-il, les mains sur le volant.

— Où il vous plaira. Si nous commencions par les lieux de votre enfance ?

— Ma foi. Ça ou autre chose…

Sur cette remarque énigmatique, il s'extrait de notre place de stationnement et s'insère dans le flot de la circulation. Nous prenons la rue Saint-Jacques puis, à Denfert-Rochereau, l'avenue du Général-Leclerc. Scherbius conduit très bien, avec cette aisance des chauffeurs de taxi en fin de carrière. Il freine avec parcimonie, anticipe à merveille les intentions des automobilistes et possède le plan de la capitale sur le bout des doigts. Je range bientôt la carte que j'avais dépliée sur mes genoux.

Nous montons sur l'autoroute A6. Bien que curieux quant à notre destination, je m'interdis de poser la moindre question. Scherbius, qui ne tient apparemment pas plus que moi à engager la conversation, allume la radio et tombe sur l'émission *Stop ou Encore*. L'animatrice Évelyne Pagès invite adeptes et détracteurs de Daniel Balavoine à appeler le standard de RTL. Tant que les premiers supplanteront en nombre les seconds, la station diffusera les tubes de l'interprète de *Starmania*, à commencer par l'incontournable *Chanteur*.

> *Je me présente, je m'appelle Henri,*
> *j'voudrais bien réussir ma vie, être aimé,*
> *être beau, gagner de l'argent,*
> *puis surtout être intelligent,*
> *mais pour tout ça, il faudrait que j'bosse à plein temps.*

Scherbius fredonne, en se trémoussant, des paroles qui semblent avoir été écrites pour lui. Je m'avise que je ne sais rien de ses goûts musicaux.

— Vous aimez la variété ?

Il me fait signe de me taire, entonne, à pleins poumons cette fois, le refrain, qu'il connaît par cœur, comme le reste de la chanson.

> *Et partout dans la rue,*
> *j'veux qu'on parle de moi,*
> *que les filles soient nues,*
> *qu'elles se jettent sur moi,*
> *qu'elles m'admirent, qu'elles me tuent,*
> *qu'elles s'arrachent ma vertu.*

Il monte sans difficulté dans les aigus, là où peu d'hommes sont capables de suivre Balavoine, en restant sur chaque note exactement le temps qu'il faut.

Pendant la page de publicité, je lui demande où il a appris à chanter.

— À la chorale des Petits Écoliers de Bondy, répond-il en doublant expertement une Simca. Les meilleures années de ma vie.

— Qui vous dirigeait ?

— Roger Tribouilloy, le fondateur. Il était instit' à l'école Mainguy.

Dans un souci de conciliation, je m'abstiens de lui faire remarquer que Bondy se trouve en Seine-Saint-Denis, au nord de Paris, alors que nous filons dans la direction opposée.

Pendant une demi-heure, il poursuit son récital. *Mon fils, ma bataille*, *Je ne suis pas un héros*, *Me laisse pas m'en aller*, autant de titres prophétiques qu'il s'approprie avec talent.

Il bifurque sur l'A10 à Rungis. J'en déduis que nous faisons route vers l'Aquitaine, les Pays de la Loire ou la Bretagne. À l'antenne, les Rolling Stones ont succédé à Balavoine. Scherbius éteint la radio, sans me demander mon avis.

— Nous nous arrêterons à 13 heures, après *Le jeu des mille francs*, me prévient-il.

Nous abandonnons l'A10 pour l'A11. Adieu l'Aquitaine, à l'ouest toute ! Je fouille ma mémoire à la recherche des villes de la côte Atlantique mentionnées dans la première édition. Cholet, Quimperlé, elles ne sont guère nombreuses.

Nous nous arrêtons dans une station-service pour faire le plein. Scherbius insiste pour faire réviser la Renault. Une demi-heure et quatre-vingts francs plus tard, elle passe l'inspection haut la main.

— Vous êtes content ? dis-je en remontant dans la voiture.

Pas de réponse. C'est à qui craquera le premier.

Le Mans, Laval, Vitré. Mon estomac commence à se manifester.

— C'est l'heure, dit Scherbius en mettant France Inter.

La voix emblématique de Lucien Jeunesse s'élève dans l'habitacle. Elle rappelle les règles pour les enfants en bas âge ou les individus qui auraient passé le dernier quart de siècle coupés de la civilisation. Les joueurs se verront poser six questions d'une valeur comprise entre quinze et quarante-cinq francs. Ceux ayant réalisé un sans-faute pourront tenter le banco de mille francs.

Scherbius a toutes les réponses, qu'il lance parfois avant même que l'animateur ait fini de formuler l'énoncé.

Un des candidats se hisse jusqu'au banco.

— Auprès de quelle puissance coloniale la Zambie a-t-elle obtenu son indépendance ? demande Jeunesse.

— Le Royaume-Uni, le 24 octobre 1964, dit mon voisin en éteignant la radio.

Dégoûté, il ajoute :

— C'était plus difficile de mon temps.

Un panneau annonce une aire dotée d'une cafétéria, mais Scherbius a d'autres plans en tête. Il sort à Cesson-Sévigné,

traverse quelques villages et fait halte dans une auberge cos-
sue, où il commande, avant même que nous soyons assis,
une bouteille de champagne et deux menus gastronomiques.

— Ça ira pour cette fois, dis-je tandis que s'éloigne la ser-
veuse, mais je ne dispose pas d'un budget illimité.

— Vous croyez que vos lecteurs auraient préféré nous voir
déjeuner au Courtepaille de La Gravelle ?

— Mes lecteurs aimeraient surtout savoir où vous nous
emmenez.

— Que ne l'avez-vous demandé plus tôt ? Nous allons à
Carnac, dans le Morbihan.

— Vous y êtes né ?

— Quelque part dans le coin, sans doute. On m'a trouvé
dans un couffin, devant les grilles de l'orphelinat, le
22 avril 45, jour de la Saint-Alexandre.

Ce n'est pas la première fois que j'entends ce conte du
bébé abandonné. Se pourrait-il qu'il contienne une once
de vérité ? Je profite de ce que Scherbius semble d'humeur
loquace pour satisfaire ma curiosité.

— Votre mère n'a laissé aucun indice quant à vos origines ?

— Non. On peut tout imaginer : une gamine engrossée
par son père, une femme de notable ayant fauté avec le
garde-chasse...

— Une jeune fille ayant fricoté avec les Allemands...

— On peut tout imaginer, répète-t-il pensivement en
buvant une gorgée de champagne. Encore que je n'ai pas
précisément le type germanique. J'ai passé onze ans à Carnac. L'orphelinat était géré par les pères. J'ai vraiment été
enfant de chœur, vous savez. Je servais la messe à l'église
Saint-Cornély, et, à l'occasion, à la basilique d'Auray.

J'ai droit, entre les plats, aux morceaux choisis de sa
jeunesse. Il évoque la solidarité à la vie à la mort entre les

gamins, le kouign-amann ruisselant de beurre d'une dénom-
mée Félicie, l'interminable trajet en car pour aller au collège
de Vannes. Il est si convaincant que je me surprends une
nouvelle fois à envisager que nous approchons de la vérité.

Il est presque 16 heures quand nous reprenons la route.
Scherbius mâchonne un cure-dents, vitres ouvertes, pendant
qu'effondré dans mon siège, je digère le repas et le montant
de l'addition.

Nous entrons dans le bourg de Carnac à la tombée de la
nuit. Le village, charmant dans sa simplicité, se dresse un peu
à l'écart de la station balnéaire, en bordure des champs de
mégalithes qui ont fait sa renommée. Scherbius se dirige dans
les ruelles escarpées avec la sûreté d'un riverain. Il se gare
place de l'Église, sous un panneau « Interdit de stationner ».

— Suivez-moi, dit-il d'un ton abrupt.

Il marche vite. Je le sens fébrile. Est-ce l'excitation de
renouer avec son passé ou la crainte d'être confronté à ses
mensonges ? Je serai bientôt fixé.

Soudain, il s'immobilise devant La Calypso, un restaurant
de fruits de mer apparemment réputé pour son homard à
l'armoricaine.

— C'était là, dit-il.

— Vous êtes sûr ?

— Certain. Entre la pharmacie et la venelle qui mène à
l'hôtel de ville.

Il me saisit par le bras et me force à faire le tour du restaurant, jusqu'à une courette abritée par une verrière, où
sont entreposés les poubelles et des casiers de bouteilles
vides.

— Le bâtiment se trouvait ici, en retrait par rapport à la
rue, derrière une grille en fer forgé noir. On accédait au
perron par cinq marches en pierre. Oh, et puis tant pis si
vous ne me croyez pas !

— Je n'ai pas dit ça. Entrons. Quelqu'un pourra sûrement nous renseigner.

La salle est à moitié vide. Un serveur appelle le patron, un homme affable d'une soixantaine d'années, qui confirme la version de Scherbius.

— Un orphelinat ? Bien sûr. Il a fermé dans les années 60, quand les Apprentis d'Auteuil ont ouvert un centre à Priziac. L'évêché a vendu le bâtiment à un promoteur, qui l'a rasé pour construire un local commercial.

— Vous n'auriez pas une photo par hasard ?

— Non. Mais si, quand j'y pense ! Il doit me rester une vieille carte postale de la place.

Il disparaît à l'étage.

— Cet homme est décidément très urbain, dit Scherbius. Dîner dans son établissement serait le moins que nous puissions faire pour le remercier.

À cette perspective, mon cœur se soulève.

— Mais nous sortons à peine de table !

Le restaurateur redescend, une liasse de clichés à la main.

— J'en ai même plusieurs. Tenez. Sur celle-ci, on aperçoit la toiture. Et là, un pan de la grille : Orphelinat Sainte-Anne…

— Sainte-Anne ? Comme l'hôpital psychiatrique ?

— Comme la patronne de la Bretagne, rectifie Scherbius.

Il me fourre sous le nez la photo d'un bâtiment aux murs couverts de lichen.

— Vous voyez les marches ? Je ne vous ai pas menti.

— Et votre chambre ? balbutié-je. Où était-elle ?

Scherbius éclate de rire.

— Une chambre ? Et puis quoi encore ? Nous étions douze dans un dortoir, à l'étage, derrière ces fenêtres.

Il se tourne vers le patron d'un air affable.

— Merci infiniment pour votre aide. Nous allons rester

pour le dîner. Savez-vous où nous pourrions trouver deux chambres pour la nuit ?

— Bien sûr, aux Alignements. Je vais les appeler. C'est à deux pas.

— Attendez, dis-je. Connaissez-vous d'anciens pensionnaires de l'orphelinat ? Ou des surveillants ?

Le patron réfléchit un moment.

— J'ai bien peur que non. Je suis arrivé ici en 67.

— Vincent Mallet ? suggère obligeamment Scherbius. Quentin Riou ? Patrick Le Goff ?

Notre hôte secoue la tête, déclenchant une deuxième salve de patronymes.

— Armand Guégen ? Ludovic Jaouen ? Yvon Rouxel ?

— Rouxel ! Ça y est, ça me revient : Philippe Rouxel ! Une triste histoire : son père a été tué sur le front et sa mère est morte en couches. J'ai entendu dire qu'il avait grandi à l'orphelinat. Il doit avoir dans vos âges.

— Où peut-on le trouver ?

— Il habite rue de Kervégan. Je vais vous écrire son adresse.

— Merci, dis-je. Surtout, ne le prévenez pas de notre visite, nous voudrions lui faire une surprise.

À table, Scherbius parle trop. Sous sa pétulance de façade (« Ah, Bretagne, patrie des elfes et des korrigans ! »), je le sens contrarié par la perspective de notre visite à Philippe Rouxel. Il vient tout de même à bout d'un plateau de fruits de mer et de deux bouteilles de cidre.

À l'hôtel, mon compagnon s'attribue d'office la meilleure chambre. Je n'ai pas le courage de lui tenir tête. Je consigne mes impressions de la journée avant de me coucher. Je ne crois pas un instant à l'histoire de Scherbius. Il connaît à l'évidence bien Carnac ; peut-être même y a-t-il résidé dans sa jeunesse. Mais je mettrais ma main à couper qu'il a inventé cette histoire d'orphelinat, en sachant qu'il me serait impossible de la vérifier. Je ne serais du reste pas surpris d'apprendre lundi que les archives de l'établissement ont brûlé dans un incendie.

Quand je descends le lendemain, Scherbius est déjà attablé devant un bol et une assiette sur laquelle sont alignées six tartines grillées. L'œil aussi noir que son café, il m'annonce qu'il a passé une nuit épouvantable, «sur une literie digne d'un hôpital de brousse». Il me fait aussi part de son intention d'assister à la messe de 11 heures. Je proteste pour la forme.

— Mais nous devons rendre visite à Rouxel.

— Il attendra, décrète-t-il en beurrant sa première tartine.

Soucieux de ne pas lâcher Scherbius d'une semelle, je l'accompagne à l'église Saint-Cornély. Il me gratifie avant le début de l'office de copieuses explications architecturales, vraisemblablement issues d'un guide touristique.

— Les lambris des voûtes sont l'œuvre d'un certain Le Corre, de Pontivy, qui avait la particularité de signer son travail «Dupont».

— Décidément, dis-je. On n'en sort pas.

Nous prenons place au fond de l'église, à côté d'une vieille femme courbée en deux qui remue les lèvres en égrenant un rosaire. À l'approche de Pâques, les travées sont pleines. Le prêtre, qui ressemble à Maître Capelo, nous remercie d'avoir pris sur notre temps de repos pour venir écouter la parole du Seigneur.

— Amen, tonne Scherbius en signe d'approbation.

Ma voisine a sursauté. Plusieurs fidèles se retournent. Scherbius, les yeux fermés, me laisse soutenir leurs regards courroucés.

On l'entend beaucoup durant le service. Il couvre le chœur de sa voix de stentor pendant les cantiques, murmure l'Évangile tel un souffleur, ponctue les temps forts du prêche d'«amen» retentissants. Quand arrive le moment de la quête, il retourne théâtralement ses poches.

— J'ai beaucoup péché dans cette ville, dit-il, assez fort pour être entendu par la moitié de l'assistance. Alors, de grâce, Maxime, ne chipotez pas.

J'entrebâille mon portefeuille à la recherche d'une coupure de vingt francs. Vif comme l'éclair, Scherbius s'empare de deux billets de cent et les pose dans la corbeille.

— Merci. Dieu vous le rendra.

Tandis qu'il reçoit le corps du Christ à genoux, je songe avec consternation aux explications que va me réclamer le comptable d'Alice. Sitôt dehors, je chapitre Scherbius.

— Bravo! C'est facile d'être généreux avec l'argent des autres!

Il hausse les épaules.

— Je ne fais que disposer de ce qui m'appartient.

— À ce rythme-là, nous devrons reprendre la route de Paris dans trois jours.

— Vraiment? Je me demande qui de nous deux en serait le plus marri.

Nous nous dirigeons à pied vers la rue de Kervégan. Rouxel habite une petite maison de pêcheur aux volets bleus. Sans laisser à Scherbius le temps de rassembler ses esprits, je presse le bouton de la sonnette et m'écarte du perron pour ne pas interférer dans ses retrouvailles avec son soi-disant ami d'enfance.

L'homme qui ouvre la porte a entre trente-cinq et quarante ans. Petit, bedonnant, mal rasé, il porte des pantoufles, un pantalon de survêtement et un tee-shirt frappé du drapeau breton. Scherbius l'attire dans ses bras.

— Philippe! Mon cher, mon vieux Philippe!

Ahuri, Rouxel se laisse enlacer, tout en scrutant désespérément les alentours, comme s'il cherchait la caméra cachée de Jacques Rouland.

Scherbius relâche son étreinte, recule de trois pas pour embrasser son copain du regard.

— Tu n'as pas changé ! À part de l'estomac, bien sûr. (Il pince le ventre de Rouxel.) Eh ben, on a pris du bidon, mon salaud !

— Enfin, bas les pattes ! On ne se connaît pas !

Scherbius se fige sur place.

— Pardon ? Pendant trois ans, j'ai pioncé dans le lit en face du tien et on ne se connaît pas ?

— Ben non.

— Monsieur a peut-être oublié aussi comment je lui faisais la courte échelle parce qu'il était trop petit pour escalader la grille ?

— Euh, oui.

— Tu sais quoi ? explose Scherbius. Va te faire foutre ! Venez, Maxime, on se tire ! J'ai soupé des ingrats.

À peine avons-nous fait dix pas que Rouxel nous rappelle.

— Eh oh, attendez ! Il doit y avoir un malentendu, on peut parler quand même.

— Allez-y, me souffle discrètement Scherbius sans tourner la tête.

— Quoi ?

— Allez le rejoindre, je vous dis. Je ne suis pas loin derrière.

Je rebrousse chemin. Rouxel vient à ma rencontre.

— Enfin, qu'est-ce qu'il lui prend ? Je ne l'ai jamais vu, ce mec.

— Il prétend avoir été pensionnaire à l'orphelinat avec vous.

— Je m'en souviendrais. Comment s'appelle-t-il ?

— Alexandre Scherbius.

— Non, vraiment...

— Je m'appelais Loïc à l'époque, dit une voix dans notre dos.

— Loïc comment ? Parce qu'on en a eu des Loïc à la Maison : Loïc Mahé, Loïc Le Strat, Loïc Pedrono...

— C'est moi, Loïc Pedrono. J'ai changé de nom en m'engageant dans la Légion.

C'est l'instant de vérité. Peut-être Rouxel joue-t-il au tarot tous les samedis soir avec ledit Pedrono. Mais non, on dirait que l'imposteur a encore tapé dans le mille.

— Par exemple, s'exclame Rouxel, tu as bien changé ! Je ne t'aurais jamais reconnu !

— Tu ne *m'as* pas reconnu, dit Scherbius, en prenant un air vexé.

— Je te demande pardon. Tu as les cheveux plus foncés. Et tu as forci des épaules.

— C'est la Légion.

— Rentrez, on va boire un coup en souvenir du bon vieux temps !

Il est inutile, je crois, de rapporter la suite dans le détail. Scherbius saisit avec maestria les perches que lui tend involontairement Rouxel. Nous savons bientôt tout de la Maison et de ses pensionnaires, de la fois où Tugduald Jegou s'ébouillanta en servant le thé du vieux Triboulet, alias la Triboule, à celle où Erwann Le Floch fugua pour rejoindre une fille aux Sables-d'Olonne, en passant par les innombrables bobos, châtiments et altercations qui émaillent le quotidien d'un orphelinat de province.

Scherbius me donne un aperçu éblouissant de son talent. Il pose des questions en ayant l'air d'y répondre, s'appuie sur les anecdotes de notre hôte pour en inventer de nouvelles, plus croustillantes et, d'une certaine façon, plus vraisemblables. Il ne fournit jamais une précision qui ne soit strictement nécessaire, abusant des formules vagues, telles que «cette fameuse année où il gela à pierre fendre» ou «le petit rouquin qui ne mangeait pas de viande». Les rares fois où il est en danger, il simule un accès de pudeur ou de sensiblerie. Dans ces moments, les larmes lui montent aux yeux sur commande.

Naturellement, ces stratagèmes passent au-dessus de la tête de Rouxel. Tout à la joie d'avoir retrouvé un vieux complice, il nous conte son parcours avec une candeur embarrassante. Sa femme qui l'a quitté, son affaire de location de bicyclettes qui le fait vivoter, aucun détail ne nous est épargné. Nous avons aussi droit aux nouvelles d'une trentaine de pensionnaires, dont je note que la majorité habite entre Vannes et Lorient; décidément, Scherbius a eu beaucoup de chance.

— Et Dominique? demande-t-il. Qu'est-il devenu?

— Lequel? Le môme avec un bec-de-lièvre qui est arrivé après nous ou le vieux binoclard qui nous surveillait pendant l'étude?

— Le pion. Je l'aimais bien. Il me laissait bouquiner quand j'avais fini mes devoirs.

— Dodo les carreaux? On parle bien du même? J'ai le souvenir d'une vraie peau de vache.

— Il fallait savoir le prendre. Mais au fond, c'était un écorché de la vie, comme nous.

— Première nouvelle, dit notre hôte en décapsulant une bière, la quatrième.

— Tu sais où il perche?

— À Plouharnel, au lieu-dit du Pratézo. Il vit avec sa sœur.

Quand sonne l'heure du départ, Rouxel se laisse embrasser de bonne grâce.

— C'était bon de te retrouver, camarade. Vous êtes sûrs que vous n'avez pas besoin de vélos?

Sur le chemin qui nous ramène à l'hôtel, Scherbius demande si je suis convaincu. Je ne puis réprimer un ricanement.

— De quoi? Vous n'aviez jamais rencontré ce type de votre vie. Vous croyez que je n'ai pas remarqué vos combines? La façon dont vous lui resserviez les informations que vous lui aviez préalablement extorquées?

— Vous m'offensez, dit Scherbius en allongeant le pas. Philippe est un ami très cher.

« Comme s'il conversait avec les anges »

Comme je le craignais, l'employée de la mairie de Carnac nous apprend qu'un incendie a détruit les archives des services sociaux du Morbihan en 1979. Scherbius a dû noter cette information à l'époque, en pensant qu'elle lui servirait un jour. Qui sait combien d'entrefilets analogues dorment dans ses tiroirs ?

Il repousse dédaigneusement mon hypothèse.

— Dieu m'est témoin que j'ignorais que la Maison avait fermé ses portes et que les archives du département avaient brûlé.

— Vous vous entendez ? Vous dites « la Maison », quand, il y a deux jours, vous ne l'appeliez que « l'orphelinat ».

— Je vois qu'il en faudra plus pour vous convaincre. Que diriez-vous d'aller frapper à la porte de Dodo les carreaux ? À celui-là, on ne racontait pas de fariboles.

Il nous conduit à Plouharnel, un petit bourg situé à quelques kilomètres, sur la route de Quiberon. Une fois de plus, sa connaissance de la topographie m'impressionne. Au sortir de la rue de la Poste, il s'élance sur une voie communale improbable, qui mène à un hameau d'une vingtaine de maisons réunies sous l'appellation du Pratézo.

Puisque nous ne possédons pas l'adresse ni le nom de famille de Dominique, je baisse ma vitre pour héler un retraité posté à sa fenêtre, quand Scherbius désigne une grande bâtisse, partiellement dissimulée derrière un rideau de hêtres.

— C'est ici, dit-il d'un ton qui ne souffre aucune discussion.

— Comment le savez-vous ? Vous êtes déjà venu ?

— C'est ici.

Les battants du portail sont ouverts. Scherbius gare la Renault devant un massif de roses anémiques. Le terrain, entouré d'un sentier de gravier, est livré aux mauvaises herbes. Les arbres auraient besoin d'être taillés. J'ai l'impression de violer un sanctuaire.

On accède à la maison par une véranda, sur les murs de laquelle s'étale une discutable fresque d'inspiration gréco-romaine. Ignorant la sonnette, mon compagnon frappe à la porte. Une femme aux cheveux gris et au visage parcheminé nous ouvre.

— C'est à quel sujet ? demande-t-elle d'un ton las.

— Nous venons saluer Dominique, dit Scherbius.

— Il est mort l'hiver dernier. Je suis sa sœur, Jeanne.

Une pensée peu charitable me traverse aussitôt l'esprit : comme c'est pratique ! Je me tourne vers mon compagnon afin d'observer sa réaction. Il est prostré, la bouche ouverte, comme si son monde venait de s'écrouler. Les chairs de son visage se sont brusquement affaissées, de grosses larmes ruissellent sur ses joues.

Jeanne, émue, passe un bras bienveillant autour des épaules de Scherbius.

— Vous le connaissiez bien ?

— Il m'a tout appris, gémit-il.

Ses sanglots redoublent. Soudain, il se met à tambouriner contre le mur de granit, en hurlant à la mort.

— Pourquoi ? Pourquoi, Seigneur ?

— Il était vieux, dit Jeanne comme si elle s'adressait à un enfant. Depuis son opération, il descendait tout doucement la pente. Un matin, je l'ai trouvé dans son lit. Il était parti pendant la nuit.

À ces mots, Scherbius retrouve un peu de forces.

— Ah ! Dieu merci ! Dites-moi qu'il n'a pas souffert…

— Il avait l'air paisible. Comme s'il conversait avec les anges.

— Je vous crois ! Il devait avoir tant de choses à leur raconter.

Il sèche ses larmes grossièrement, du revers de la main. Je n'ai pas vu un tel numéro d'acteur depuis Jack Nicholson dans *Vol au-dessus d'un nid de coucou*.

— Voulez-vous boire quelque chose ? s'enquiert Jeanne.

— Rien pour moi, merci, dis-je. Nous n'allons pas vous déranger plus longtemps.

Mais mon camarade a d'autres projets.

— Au contraire, dit-il en me poussant à l'intérieur. Maxime, tenez compagnie à Madame. Moi, je vais jardiner un peu. Ce jardin à l'abandon est un affront à la mémoire de Dominique.

Nos protestations n'y font rien : jusqu'à midi, en bras de chemise, Scherbius taille les massifs, bine les parterres, ratisse les allées avec un zèle infatigable. De temps à autre, il lève la tête et nous adresse un joyeux signe de la main. Malgré mon aversion pour les travaux horticoles, je brûle de le rejoindre, tant le récit de la vie de Dodo les carreaux me rase. Mon hôtesse se révèle incapable de m'orienter vers d'anciens collègues de son frère. Le nom de Loïc Pedrono ne lui dit évidemment rien.

Nous restons pour le déjeuner. Entre deux bouteilles de cidre, Scherbius évoque la mémoire de Dominique dans des termes que je qualifierais sans doute de bouleversants si je ne les savais intégralement fabriqués. Jeanne boit ses paroles. Elle sort les albums de photos au moment du café ; nous en reprenons pour trois quarts d'heure.

— Une riche idée que vous avez eue, ce retour aux sources, dit Scherbius quand nous remontons en voiture. Ça me fait un bien fou de retrouver les lieux de mon enfance…

— Vous n'allez pas recommencer ! Avant de voir la bobine du défunt, vous auriez été bien en peine de le décrire.

— Permettez. «Immanquablement vêtu de noir, il se déplaçait en rasant les murs. Le cliquetis de son énorme trousseau de clés le précédait. Onctueux avec ses supérieurs, il se montrait d'autant plus féroce avec les chenapans dont il avait la charge que ces derniers n'avaient nulle jupe où se réfugier.»

— Mais où allez-vous chercher tout ça ?

— Quelle importance ? Nous avons rendu le sourire à une femme aujourd'hui, s'exclame-t-il en faisant vrombir le moteur.

Cet échange a le mérite de clarifier nos positions respectives. Scherbius persévère dans ses chimères, tout en sachant que je n'en suis pas dupe. De fait, je ne réussirai pas plus à le coincer pendant les quinze jours que durera notre périple qu'il ne parviendra à me convaincre de sa sincérité.

— Ce n'est pas la route de l'hôtel, dis-je.

— Parce que je vais vous donner le grand tour des mégalithes. Tout commence il y a six mille ans…

*« Au fond, les choses n'ont pas beaucoup changé
depuis votre départ »*

N'ayant pu établir avec certitude les origines de Scherbius, il m'est difficile d'accorder le moindre crédit au reste
de ses aventures. Il prétend avoir quitté l'orphelinat à onze
ans, « à la suite d'une rixe », puis avoir été ballotté d'une
famille d'accueil à l'autre jusqu'à sa majorité. Naturellement,
toutes nos tentatives pour retrouver ses parents adoptifs se
soldent par des échecs. Les gens sont morts, partis sans laisser d'adresse ou hors d'état d'être interrogés. Nous passons
ainsi une journée au chevet d'un homme en coma dépassé,
une autre dans une maison de retraite à démêler la laine
d'une femme sénile que Scherbius appelle « Mama ». Par
respect pour « ceux qui lui ont offert un toit quand il avait
froid », il tient à me narrer l'histoire de chacun, qu'on me
pardonnera de ne pas retranscrire ici.

Je commence à cerner ses méthodes.

Il enregistre les moindres détails. Quand Jeanne, la
sœur de Dodo les carreaux, nous a ouvert la porte, il a par
exemple noté la présence d'un crucifix dans l'entrée. Le
« Pourquoi, Seigneur ? » qu'il s'est autorisé dans la foulée a
fait beaucoup pour lui gagner la confiance de la vieillarde.

Il domine un nombre ahurissant de sujets. J'ai déjà cité

son sens de l'orientation. Il connaît aussi les spécialités gastronomiques régionales, le tracé du réseau autoroutier français, les prénoms en vogue dans les années 40 et la fréquence des patronymes département par département. Combinées à ses capacités calculatoires, ces informations lui confèrent souvent un précieux avantage sur ses interlocuteurs. Il sait qu'un dénommé Laborde a deux chances sur trois d'être originaire du Sud-Ouest, ou que, parmi les douze mille et quelques Claude nés en 1950, cinq sur six étaient des garçons.

Au-delà des statistiques, il a une compréhension intime du tissu local.

— Vous ai-je dit que j'avais été maire d'une petite ville ? Je recevais mes administrés le matin. Fernand, le poissonnier, se plaignait que les éboueurs passent trop tard ; ses poubelles incommodaient la clientèle. Louisette, qui élevait des brebis, exigeait que la cantine de l'école cessât de servir du camembert. Jean, le cantonnier, me demandait si, des fois, on ne pourrait pas prendre son fils à l'essai, « vu que même l'armée n'en avait pas voulu ». J'amadouais ce petit monde avec des promesses et je filais au lycée technique, pour l'inauguration de la nouvelle section « Tourneur-fraiseur ». J'intervenais après le recteur, mais avant l'assistant parlementaire qui ânonnait un message du député, « retenu au Palais-Bourbon quand il aurait tant voulu être parmi nous ». Je me sauvais en catimini pendant l'apéritif (chips Croky, côtes-du-rhône et Banga), pour aller montrer ma bobine au marché, où je serrais des mains, plaisantais avec la bouchère qui avait promis de voter pour moi le jour où il pleuvrait du boudin grillé, buvais un coup avec le…

Je l'arrête avant qu'il ruine mes dernières illusions sur la fonction publique, en sachant qu'il aurait pu aussi bien m'interpréter une réunion de syndic ou l'assemblée de la mutuelle des pompiers.

Le banal l'assomme. N'étant heureux que dans le déséquilibre, il fabrique perpétuellement des drames dont il est le héros. Il a le don de broder une histoire à partir de n'importe quoi : un fait divers entendu à la radio, une date, un lieu. Laval, que nous traversons un matin, lui rappelle qu'une de ses familles d'accueil a servi de modèle à Jean Dutourd pour le couple de crémiers collabos du roman *Au bon beurre*. Le 2 avril, il me force à observer une minute de silence à la mémoire de Georges Pompidou, dont il prétend avoir «sauvé les fesses» durant l'affaire Marković. Si l'on prêtait foi à ses sornettes, il aurait découvert le microprocesseur, lancé la carrière des Bee Gees et tenu la main de Dalí pendant qu'il peignait *Le torero hallucinogène*.

Sur une note plus prosaïque, mon compagnon mange de tout. Il aime également les truffes et les rillettes, le homard et les sardines. Il préfère le bordeaux au bourgogne, boit son eau pétillante et son café serré. Il ne regarde pas *Les Jeux de 20 heures*.

Après quelques jours dans l'Ouest, il se met en tête de gagner l'Alsace, «où il a vécu quelques-unes de ses plus belles aventures». Mes cours à l'université ne recommençant pas avant une semaine, je me laisse tenter.

À Chambray-lès-Tours, il se fait passer pour un prêtre en vacances et convainc le curé de la paroisse locale de le laisser célébrer la messe à sa place. Son exégèse de la parabole des talents est, à ce jour, la plus pertinente qu'il m'ait été donné d'entendre.

Nous faisons un détour par Notre-Dame d'Acey, où Scherbius est censé avoir effectué son noviciat. Un moine d'un âge canonique se dévoue pour nous faire visiter l'abbaye. En nous raccompagnant à notre voiture, il nous lance :

« Au fond, les choses n'ont pas beaucoup changé depuis votre départ. » Avant que j'aie le temps de réagir, il a tourné les talons et tiré la porte du monastère derrière lui.

À Lons-le-Saunier, je traîne Scherbius au casino, curieux de le voir à l'œuvre à une table de black jack. Naturellement, il n'a pas d'argent sur lui. Je lui tends un billet de cent francs.

— Faites-les fructifier comme dans la parabole.

— On ne va plus nulle part avec cent balles. Donnez-moi cinq cents.

Je transige à trois cents, qu'il me rendra en cas de gain. S'il perd, en revanche, il ne me devra rien.

Même aux yeux du novice que je suis, il est vite apparent que Scherbius n'a pas menti. Quand, après une phase d'observation, il décide de s'asseoir à une table, il remporte approximativement les deux tiers de ses mains. Son tas de jetons fait des petits. À minuit, il a plus que triplé sa mise.

— Expliquez-moi quelque chose, dis-je alors que nous prenons un verre au bar. Pourquoi avoir réclamé une indemnité à Alice, quand vous pouvez gagner la même somme en une soirée au black jack ?

— Et en quel honneur les actionnaires du casino de Lons-le-Saunier subventionneraient-ils notre voyage ? demande-t-il en dégustant un cognac hors d'âge (et de prix). Je possède quelque chose qui vous intéresse, vous devez allonger la monnaie.

— En l'occurrence, ne puis-je m'empêcher de remarquer, vous m'accompagnez gracieusement.

— Tout finit toujours par se payer, dit-il en se levant.

— Où allez-vous ?

— Me coucher.

— Vous ne voulez pas continuer à jouer ? Gagner davantage ?

— Non merci.

— Tant pis. Rendez-moi mes trois cents francs.

Il sourit, comme s'il mettait charitablement ma demande sur le compte de l'humour.

L'imposteur recrute un complice

Scherbius aime à parcourir la presse en petit-déjeunant. Il tourne rapidement les pages, tout en trempant ses tartines dans son café, et déchire les articles qui l'intéressent, « pour ses archives ».

Ce matin, une brève de *L'Est républicain* semble avoir retenu son attention.

— Lisez, dit-il en poussant le journal vers moi.

L'équipe de France féminine junior de football est arrivée hier à Mulhouse pour un stage de préparation en vue du prochain Championnat d'Europe à Glasgow. À signaler qu'André Simonet, l'entraîneur, a dû rentrer à Paris dans la soirée, à la suite d'un accident familial.

— Et alors ?

— Et alors ? Dépêchez-vous de finir votre croissant, nous filons à Mulhouse.

Scherbius m'expose son plan sur la route : il va se présenter comme le remplaçant de Simonet, envoyé par la Fédération. Je lui oppose dix objections, qu'il balaie l'une après l'autre.

— Il ne s'agit pas non plus de s'éterniser : un entraînement, deux maximum, et on met les voiles, dit-il, comme si
sa modération était de nature à me rassurer.

— Vous avez une tenue de sport ?

— Non, et vous ?

— C'est de la folie douce. Je vous préviens, ne comptez
pas sur moi pour vous prêter main-forte.

— Compris. J'essaierai de résister à la tentation de m'appuyer sur vous.

À l'entrée de Mulhouse, je vois Scherbius hésiter pour la
première fois.

— Bourtzwiller ou stade de l'Ill ? Allez, va pour le stade
de l'Ill.

C'était le bon choix. Un autocar bleu manœuvre sur le
parking du centre sportif. Le chauffeur nous informe qu'il
vient de déposer ses passagères et qu'il a pour instruction de
les ramener à l'hôtel à midi.

Je m'apprête à lui demander si un chaperon accompagnait
les joueuses, quand Scherbius m'agrippe par le bras.

— Assez perdu de temps. On y va.

Il pénètre dans l'enceinte du stade, se laisse guider dans
les couloirs par les rires et les claquements des crampons.

— Bonjour, mesdemoiselles, claironne-t-il en se carrant
dans l'embrasure de la porte du vestiaire.

Les conversations cessent. Tous les regards se tournent
vers lui. Il embraye aussi sec.

— Je m'appelle Olivier Fischer. Je coache les filles du FC
Wasselonne, près de Strasbourg. Auparavant, j'ai entraîné
l'équipe A de Karlsruhe, en Allemagne. La Fédé m'envoie
à la place d'André Simonet.

— Vous avez des nouvelles de son fils ? demande anxieu-
sement une blonde à queue-de-cheval, en laçant ses chaussures.

— Il va mieux.

— D'après la femme d'André, il était entre la vie et la mort.

— Ses jours ne sont plus en danger.

À ces mots, la tension descend d'un cran.

— M. Lioret a dit que le remplaçant de Dédé n'arriverait que demain, dit une femme en survêtement plus âgée que les autres.

— M. Lioret s'est trompé. Pardon, vous êtes ?

— Jocelyne Paquet. J'entraîne les gardiennes.

— Ah, Jocelyne. J'ai entendu parler de votre travail. Nous avons de la chance de vous avoir.

Jocelyne rosit sous le compliment. À partir de cet instant, elle sera aux petits soins pour nous.

— Je vous présente mon vieux complice, Max Le Verrier, dit Scherbius en me poussant au centre du vestiaire. C'est le meilleur préparateur physique de l'Hexagone. Vous pouvez lui poser n'importe quelle question, il est d'une compétence et d'une discrétion absolues.

Je hoche la tête d'un air pénétré, comme si je trouvais l'hommage un peu excessif, mais pas dénué de fondement. Intérieurement, pourtant, c'est la panique. J'ignore en quoi consistent au juste les fonctions d'un préparateur physique. Vais-je devoir masser ces demoiselles ? Et que vais-je raconter à Louise ?

— Ah oui, petit problème, dit Scherbius. Nous avons dû partir en hâte ce matin. L'une de vous pourrait-elle nous prêter une tenue ?

— J'ai un bas de survêtement qui devrait vous aller, dit Jocelyne en lui lançant un pantalon bleu marine.

— C'est parfait. Un maillot ? Des crampons ? Je chausse du 41.

En un clin d'œil, il est habillé. Un sifflet se matérialise

même par miracle autour de son cou. Mon cas suscite moins d'intérêt. Une gamine me jette un vieux sweat-shirt délavé. Avec mes souliers et mon costume de ville, j'ai l'air d'un épouvantail.

Je comprends mon drame en arrivant sur le terrain. La pelouse est gorgée d'eau. Je m'enfonce dans la boue à chaque pas. Je suis furieux contre Scherbius.

— Qu'aviez-vous besoin de m'enrôler dans votre canular ? lui glissé-je à voix basse, tandis que les joueuses se rassemblent autour de nous.

— De quoi vous plaignez-vous ? Je vous ai confié un rôle conforme à vos facultés. Vous êtes médecin, non ?

— La peste soit de vous, je rentre à Paris.

Il me retient une nouvelle fois par le bras. Sans me laisser le temps de réagir, il déclare :

— Tout le monde est là ? Bien. Vous allez commencer par trois tours de terrain avec Max. Puis il vous prescrira quelques étirements. On va y aller mollo pour le premier jour, s'agirait pas de se blesser. Ensuite, on travaillera la circulation du ballon et vous disputerez un petit match pour que j'apprenne à vous connaître. On terminera par une séance de penalties.

Il se tourne vers moi, frappe dans ses mains :

— Allez, c'est parti !

Je devrais l'envoyer au diable, mais quelque chose me retient : la crainte de dépiter ces gamines qui sacrifient leurs vacances pour patauger dans la gadoue ; un élan de sympathie pour Jocelyne et tous les bénévoles anonymes qui rêvent de remporter un titre à travers cette équipe ; la peur du ridicule enfin, je l'avoue, cette peur qui explique pourquoi tant d'impostures n'arrivent jamais aux oreilles du public.

Je remonte stoïquement mon pantalon jusqu'à mi-mollet

et je donne le coup d'envoi du jogging, en adoptant une cadence assez lente, que je me crois capable de tenir sur la durée. Au bout d'une minute, je suis couvert d'éclaboussures, mes chaussettes sont à tordre et mes souliers bons à jeter. Trop concentré sur ma respiration pour m'offusquer des gloussements qui s'élèvent dans mon dos, je remarque à peine Scherbius qui, installé dans le rond central, teste méthodiquement les ballons et retourne à Jocelyne ceux qui ont besoin d'être gonflés.

Quand, au milieu du deuxième tour, je ne suis plus en mesure de suivre le rythme que j'ai moi-même imprimé, je me laisse glisser à l'arrière du peloton, en désignant mon équipement du doigt en guise d'excuse. Les filles me dépassent sans un regard et, débarrassées du boulet qui les entravait, accélèrent le tempo. Je rends les armes alors qu'elles attaquent le troisième tour et remonte le terrain, haletant, les mains sur les hanches. C'est le moment que choisit Jocelyne pour me consulter. Elle s'est donné une entorse de la cheville le mois dernier et s'étonne que la douleur persiste. Je palpe doctement son articulation, exerce de la pression au petit bonheur la chance et finis par affirmer que sa cheville est en voie de guérison.

— Vraiment ? dit Jocelyne, sceptique. J'ai déjà eu ce genre d'entorses. D'habitude, après un mois, je ne sens plus rien.

— C'est l'âge. Après la puberté, chaque année allonge le temps de cicatrisation des ligaments d'environ 3 %.

Je suis stupéfait par mon audace. La pseudo-statistique, sa formulation me sont venues sans effort. J'éprouve un court instant la supériorité que doit ressentir Scherbius quand il berne son auditoire. Jocelyne me remercie et, comme si j'étais soudain devenu digne de sa commisération, s'avise du ridicule de mon accoutrement.

— Il faut vraiment qu'on vous trouve des crampons.

Nous rejoignons le groupe au centre du terrain. Je demande aux filles de s'écarter.

— Premier exercice, dis-je en déambulant entre elles. Penchez-vous en avant et tentez de toucher la pointe de vos pieds. Pas la peine de forcer surtout, laissez la gravité faire son travail.

Je rectifie la position d'un bassin, signale des genoux pliés ici ou là.

— Je sais, les étirements n'amusent personne. Et pourtant, ils constituent la clé de la longévité. Vous savez pourquoi les Japonais ont une ligue des plus de soixante-dix ans ? Parce qu'ils s'étirent !

Scherbius renchérit.

— Sur l'île de Kyūshū, les joueurs écoutent la causerie de l'entraîneur dans la position du lotus.

— Je crois qu'il s'agit d'un mythe, ne puis-je m'empêcher de le corriger. À présent, asseyez-vous, tendez une jambe et repliez l'autre derrière vous – la position qu'on appelle du sauteur de haies...

Sans prétendre révolutionner l'art gymnastique, j'ai l'impression de m'acquitter honorablement de ma tâche. Je poursuis sur ma lancée pendant un quart d'heure, parant mes exercices de noms ronflants et de vertus mirifiques. Scherbius reprend le contrôle des opérations d'un coup de sifflet.

— Formez deux grands cercles. Les six joueuses à l'extérieur font circuler le ballon, les deux à l'intérieur essaient de l'intercepter. C'est parti !

Je l'observe avec d'autant plus d'intérêt que j'ignore l'étendue de ses connaissances footballistiques. Par exemple, est-il nécessaire d'avoir évolué en club pour pointer, comme il le fait, que les filles utilisent trop rarement leur pied gauche ? De savoir contrôler un ballon pour noter que la pelouse fuse ? Je reconnais en tout cas certains de ses procédés favoris. Il demande à l'attaquante la plus douée de faire la leçon aux autres, de la même façon qu'il priait l'élève l'interrogeant sur le sens d'un mot latin d'en lire la définition à voix haute devant la classe. Il fait croire à chacune qu'il connaît ses antécédents et lui a concocté un programme d'entraînement personnalisé. Il entrelarde ses conseils de noms de joueurs célèbres. J'en reconnais certains – Rocheteau, Giresse, Beckenbauer ; d'autres dépassent mes compétences, à moins, plus simplement, qu'ils n'existent pas.

Durant le match, Scherbius prend des notes sur un calepin. Qui sait si ce qu'il écrit a le moindre rapport avec le spectacle auquel il assiste ? De temps à autre, il se lève de son banc et gueule une consigne générique : « On se replace ! » ou : « Utilisez toute la largeur du terrain ! ».

J'ai un bref moment d'angoisse, lorsque deux joueuses se télescopent et restent au sol. Voyant que tout le monde se tourne vers moi, je me rue sur place aussi vite que le permet ma tenue. Les filles sont sonnées, mais heureusement conscientes. Je leur pose quelques questions et leur fais suivre mon doigt ; leurs réactions sont normales. Je mesure leur pouls, histoire de me donner une contenance.

— Sans ma trousse, dis-je en regardant ma montre, je ne veux prendre aucun risque. Vous arrêtez pour ce matin. Si vous avez la migraine ou si vous vomissez, je veux être le premier à le savoir. C'est compris ?

Elles opinent de la tête, rassurées par mon ton péremptoire.

Pour finir, les bleues écrasent les rouges 4-0.

— Le score n'a aucune importance, dit Scherbius en rangeant son carnet. J'ai vu des belles choses des deux côtés. Pas vrai, Jocelyne ?

— Absolument.

— Allez, on va terminer par quelques pénos. Tout le monde tire, même les défenseurs.

Tandis que le groupe s'achemine vers une des cages, Scherbius théorise.

— Le penalty n'est pas un geste technique, c'est l'affrontement de deux volontés.

— Mon coach dit qu'il faut s'efforcer d'être imprévisible, dit l'une des gamines. Que le goal ne peut pas deviner de quel côté on va tirer, si on ne le sait pas soi-même en prenant son élan.

— Hum, tu diras à ton coach que le jeu a fait des progrès depuis qu'il a passé ses diplômes. Au contraire, il faut décider de quel côté on va tirer, puis induire le gardien en erreur.

Je me rappelle alors l'avoir entendu se targuer d'une adresse démoniaque aux tirs au but. C'est l'occasion de le mettre à l'épreuve.

— Olivier n'est pas du genre à se vanter, dis-je perfidement, mais je ne l'ai jamais vu rater un penalty.

— Le fait est que ça ne m'arrive pas souvent, corrobore l'animal.

Pendant une demi-heure, il distille ses conseils sur l'art du contre-pied sans s'approcher une seule fois du ballon. Cependant, quand Jocelyne le met au défi de battre ses gardiennes, il ne se dérobe pas.

— À quelles modalités songiez-vous ?

— Vous allez tirer dix penalties sur Corinne et autant sur Florence. Je ne vous crois pas capable d'en marquer dix-huit.

— Tenu.

Il avise un ballon. Plutôt que de le guider au pied, ce qui nous aurait permis de jauger sa technique, il le ramasse et va le poser sur le point de réparation. Trois pas d'élan, et il frappe tranquillement à mi-hauteur, au ras du poteau droit.

Corinne est partie du mauvais côté, les filets tremblent. Scherbius 1, équipe de France 0.

Par trois fois, la même frappe molle prend la goal à contre-pied.

— Enfin, Corinne, tu le fais exprès! s'écrie Jocelyne. Tu ne vois pas qu'il tire toujours du même côté?

— Elle plonge où je lui dis de plonger, dit Scherbius en essuyant le ballon avec son maillot.

— C'est des conneries tout ça! Corinne, tu pars à gauche cette fois-ci!

Je suis curieux de voir ce que va faire Scherbius. En changeant de côté, il est assuré de marquer. Mais quelque chose me dit qu'il va tenter un coup d'éclat. De fait, il loge la balle au même endroit. Corinne, qui semblait déterminée à bondir à gauche, a changé d'avis au dernier moment. Elle ramasse piteusement la balle au fond de ses filets.

— Bon sang, qu'est-ce que je t'avais dit? éructe Jocelyne.

— Pas la peine de la houspiller. Ettori tombe dans le panneau pareil.

La fois suivante, Corinne applique les consignes et plonge à gauche. Elle se relève juste à temps pour voir la balle mourir au ralenti dans le coin opposé. Scherbius s'agenouille pour refaire ses lacets. Il n'a pas un mot d'encouragement, pas un ricanement de triomphe. Il ne surclasse pas l'opposition, il l'écrabouille.

Il se met soudain à varier ses frappes. Il expédie un ballon sous la transversale puis un dans chaque lucarne. Un dernier tir à ras de terre parachève la démonstration. Carton plein, 10 sur 10. Corinne cède sa place, la tête basse.

Le premier penalty de la seconde série touche le poteau, puis rebondit sur la cuisse de Florence qui marque contre son camp. Psychologiquement, ce n'est pas le début idéal.

Les deux tirs suivants de Scherbius trouvent encore l'intérieur des montants. La chance est avec lui.

À sa quatorzième tentative, il glisse le ballon de justesse sous le ventre de la portière. Rebelote à la quinzième, de l'autre côté cette fois.

Tant de réussite finit par écœurer Jocelyne.

— Vous touchez votre bille, d'accord, mais vous avez surtout le cul bordé de nouilles.

— J'entends ça depuis trente ans, répond Scherbius, impassible.

Il plante trois buts supplémentaires. Florence, qui est toujours placée, en mord ses gants de dépit.

— Je crois que ça fait dix-huit. Satisfaite ?

— Très, marmonne Jocelyne entre ses dents.

Scherbius a gagné son pari, mais il a plombé l'ambiance. Les filles consolent les deux gardiennes, tandis que Jocelyne collecte rageusement les ballons dans un filet.

Nous retournons au vestiaire en silence. Scherbius distribue quelques compliments, mais le cœur n'y est pas.

— Tout à l'heure, nous travaillerons les coups de pied arrêtés, annonce-t-il à la cantonade.

Je le prends à part.

— Libre à vous de remettre ça cet après-midi, mais ce sera sans moi.

— Sans moi non plus. Je n'aime pas la tournure que prennent les événements. Allez chercher la voiture et attendez-moi dehors.

— Pourquoi ? Que craignez-vous ?

— Faites ce que je vous dis et tout ira bien.

Je sors sur le parking à l'instant où le car de la fédération fait son apparition. Le chauffeur se gare face à l'entrée du stade. Derrière lui, un homme en survêtement bleu lit *L'Équipe*.

Je monte d'un air dégagé dans la R30 et la rapproche de la sortie des vestiaires. Scherbius devait me guetter, tapi dans l'ombre, car il jaillit aussitôt, s'engouffre dans l'habitacle et m'enjoint de démarrer en trombe.

— Dépêchez-vous, bon Dieu, le remplaçant de Simonet est arrivé !

— En effet, mais comment le savez-vous ?

— J'ai un sixième sens pour ces choses-là, dit-il en se retournant pour surveiller nos arrières. Vous croyez qu'ils ont eu le temps de relever la plaque ? Je n'aimerais pas vous créer des problèmes.

C'est la phrase de trop. Les sièges de la Renault sont maculés de boue. J'ai esquinté un pantalon et une paire de godasses, craché mes poumons devant des lycéennes, joué les kinésithérapeutes, essuyé les sarcasmes de Scherbius. Et pour quoi ? Pour que monsieur puisse ajouter à la longue liste de ses forfaits qu'il a dirigé un entraînement de l'équipe de France de football ?

Il y a belle lurette que nous n'enquêtons plus sur la jeunesse de Scherbius et que je ne suis plus seulement son biographe ou son médecin. Je suis devenu son complice. À mon corps défendant certes, mais son complice tout de même.

— Nous rentrons à Paris, dis-je.

« *Malice, pure malice* »

Il faut attendre le dernier chapitre de *The Great Impostor* pour que Crichton s'interroge enfin sur les motivations de Demara. Le moins que l'on puisse dire, c'est que la patience du lecteur n'est pas récompensée.

> *Psychologues et psychiatres*, note Crichton, *ont avancé de nombreuses explications, dont certaines sont peut-être correctes. Les circonstances de l'enfance de Demara sont relativement typiques des imposteurs. Il a perdu très jeune son statut social et tout ce qui allait avec, et nombreux sont ceux qui pensent qu'il a cherché sa vie durant à reconquérir ce statut, fût-ce sous un autre nom. Dans tous les cas, la compulsion qui habite Demara semble si profonde que seule une longue analyse serait susceptible d'éclairer ses motifs[1].*

Quel aveu d'impuissance, quand on y songe ! Pour paraphraser l'auteur : *plusieurs hypothèses coexistent, dont certaines ont sans doute un fond de vérité. En tout état de*

---

1. La traduction est de votre serviteur. Je n'ai pas obtenu l'autorisation de Random House, pour la bonne raison que je ne l'ai pas sollicitée. Ils peuvent m'attaquer, je les attends de pied ferme.

cause, de plus amples recherches s'imposent. Trois cents pages pour accoucher d'un diagnostic aussi pauvre, c'est confondant.

Après ce saisissant préambule, Crichton pose directement la question à l'intéressé : pourquoi trompe-t-il son monde ? « Parce que je suis mauvais » (« *Because I'm rotten* »), répond spontanément Demara. Sentant que l'argument est un peu court, il se concentre quelques instants et ajoute : « Dites à vos lecteurs que j'y ai bien réfléchi : c'est de la malice, de la pure malice. » (« *It's rascality, pure rascality.* »)

Il se trouve que le terme « *rascal* » est fort ambigu. Dans sa première acception, il signifie « malhonnête », mais son sens a pris, au fil du temps, une connotation moins négative. On pourrait aujourd'hui le traduire, selon le contexte, par espiègle, facétieux ou fripon[1].

J'ai toujours trouvé ce passage de *The Great Impostor* excessivement faible. L'auteur expédie en deux pages ce qui aurait dû être le sujet de son livre ! Il n'y a qu'aux États-Unis qu'un tel manque de rigueur peut passer inaperçu.

Plusieurs fois durant notre voyage, j'ai tenté d'avoir ce que j'appelle « la conversation du pourquoi » avec Scherbius. Quel bénéfice retire-t-il de ses impostures ? D'où lui vient ce besoin d'inventer des personnages ? Est-il prisonnier de ses pulsions ou leur commande-t-il ? S'arrêtera-t-il un jour ?

Quand il ne prétendait pas avoir mieux à faire (une sieste, sa correspondance…), Scherbius se défaussait au moyen de formules toutes faites, telles que « C'est vous le psychiatre » ou « Il faut bien passer le temps ».

Ce jour-là cependant, entre Saint-Dizier et Vitry-le-

---

1. Crichton, dont la désinvolture ne laissera jamais de me surprendre, ne se donne même pas la peine de lever cette incertitude.

François, je lui soumets le dilemme posé par la réponse de Demara.

— Alors, à votre avis : malhonnêteté ou espièglerie ?

— Malhonnêteté, répond-il sans hésiter.

— Vraiment ? Pourtant, pour moi, Demara est tout sauf un escroc.

— Il n'a jamais volé d'argent, peut-être ?

— Un peu. Beaucoup moins qu'il n'aurait pu, compte tenu de son talent. Cela prouve bien qu'il n'était pas mû par l'appât du gain.

— Hum.

Pendant un moment, je réfléchis à notre échange. Quelque chose me turlupine.

— Vous-même, que je sache, vous n'avez jamais volé ?

Aucune réponse ne me parvient. Je tourne la tête. Scherbius s'est assoupi.

En guise de conclusion...

Il y a cinq ans, je terminais la première édition de ce livre sur une note triomphante : j'avais diagnostiqué mon patient ; il répondait favorablement à l'hypnose ; la guérison était en vue.

Je ne commettrai pas deux fois la même erreur. Force m'est de reconnaître que je n'ai, à ce jour, pas résolu l'énigme posée par Scherbius. Si je devais le définir en une phrase, je dirais qu'il s'agit d'un être hors-sol, aux mobiles mystérieux, un caméléon capable de se fondre à volonté dans tous les environnements, pour un profit parfois difficile à saisir.

Bien que le terme d'imposture n'apparaisse pas dans le DSM, je maintiens que le cas de Scherbius relève de la médecine. Peut-être suis-je à nouveau en avance sur mon temps ; ce ne serait pas la première fois, après tout, que mes travaux précèdent ceux de l'Association américaine de psychiatrie.

La notion de santé mentale[1] a considérablement évolué à

1. Ce qu'on appelait encore, à la fin du siècle dernier, l'hygiène, voire la prophylaxie mentale.

travers les âges. De nos jours, elle s'articule autour de trois concepts essentiels : l'absence de souffrances psychiques, la capacité à mener une vie productive en collectivité, et l'aptitude à surmonter les difficultés passagères de l'existence. Si l'adaptabilité de Scherbius n'est pas en cause, il ne fait guère de doute selon moi qu'il souffre et ne contribue pas au fonctionnement de la société à la hauteur de ses immenses facultés.

Hélas, il refuse désormais de coopérer, faisant passer son intérêt avant celui de la science. Il a fallu une décision de justice pour qu'il retrouve le chemin de mon cabinet et encore a-t-il réussi l'exploit de discourir pendant vingt heures sans rien livrer de substantiel. J'ai même parfois eu l'impression que ses confessions avaient pour but d'occulter la vérité plutôt que de la révéler, comme si en m'ensevelissant sous une avalanche de mots il cherchait à m'empêcher d'isoler les rares indices qu'il aurait pu laisser derrière lui. Quand d'outil de guérison, le langage devient instrument de trahison...

Parce que j'ai été son médecin, parce que je persiste à me considérer comme son ami, je m'inquiète pour Scherbius. Toutes ces histoires qu'il se raconte ne peuvent être sans effet sur son psychisme. La fiction est un virus qui contamine tout ce qu'il touche. Peut-il encore distinguer ce qui est survenu de ce qu'il a inventé, faire la part entre ses souvenirs et le fruit de son imagination ? Franchement, j'en doute.

Je lui souhaite en tout cas le meilleur. Il a droit au bonheur, comme chacun d'entre nous.

SCHERBIUS

MAXIME LE VERRIER

(TROISIÈME ÉDITION)

Éditions du Sens

1988

Pour Philippe Le Verrier (1978 – 1988)

PRÉFACE À LA TROISIÈME ÉDITION

Pour les mêmes raisons qui m'avaient poussé à faire figurer le texte intégral de la première édition en préambule de la seconde, j'ai souhaité donner aux lecteurs qui me rejoignent une idée du continuum dans lequel s'insère ce troisième opus. Car, si énigmatique soit-il, Scherbius ne vient pas de nulle part. Ses actes passés éclairent le présent. Certains personnages qu'il a créés ont acquis une existence propre. Même mes erreurs de diagnostic ont le mérite de restreindre le champ des pathologies qui lui sont potentiellement attribuables.

Il me semble utile de préciser que, hormis quelques coquilles, les textes originaux n'ont subi aucune altération. Je n'avais pas résisté, dans la deuxième édition, à la tentation de gommer quelques balourdises de style et de corriger une référence juridique inexacte (l'article 331 du Code pénal s'était transformé sous ma plume en article 321). Des lecteurs vigilants m'ont reproché ces révisions, estimant qu'elles ajoutaient à la confusion engendrée par les mensonges de Scherbius. Je prends acte de leurs remarques en restaurant la version initiale, même si cela a pour conséquence d'empeser encore un peu plus ma prose.

Reconversion professionnelle

Je suis au regret d'annoncer que Scherbius est devenu un escroc. Il abuse de la crédulité de ses semblables pour les délester de leur argent. D'après mes calculs, ses gains se chiffrent en millions. Bien que prenant relativement peu de précautions, il est jusqu'à présent passé à travers les mailles de la justice.

Soyons francs, ce développement m'a déçu. Et pourtant, le livre précédent en contenait les prémisses : quand Scherbius a taxé Demara de filou, j'y ai vu une provocation, alors que, pour une fois, il disait la vérité. C'est le problème avec les imposteurs : on ne sait jamais quand les croire.

Scherbius a refusé de participer à la promotion de la deuxième édition[1]. À notre retour à Paris en avril 1982, il a coupé tout contact avec moi. Je sais néanmoins où le trouver, ayant chargé deux de mes doctorantes, Inès Fallacci et Dorothée Nagy, de garder un œil sur lui. Qu'il ne soit pas dit que je surveille mon patient, je m'assure seulement qu'il ne porte pas atteinte à sa santé ni à celle de son entourage,

---

1. N'empêchant pas celle-ci de se hisser en tête du classement des meilleures ventes dans six pays européens.

tout en me prémunissant contre d'éventuels actes de malveillance.

À l'époque donc, Scherbius habite un meublé rue
d'Odessa, près de la gare Montparnasse. Il mène une existence rangée, ne quittant son domicile que pour se rendre au
cinéma, s'approvisionner à la bibliothèque du XIVᵉ arrondissement et retirer son courrier dans une poste restante du
quartier.

Son comportement se métamorphose en mars 1983,
quand, hasard ou coïncidence[1], sortent les premiers papiers
(dithyrambiques) sur mon livre. Il partage régulièrement la
table d'un petit homme chauve à la terrasse de la brasserie
Chez René, rue du Départ. Il fait livrer un photocopieur
Rank Xerox dans son appartement. Il multiplie les déplacements en province, joue aux courses à Longchamp, passe
des après-midi entières au cadastre de la mairie du VIIIᵉ.
Sans nous expliquer cette hyperactivité, mes collaboratrices
et moi nous accordons à la juger de mauvais augure.

C'est Inès qui, la première, fait le rapprochement avec
certaines informations publiées dans la presse.

Le 12 avril, *Le Parisien* rapporte que six promoteurs
immobiliers ont porté plainte contre X pour escroquerie. Le
marchand de biens d'origine lorraine, à qui chacun a versé
un acompte de 150 000 francs pour un lot constructible rue
de Miromesnil, s'est volatilisé après la transaction.

Le 20, *France-Soir* revient sur une arnaque spectaculaire à Longchamp. Un homme se faisant passer pour un
lad de l'Aga Khan a convaincu plusieurs parieurs qu'il pouvait, moyennant bakchich, droguer les montures de son
employeur. Il aurait empoché plus de 120 000 francs avant
de s'évanouir dans la nature.

---

1. Je laisse le lecteur se former son jugement. Le mien est fait.

Que Scherbius ait le talent, si tant est que le mot soit approprié, de mener à bien ce genre d'opérations, ne me semble pas douteux. Mais il n'a, à ma connaissance, jamais volé. Il a des besoins modestes, qu'il a jusqu'ici financés grâce à sa virtuosité au black jack. J'ai du mal à saisir pourquoi il basculerait aujourd'hui dans la délinquance.

Nous menons discrètement notre enquête. Un des promoteurs floués, qui a accepté de rencontrer Inès, dresse le portrait du malfaiteur : « Entre trente et cinquante ans, environ 1,80 m, corpulence normale, cheveux châtains, yeux marron, le visage quelconque, pas de signe particulier » – un signalement qui conviendrait à des millions de Français. Ce qu'il dit du caractère du fraudeur est autrement intéressant. « C'était un type sympa, incollable sur le droit de la construction. Il m'a invité à dîner chez Maxim's. Sur le pinard aussi, il en connaissait un rayon ; c'est bien simple, il en remontrait au sommelier. » On se rappelle que, dans la première édition, Scherbius se vante d'avoir été échanson à La Tour d'Argent.

Si le doute subsistait, un des parieurs dupés à Longchamp relate sa mésaventure à *VSD* en ces termes : « Soi-disant qu'il était chargé de l'alimentation des pur-sang à l'Aga Khan. "Bah, que je lui ai répondu, Votre Altesse ou pas, ils bouffent du foin comme tous les canassons." Eh ben, figurez-vous que non ! Il paraît que ces bêtes-là, elles suivent un régime spécial, à base de poulpe cru. » Là encore, Scherbius recycle. Il a déjà servi son poulpe, si j'ose dire, à l'adjudant de la caserne de Toul.

Une nouvelle salve de manchettes renforce mes craintes. *Le Figaro*, 5 mai 1983 :

Le Loto a porté plainte contre X pour escroquerie aux billets gagnants. Le suspect aborde ses victimes à la sortie des églises. Prétendant avoir peur de voir sa vie bouleversée par une richesse si soudaine, il propose de céder son bulletin pour une fraction de sa valeur, « à une personne qui le mérite et saura quoi faire de cet argent ». Naturellement, le ticket est un faux grossier.

Le Parisien libéré, 7 mai :

Sept familles ont eu une désagréable surprise vendredi dernier en cherchant à emménager dans le même logement, pour lequel chacune avait payé deux mois de loyer et un mois de dépôt de garantie. Après vérification, l'appartement, sis au 12 rue de Suffren, appartient à un homme d'affaires milanais qui n'a jamais eu l'intention de le louer.

La Croix, 13 mai :

Le parquet de Paris a révélé hier l'existence d'une fraude particulièrement sordide visant les victimes d'actes terroristes. Depuis un mois, un individu se prétendant du ministère de l'Intérieur approche les rescapés de l'attentat de la rue des Rosiers en leur réclamant une somme de 10000 francs pour débloquer leur dossier d'indemnisation. Contacté par téléphone, le garde des Sceaux, Robert Badinter, s'est déclaré scandalisé, ajoutant : « On ne hâte pas le cours de la justice avec des enveloppes. »

Le Monde, 26 mai :

Un homme d'affaires américain a porté plainte après avoir réalisé que le tableau d'Andy Warhol qu'il avait acheté 50000 dollars dans une brocante était faux. Robert Stark visitait le marché aux puces de Strasbourg quand il a remarqué une toile bleu et rouge représentant une paysanne en costume traditionnel alsacien. En dépit de son sujet inso-

lite, le tableau exhibait tous les signes distinctifs de l'artiste new-yorkais, à commencer par la signature, dissimulée dans une des boucles de la coiffe. Interrogé sur sa provenance, l'étalagiste a dit l'avoir acheté dans un vide-greniers à Wiwersheim, « une petite commune du Bas-Rhin jumelée avec la ville d'Alexandria », a-t-il précisé. À ces mots, M. Stark, grand spécialiste du mouvement pop art, a tressailli. Alexandria est en effet la ville natale de Jed Johnson, qui fut l'amant et l'égérie de Warhol dans les années 70. Supputant que la toile était un cadeau dont personne n'avait mesuré l'importance, il a aussitôt cherché à s'en porter acquéreur. Sans doute a-t-il mal caché son intérêt, car le brocanteur a, selon des témoins, relevé le prix du tableau à quatorze reprises, pour aboutir à la somme extravagante de 50000 dollars, que M. Stark a réglée en chèques de voyage. On est sans nouvelles du commerçant. Un porte-parole de M. Warhol précise que l'artiste n'a jamais peint de paysanne, d'Alsace ou d'ailleurs.

On trouve dans ces affaires, et dans la dernière en particulier, ce cocktail d'audace et d'irrévérence qui constitue la marque de fabrique de Scherbius. Ils sont nombreux à pouvoir échafauder ce genre de scénarios, plus rares à oser les mettre en pratique ; lui seul les exécute avec un tel brio.

Le choix de ses cibles, en revanche, me laisse perplexe. Passe encore qu'il tonde des turfistes ou des promoteurs véreux. Qu'on ne compte pas non plus sur moi pour m'émouvoir du sort de ce pseudo-expert du pop art qui se fait refiler une croûte badigeonnée à la hâte. Les autres escroqueries, en revanche, témoignent d'un embarrassant manque de scrupules. Sept familles se sont retrouvées à la rue, en ayant perdu l'équivalent de trois mois de loyer chacune. D'honnêtes paroissiens, dont le seul crime aura été d'acquérir un billet de Loto en dessous de sa valeur faciale, ont vu s'envoler les économies d'une vie. Quant aux victimes de la rue des Rosiers, j'ignore comment Scherbius a dépensé l'argent qu'il leur a soutiré. Puisse-t-il s'être acheté une conscience.

Il a en tout cas mal choisi son moment pour se rappeler à mon souvenir. En ce printemps 1983, la promotion du livre m'accapare. J'ai micro ouvert sur France Culture. Je croise le fer avec Michel Foucault sur le plateau d'*Apostrophes*. Le succès de mon cours sur la nomenclature des troubles psychiatriques ne se dément pas. Nous accueillons des auditeurs libres de Suède, d'Autriche, d'Italie. Je ne prends plus qu'un nouveau doctorant par an, et encore, si son sujet recoupe mes recherches.

Malgré toutes ces occupations, les coupures de presse que je garde dans un tiroir de mon bureau m'obsèdent. À force de les relire, je comprends que ce que j'ai pris pour des erreurs de Scherbius n'en sont pas. En étalant ses connaissances œnologiques chez Maxim's puis en mentionnant son pseudo-régime à base de poulpe cru, il a signé ses forfaits aussi sûrement que mon nom figure sur la couverture du livre que vous tenez entre les mains. Il veut attirer mon attention.

La suite des événements me donne raison. Après des semaines de vadrouille, Scherbius reprend ses quartiers rue d'Odessa. Inès et Dorothée se relaient dans la brasserie Chez René, où elles doivent plus d'une fois se pincer pour se convaincre qu'elles ne rêvent pas. Scherbius gruge tout le monde, du serveur à qui il prétend avoir donné vingt francs et non dix, aux clients à qui il fourgue en catimini des poudres de perlimpinpin (extrait de cornes de rhinocéros pour les hommes, philtre aphrodisiaque pour ces dames), en passant par ledit René, à qui il propose de s'associer pour acheter des places de parking à Montrouge. Refaire un garçon de café de dix francs quand le coup de la rue de

Miromesnil lui en a rapporté 900 000 n'a évidemment aucun sens, sauf à admettre que Scherbius veut se prouver, ou plutôt me prouver, qu'il fraude comme il respire.

Un jour, Scherbius se dirige droit sur une de mes auxiliaires, qui se cache comme elle peut derrière son *Précis de neuropsychologie cognitive*.

— Bonjour, l'aborde-t-il avec le sourire. Vous êtes Inès ou Dorothée ?

— Inès, rougit l'intéressée.

— Enchanté. Sans vouloir vous commander, vous devriez changer de banquette. En vous installant dos au bar, vous aurez un meilleur point de vue sur ma table.

Inès s'exécute. Peu après, un quinquagénaire grisonnant vêtu d'un costume en velours aubergine s'assied face à Scherbius. Celui-ci rappelle, en guise de préambule, l'enjeu de la rencontre.

— Notre ami commun m'a expliqué que vous aviez soumis une offre à la ville de Nanterre pour la construction de trois cents logements sociaux. Naturellement, vous n'êtes pas seul à vouloir cette commande.

— Nous sommes quatre en lice, dit l'homme en scrutant ses alentours.

— Vous savez comme moi que la municipalité dispose d'une certaine latitude dans les critères d'attribution du marché. Autrement dit, ce n'est pas forcément l'offre la plus basse qui l'emportera.

— Au fait ! glapit le promoteur, de plus en plus nerveux à mesure que Scherbius explicite le méfait qu'ils projettent de concert.

— Il se trouve que je suis un intime de Patrick Garcia, l'adjoint au maire en charge de la construction. Il est plus qu'un ami ou un frère pour moi, c'est un compagnon de lutte.

— Quelle lutte ?

Scherbius a un geste magnifique, qui veut tout dire, et, notamment, qu'il ne souhaite pas entrer dans le détail.

— Moyennant 600 000 francs, poursuit-il, Patrick placera votre dossier en haut de la pile.

— Vous êtes taré ?

L'homme se reproche d'avoir élevé la voix, regarde encore une fois autour de lui pour s'assurer qu'ils ne sont pas surveillés. Inès pique opportunément du nez dans son manuel.

— C'est beaucoup trop, reprend-il à voix basse. Vous savez quelle marge je fais sur des HLM ?

— Je l'ignore et je m'en fous complètement.

— La moitié avant et le reste au début des travaux.

— C'est bien ainsi que je l'entends : 600 000 maintenant et la même somme à la signature du contrat.

— Quoi ?

Le type se retient pour ne pas sauter à la gorge de Scherbius. Je comprends à présent pourquoi celui-ci fixe ses audiences dans des lieux publics.

— J'ai besoin de vingt-quatre heures pour réfléchir, dit enfin l'entrepreneur.

— Je vous en donne trois.

— Je dois en parler à mes associés…

— Deux.

L'homme soupire, résigné. Scherbius se lève, pour lui signifier son congé.

— À tout à l'heure, cher…

— Ne dites pas mon nom, malheureux !

— Je ne suis pas un débutant, le rassure Scherbius, proférant au passage la seule phrase honnête de l'entretien.

*« Il n'y a qu'une seule crapule
dans cette histoire »*

Le lendemain, Scherbius invite Dorothée à le rejoindre à sa table, encore « qu'inviter » ne soit pas le terme juste, dans la mesure où le goujat laissera ma collaboratrice régler les consommations.

— C'est tout Maxime, s'esclaffe-t-il. Me faire surveiller par deux pin-up. Avec vos frimousses d'anges et vos leçons du Collège de France sous le bras, vous passez à peu près aussi inaperçues qu'un nudiste au Vatican. Enfin, au moins cela m'épargne-t-il le fléau de sa présence.

Il commande à René un verre de son meilleur whisky et poursuit.

— Après les faits divers que vous avez lus dans la presse ou la scène dont votre camarade a été témoin hier, vous devez nourrir une piètre opinion de moi. Rassurez-vous : ces minables escroqueries ne sont que la partie émergée de l'iceberg, des expériences, une façon d'éprouver les techniques que je déploierai bientôt à une tout autre échelle. Officiellement, bien sûr, je n'en reconnais aucune. Que Maxime essaie seulement de me faire passer pour un gangster et je le traînerai devant les tribunaux.

— Mais Inès…

— Inès n'a entendu que ce que je voulais qu'elle entende. Me croyez-vous assez bête pour conduire mes affaires dans un bistrot ?

— Pourtant, des noms, des chiffres ont été prononcés…

— Qui ne correspondent à aucune réalité. La ville de Nanterre ne construit pas de logements sociaux en ce moment. Celles de Pantin et Aubervilliers, oui. Mais pas trois cents appartements. Et un million serait un pot-de-vin trop modeste pour un contrat de cette taille.

— Qu'êtes-vous en train d'essayer de me dire ?

— Que les apparences sont trompeuses. Qu'à prendre mes paroles pour argent comptant, votre patron s'est déjà ridiculisé une fois.

En dégustant son whisky, Scherbius décrit à Dorothée ses derniers faits d'armes. Il dit avoir vendu une photocopieuse de billets de banque à un pharmacien napolitain et des briques plaquées or à un joaillier berlinois. Il a emprunté un million de shillings à un usurier viennois en se faisant passer pour un descendant des Habsbourg. Mais il étudie aussi des dossiers en France. Son rêve : équiper l'ensemble des bâtiments publics en faux détecteurs de fumée et revendre le contrat d'entretien à un industriel.

— De cette façon, explique-t-il en faisant signe à René de rafraîchir son verre, je passe deux fois à la caisse.

Malgré son professionnalisme, Dorothée ne peut cacher son dégoût.

— Et au premier incendie, vous aurez du sang sur les mains !

Scherbius change brusquement de ton.

— Épargnez-moi vos leçons de morale, mademoiselle. Il n'y a qu'une seule crapule dans cette histoire et c'est votre patron. Vous lui direz que j'ai lu son bouquin. C'est une honte. Il a encore trahi ma confiance. Mais, cette fois, mes avocats vont lui faire rendre gorge.

— Sur quelles bases juridiques ?

— Violation du secret médical, atteinte à la vie privée, diffamation, nous aurons l'embarras du choix.

À la suite de cet entretien, mes collaboratrices m'enjoignent de dénoncer Scherbius à la police. Je ne puis me résoudre à enfreindre le serment d'Hippocrate : « Quoi que je voie ou entende dans la société pendant, ou même hors de l'exercice de ma profession, je tairai ce qui n'a jamais besoin d'être divulgué, regardant la discrétion comme un devoir en pareil cas. »

On m'objectera que j'ai bien relaté nos séances d'hypnose. Cela n'a rien à voir. Scherbius m'a concédé devant notaire le droit d'exploiter le contenu de nos sessions ; un contrat est un contrat, quand bien même une des parties regrette de l'avoir signé. Mais je m'interdis, au nom des principes sacrés qui m'animent, de porter préjudice à un patient qu'en dépit de sa conduite méprisable je n'ai pas renoncé à traiter.

La conversation avec Dorothée révèle un Scherbius prêt, pour attirer mon attention, à mettre en danger les agents de la fonction publique[1]. Il prétend vouloir couper les ponts, mais engage la conversation avec mes doctorantes ; me conspue en feignant d'oublier que l'insulte est un mode de communication comme les autres. Il ressemble à ces matamores qui persécutent les demoiselles qu'ils n'ont pas le courage d'aborder. Il rêve que je le guérisse mais se ferait découper en morceaux plutôt que de l'avouer.

---

1. Dont l'enseignant que je suis fait partie.

Cinq mille dollars pour une cravate jaune

Constatant avec soulagement que Scherbius ne cherche pas à saboter la sortie de mon livre, je renvoie Dorothée et Inès à leurs brillantes études.

À notre surprise, les ventes de la deuxième édition surpassent celles de la première : 150 000 personnes se précipitent pour acheter un ouvrage dont les deux cents premières pages leur sont connues. Nos partenaires étrangers nous reconduisent leur confiance. Ils sont rejoints par la Suède, le Portugal et la Corée, dont les habitants découvrent simultanément les deux volets du récit.

J'aimerais pouvoir dire que la critique est unanime ; ce n'est pas tout à fait le cas. Les forces de progrès saluent « une expérience fascinante[1] », « une plongée vertigineuse dans les abîmes de l'esprit humain[2] », « une formidable méditation sur l'opacité du langage[3] », tandis que les mauvais coucheurs brocardent ma naïveté et ce qu'ils appellent une « forme de pomposité ». Leur aigreur, heureusement, ne m'atteint pas.

---

1. *Libération*, 22 mai 1983.
2. *L'Humanité*, 16 mai 1983.
3. *Le Monde*, 9 avril 1983.

Pendant deux ans, je n'ai de Scherbius d'autres nouvelles que celles, incertaines, que me remontent mes lecteurs. L'un jure l'avoir aperçu à Pâques sur le parvis de l'église de Carnac, l'autre l'a vu faire sauter la banque au casino de La Bourboule. Je n'accorde guère d'attention à ces échos, dont rien ne garantit l'authenticité.

Il reprend contact avec moi en avril 1985, presque trois ans jour pour jour après que nous nous étions quittés devant mon domicile. Je le reçois à l'université dans mon nouveau bureau (car j'ai entre-temps été promu à la tête du département de psychiatrie de Pierre-et-Marie-Curie). Ignorant ma main tendue, il se penche à la fenêtre puis s'agenouille pour tâter l'épaisseur du tapis.

— J'en connais un qui a pris du galon, lâche-t-il d'un ton sarcastique, en se laissant choir dans le canapé.

Me voyant toujours debout, il se relève en sursaut et me serre la main avec une cordialité outrancière.

— Pardonnez-moi, cher ami, j'allais oublier de vous saluer !

Il déploie beaucoup d'énergie pour me mettre mal à l'aise. Je m'assieds à côté de lui.

— On ne vous voit plus beaucoup, dis-je.

— Les affaires ! Vous savez ce que c'est.

— Non, pas vraiment. D'ailleurs, en parlant d'affaires, j'attends encore vos avocats.

— Bah... À quoi bon vous attaquer ? Je vous prendrais un million ou deux ? Et après ?

— Vous êtes donc devenu bien riche ? dis-je, impressionné malgré moi par ces sommes qu'il fait paraître insignifiantes.

— N'allons pas sur ce terrain, voulez-vous. Ce qui est sûr, c'est que vous ne m'entendrez pas me plaindre.

— En tout cas, vous avez bonne mine.

— Je reviens de la côte amalfitaine.

— Vacances ?

— Au début, oui. Et puis, j'ai rencontré un industriel allemand à la piscine de l'hôtel Miramare. Il vend des mines
antipersonnel. Du coup, je lui ai proposé mes services. Il se
trouve que Guido Locatelli, l'intendant de l'armée de terre
transalpine, est un ami. Enfin, plus qu'un ami…

— Un compagnon de lutte ?

— Voilà. Bon, ça n'a pas été sans mal. Le Fridolin a exigé
comme preuve de nos liens que Guido paraisse à La Scala
de Milan avec une cravate jaune.

— Connaissant l'élégance des Italiens, ça n'a pas dû être
facile à obtenir.

— Pensez donc. J'ai donné cinq mille dollars à sa maîtresse. Ce qu'elle lui a promis en échange, je préfère ne pas
le savoir.

— Cinq mille dollars ? Pour une cravate jaune ?

— Je sais, ça paraît cher. Mais le lendemain, l'Allemand –
ça ne vous embête pas qu'on l'appelle Helmut ? – m'a versé
un million de dollars.

Je me domine pour ne pas exploser. Un million de dollars pour aider un industriel marron à surfacturer des mines
antipersonnel ? L'obscénité n'a-t-elle donc aucune limite ?

Scherbius ne remarque pas mon malaise, trop occupé qu'il
est à lisser les plis de son costume en lin. Je m'avise alors
qu'il porte des souliers anglais, une chemise monogrammée,
un chronomètre suisse dont le bracelet, à lui seul, a dû coû-
ter plus cher que toute ma garde-robe. Un dégoût irrépres-
sible monte en moi.

— C'est pour vous payer des godasses de milord que vous
plumez des innocents ?

Il feint d'avoir mal entendu.

— Pardon ? Vous dites ? Helmut, un innocent ? Ah, çà par
exemple, ça le ferait beaucoup rire !

— Pas lui, c'est un marchand d'armes. Pas le promoteur de Nanterre non plus, mais les autres. Tenez, les familles de l'avenue de Suffren…

— Parlons-en ! L'annonce de *Particulier à particulier* à laquelle elles ont répondu se terminait par : « Handicapés, étrangers ou nègres, s'abstenir. »

— Les victimes de la rue des Rosiers ?

— Ont payé dix mille balles pour être indemnisées avant celles de l'attentat d'Orly. Bizarrement, ces gens qui crient au voleur n'avaient pas tant de principes quand il s'agissait d'acheter un permis de construire ou de toucher le tiercé dans l'ordre. Ils ont cru possible d'obtenir quelque chose pour rien, disons que je leur ai donné rien en échange de quelque chose. La nation devrait me décorer.

— Vous ne trouvez pas que vous en faites un peu trop ?

— Pourquoi ? On applaudit bien Robin des Bois, alors que tous les millionnaires ne sont pas des crapules. Tandis que je peux vous assurer que les dindons de mes farces étaient tous appâtés par la perspective de gains illicites.

Je rétorque avec acidité que Robin des Bois redistribuait le produit de ses rapines aux pauvres.

— Qui vous dit que je n'en fais pas autant ? répond Scherbius, flegmatique.

Il me décrit certaines de ses opérations en cours, en s'entourant d'un grand luxe de précautions. Il refuse que je l'enregistre ou que je prenne des notes, parle de lui à la troisième personne, en employant une ribambelle de synonymes – l'escroc, le faisan, l'aigrefin, le brigand. Il ne nomme jamais expressément ses victimes ou le théâtre de ses exploits, ce qui confère à ses récits un délicieux côté *Contes de Grimm* : « Dans une riante bourgade nichée au pied des Alpes suisses, vivait un nabab de basse moralité et de frêle complexion. »

Au moment de prendre congé, il vide ma bibliothèque de la dizaine de *Scherbius* qu'elle contient.

— Je n'ai pas reçu les exemplaires réservés à l'auteur, argue-t-il en les calant sous son bras.

Le tandem se reconstitue

Fin 1985, Eugene Henderson, un lecteur francophile résidant à Los Angeles, m'écrit qu'il a surpris une conversation dans un café de Hollywood. Les deux hommes – des producteurs, selon toute vraisemblance – évoquaient la possibilité de réaliser un film sur « *a French impostor*[1] ». Dustin Hoffman, Harrison Ford et Christopher Walken tiendraient la corde pour le rôle principal.

Même si elle est encore à prendre au conditionnel, la nouvelle me procure une certaine jubilation. J'y vois l'occasion d'effacer une fois pour toutes des tablettes du septième art le film lamentable de Robert Mulligan sur Demara. Tout de même, je m'étonne de n'avoir pas entendu parler du projet, qui, à en croire mon correspondant, semble assez avancé.

Quelques semaines plus tard, un comédien vivant à Santa Monica, Moses Herzog, me fait part de son vif désir d'interpréter mon personnage « *in the upcoming project on Mr. Scherbius' life*[2] ». « *Please find attached a recent photograph,*

1. « Un imposteur français. »
2. « Dans le prochain film sur la vie de M. Scherbius. »

ajoute-t-il. *Don't you think we look very much alike*[1]*?* » Je lui réponds poliment que la ressemblance entre nous ne me saute pas aux yeux (il a l'air ahuri et le cheveu rare), mais que j'intercéderai volontiers en sa faveur s'il peut me mettre en contact avec les commanditaires du film.

En janvier 1986, Scherbius passe à mon bureau «pour me présenter ses vœux». Il est d'excellente humeur; visiblement, ses affaires prospèrent. Je lui pose, au détour de la conversation, la question qui me brûle les lèvres.

— J'entends dire que Hollywood prépare un long-métrage sur un imposteur français. Vous êtes au courant?

— Bien sûr, dit-il en posant ses pieds sur la table basse. Le tournage commence à l'automne.

— Si tôt? Mais quand les producteurs vont-ils me contacter?

Il prend l'air étonné.

— Pourquoi le feraient-ils?

C'est à mon tour d'être surpris.

— Mais parce que je suis l'auteur de l'ouvrage de référence sur le sujet.

— Oh, non. Ils collaborent directement avec moi.

— En se basant sur mon livre?

— Non, sur ma vie.

J'en reste momentanément pantois. Bien que n'ayant plus nos accords en tête, je suis à peu près certain que Scherbius s'est engagé à ne pas exploiter sa biographie sous d'autres formes.

— Vous vous trompez, dit-il. Les Américains ont épluché mon contrat à la loupe. Vous imaginez bien que ce n'est pas la première fois qu'ils rencontrent ce cas de figure. Ils disent

---

1. «Ci-joint une photographie récente. Ne trouvez-vous pas que nous nous ressemblons beaucoup?»

que ma vie m'appartient et que, sauf à plagier outrageusement vos dialogues, nous sommes libres de raconter mon
histoire à notre guise.

La moutarde me monte au nez.

— Qui parle de mes dialogues ? Je vous ai rendu célèbre !
Sans mon livre, votre réputation ne serait jamais parvenue
jusqu'à Hollywood. N'importe quel juge le comprendra et
me donnera raison.

Scherbius retire ses pieds de la table. Tout à coup, il a
perdu de sa superbe.

— Pour être tout à fait honnête, dit-il sur le ton de la
confidence, les avocats n'écartent pas entièrement ce risque.
Sur leur conseil, les producteurs ont mis de côté 250 000 dollars en prévision d'un éventuel procès.

— 250 000 dollars ? Mais de quel budget parle-t-on ?

— Au total ? Une dizaine de millions, je crois.

— Rien que ça ? Ne comptez pas sur moi pour m'aplatir
comme une crêpe. Si vos amis persistent à se passer de mes
services, ils en répondront devant les tribunaux.

Je sens Scherbius embêté. Venu me souhaiter la bonne
année, le voilà empêtré dans un imbroglio juridique.

— Une idée en l'air, dit-il enfin. Je pourrais peut-être
convaincre les producteurs de vous confier un rôle de
conseiller technique, en échange de votre promesse de ne
pas les attaquer en justice. Qu'en pensez-vous ? Sur le principe ?

Je fais semblant de réfléchir à la proposition, alors qu'elle
correspond exactement à ce que j'ai en tête depuis le début.

— Hum, il faudrait que j'en réfère à mes avocats, mais
l'idée paraît séduisante pour les deux parties.

— La production se tire une sacrée épine du pied…

— Une épine estimée à un quart de million de dollars !

— Au maximum. Mais oui, ils économisent un bon

paquet. Quant à vous, vous êtes royalement dédommagé pour votre collaboration à l'écriture du film.

— L'aspect artistique est évidemment le plus important, mais qu'entendez-vous par «royalement dédommagé»?

— Oh, j'imagine qu'on parle de 50 ou 100 000 dollars, pour ce qui constituera vraisemblablement une sinécure.

— On est loin des 250 000 dollars qu'économisent les producteurs, fais-je remarquer froidement, soucieux de pousser mon avantage.

— Il faut bien que les deux camps s'y retrouvent. Écoutez, je ne peux pas négocier pour eux...

— Dites-leur qu'à 125 000, nous avons un accord.

— Je leur transmettrai votre offre. Je préférerais vous savoir à mes côtés dans cette aventure. Nous faisons un bon tandem, vous ne trouvez pas?

— Je l'ai toujours pensé, acquiescé-je, magnanime.

Où je veille aux intérêts de mon éditrice

Scherbius repasse le lendemain. Les Américains sont inflexibles : ils n'iront pas au-delà de 100 000 dollars. Je leur concède leur petite victoire, ravi au fond de moi du tour que prennent les événements.

— Ils vont préparer votre contrat, dit Scherbius. En attendant, j'ai pensé que vous aimeriez jeter un œil au mien.

— Vous intervenez également sur le scénario ?

— En qualité de conseiller technique, comme vous.

Il me tend une liasse d'une quinzaine de pages agrafées entre elles. Je m'assieds à mon bureau, stylo en main. Les contrats anglo-saxons sont réputés pour leur complexité ; celui-ci ne fait pas exception à la règle, il contient plus d'articles que la constitution de la plupart des États africains. Tous les cas sont envisagés : de l'annulation du film pour cause de tremblement de terre à la taille du nom de Scherbius au générique. Je suis forcé de reconnaître que l'ensemble dégage une impression de sérieux assez rassurante.

La dernière page porte sur les modalités de paiement : « *$100 000, payable by wire transfer, half at the first roll of* *film, half at the theatrical release*[1]. » Je note, non sans satisfaction, que Scherbius touchera au dollar près la même somme que moi.

— Pour votre gouverne, je n'accepterai pas certaines des clauses auxquelles vous avez consenti, dis-je en me levant pour lui restituer son document.

Je remarque qu'il reste une feuille sur mon bureau. Elle n'était pas agrafée aux autres. C'est un courrier émanant du cabinet juridique qui a préparé le contrat. « *Dear Sir, you will find enclosed…*[2] »

— Rendez-moi cette lettre, dit Scherbius, du canapé.

Le ton de sa voix éveille ma suspicion. Je m'empresse de retourner à ma lecture. « *You will find enclosed your consulting contract as well as a preliminary version of the shareholder's agreement governing Krull SARL*[3]. »

Scherbius m'arrache la feuille des mains.

— Merci, Maxime. Ainsi vous contestez certains points du contrat ?

Cette fois, j'en ai la certitude : il me cache quelque chose. Je lui demande ce qu'est Krull SARL.

— Rien qui vous intéresse.

— Vraiment ? Pourtant, presque tout ce qui vous touche m'intéresse. Laissez-moi deviner : c'est la maison de production ?

Scherbius soupire.

— Pas exactement. C'est une société ad hoc, constituée pour l'exploitation du film.

— Et à qui appartient-elle ?

---

1. « 100 000 dollars, payables par virement bancaire, pour moitié au commencement du tournage et pour le solde lors de la sortie en salles. »
2. « Cher Monsieur, vous trouverez ci-joint… »
3. « Vous trouverez ci-joint votre contrat de travail, ainsi qu'une version préliminaire du pacte d'actionnaires régissant Krull SARL. »

— Au studio et aux investisseurs qui financent le projet.

— C'est tout ?

— Mais oui !

— Pourquoi alors les avocats vous adressent-ils une copie du pacte d'actionnaires ?

— Parce que je figure au capital, avoue-t-il d'un ton penaud.

— Tiens donc ! Et à quelle hauteur ?

— 10 %.

— Et peut-on savoir quand vous comptiez m'en parler ?

Scherbius hésite, se tortille sur le canapé. Il n'a pas l'habitude d'être poussé dans ses retranchements. Je porte, impitoyable, le fer dans la plaie.

— Alors, comme ça, on s'apprêtait à garder ses petits arrangements pour soi ! Au temps pour notre tandem !

— C'est que... Je ne pensais pas...

— Que je découvrirais le pot aux roses ? Oh, pardonnez-moi si j'ai contrarié vos magouilles ! En tout cas, comptez sur moi pour réclamer les mêmes termes.

— Vous n'obtiendriez rien. Ils me proposaient à peine 1 % au départ, je me suis battu comme un lion.

— Il va pourtant falloir me faire de la place autour de la table.

— Je pourrais vous céder 3 de mes 10 %.

— 3 % ? Et puis quoi encore ? J'en veux 5.

— 4.

— 5, Alexandre. Estimez-vous heureux que je n'exige pas davantage.

Scherbius me dévisage d'un air buté. Il a repris un peu d'assurance.

— Vous savez quoi ? Je vais vous filer vos cinq points. Non parce que vous les méritez ou parce que vos menaces m'impressionnent, mais pour vous donner une leçon de savoir-vivre. En échange de quoi, je m'attends à être associé aux ventes de vos prochains livres.

— Vous pouvez y compter, dis-je, après un rapide calcul.

— Vous intercéderez en ma faveur auprès d'Alice Samuel ?

— Je ferai tout ce qui est en mon pouvoir.

Il se lève d'un air guilleret.

— Alors, bienvenue à Hollywood !

— Merci pour vos bons offices, dis-je en serrant la main qu'il me tend.

Nous entrons dans le détail des chiffres. Krull SARL aura un capital de cinq millions de dollars, ce qui met notre quote-part à 250 000 dollars chacun, une somme anecdotique pour un flibustier international, mais vertigineuse pour un modeste professeur d'université. Je demande, assez légitimement me semble-t-il, quelle garantie nous avons de retrouver nos billes. Scherbius tire de sa sacoche un mémorandum intitulé *Krull SARL – Business case – January 1986*.

— Je n'ai pas le droit de vous le laisser, mais vous pouvez le feuilleter.

Je parcours rapidement le document. Farci de graphiques et de camemberts multicolores, il est rédigé dans un jargon auquel je n'entends pas grand-chose.

— Pour la faire courte, dit Scherbius en me voyant perplexe, nous devrions récupérer sept à huit fois notre mise.

— Tout de même !

— *Avant* les passages à la télévision et l'exploitation en vidéoclubs, qui prendront un peu plus de temps, mais devraient générer encore trois à quatre fois l'investissement initial.

— Sans compter les 100 000 dollars que nous rapportera notre travail sur le scénario…, dis-je, en me laissant gagner par l'enthousiasme de Scherbius.

— Ni nos frais. On va les faire cracher au bassinet, les Yankees !

J'ai déjà décidé ce que je ferai de cet argent : j'instituerai un prix scientifique récompensant chaque année un jeune chercheur s'illustrant dans le champ des pionniers de l'école de la Salpêtrière.

— L'action du film sera transposée de Paris à New York, poursuit Scherbius. C'est Dustin Hoffman qui tiendra mon rôle.

— Et le mien ? ne puis-je m'empêcher de demander.

— Steve Lammons.

— Connais pas. Où aurais-je pu le voir ?

— Dans *Too Good to be True* ?

Je secoue la tête.

— *The Goose That Laid The Golden Eggs* ?

— Ça ne me dit rien.

— Ce n'est pas étonnant, il fait surtout de la télévision. Des feuilletons, des soap operas, vous voyez le genre.

Je ravale mon orgueil, en songeant que Dustin Hoffman, qui a déjà remporté l'Oscar du meilleur acteur, n'a plus rien à prouver. Lammons, en revanche, coaché par mes soins, va mettre ses tripes sur la table.

Soudain me vient une pensée.

— Nous avons oublié Alice !

— Quoi ? On ne va pas partager en trois ! Ou alors, vous prenez sur votre part.

— Hors de question.

— J'étais à 10 % il y a une heure et me voilà à 3 %, se lamente Scherbius.

— C'est le prix à payer pour avoir des associés.

Pas une seconde je ne suis tenté d'évincer Alice, que je considère comme faisant partie intégrante de notre équipe. Devant mon inflexibilité, Scherbius se résigne.

— Je vous laisse la prévenir. Ne traînez pas, car les statuts de la société seront déposés la semaine prochaine.

— Ça, c'est ennuyeux : elle est en voyage aux États-Unis jusqu'à la fin du mois.

Nous retournons le problème dans tous les sens. Quand bien même nous arriverions à la joindre, je connais assez mon éditrice pour savoir qu'elle refusera de négocier un document aussi important entre deux avions. Nous décidons, pour finir, d'avancer sans elle et de lui céder le tiers de nos parts à son retour en France.

Louise, à qui j'expose le projet ce soir-là, me ramène sur terre. Non seulement je n'ai pas les fonds nécessaires, mais j'ignore jusqu'aux rudiments de la loi américaine. J'appelle Scherbius le lendemain pour lui faire part de mes doutes. Il se montre accommodant.

— Combien pouvez-vous débloquer à court terme ?

— Euh, selon le taux de change et la commission de la banque, entre 55 et 60 000 dollars.

— Alors, tout va bien. Seulement 20 % du capital seront libérés à la constitution de la société. Le solde sera appelé au gré des besoins de la production. Quant au second point, Louise est une femme avertie. Le pacte d'actionnaires est épais comme le bottin des Deux-Sèvres et clair comme du jus de boudin, à telle enseigne que j'ai engagé un avocat spécialisé dans le cinéma. Il n'est pas donné, mais les Américains le respectent.

— Combien le payez-vous ?

— 20 000 francs.

— Tant que ça ?

— Je sais, c'est beaucoup d'argent. Et à la fois si peu, en regard des enjeux.

— Pensez-vous qu'il acceptera de me représenter gratuitement ? Après tout, il a déjà fait tout le travail pour vous.

Scherbius me promet d'exiger une remise substantielle, à condition que nous la partagions entre nous. Cela me paraît juste. Pressé de retourner à mes recherches, je lui demande d'organiser au plus vite un rendez-vous avec l'avocat.

Entre New York et Singapour

Le lendemain, Scherbius me fait déranger au milieu d'un cours. Son avocat, maître Pierre Marescot, peut me recevoir l'après-midi même entre deux avions. J'annule une consultation et saute dans un taxi, en direction de l'aéroport Roissy-Charles-de-Gaulle.

J'acquitte un droit d'entrée exorbitant pour accéder au salon d'Air France, où j'identifie sans mal Marescot à la description que m'en a fait Scherbius. Vautré sur un sofa tel un poussah, il sirote un whisky *on the rocks* en se gavant de pistaches. Quand il m'aperçoit, il essaie de se lever, mais ne réussit à soulever qu'une demi-fesse, avant que la gravité ne le cloue irrémédiablement au canapé.

— Monsieur Le Tellier, s'exclame-t-il d'un ton jovial.

— Le Verrier.

— Pardonnez-moi. J'arrive de Singapour, je n'ai plus les yeux en face des trous. Allez donc vous chercher un verre. C'est la maison Air France qui régale.

En me servant une coupe de champagne, j'examine l'homme qui va défendre mes intérêts. Il a une cinquantaine d'années, le teint couperosé, et un menton qui ruisselle en cascade sur sa poitrine. Sa chemise, à laquelle manque un bouton, laisse entrevoir un nombril poilu. Pareil négligé me désole et, pour tout dire, m'inquiète un peu. Le décalage horaire n'excuse pas tout.

Je m'assieds face au juriste, de l'autre côté d'une table basse sur laquelle est posé son portefeuille, d'où dépasse un billet pour New York en Concorde.

— Merci de me recevoir aussi vite, dis-je.

— Vous avez de la chance. Je ne travaille quasiment plus en France.

— Pourquoi ?

— Oh, c'est simple. Les films tricolores ont un budget moyen de cinq millions de francs. C'est la moitié de l'Angleterre et le sixième des États-Unis. Vous verrez, bientôt même les Indiens nous en remontreront. L'avenir est aux projets comme le vôtre : un scénario européen, des capitaux anglo-saxons, une distribution mondiale. Mais parlons plutôt de votre contrat...

Il sort de sa sacoche un épais document relié, qu'il ouvre à la première page. Les marges sont couvertes d'annotations bleues, rouges et vertes.

— Je ne vais pas entrer dans le détail de chaque article, la journée n'y suffirait pas. Disons en substance que vos interlocuteurs sont de grands professionnels. Le contrat, pour vous donner une idée, a été préparé par le bureau de Beverly Hills de Hewey & Mandelbaum. Il contient les clauses d'usage en matière de propriété intellectuelle : produits dérivés, droit de suite, exploitation sur d'autres supports... Je n'ai pas dit amen à tout pour autant : il y a toujours quelque chose à gratter, une formulation à préciser, un champ d'application à restreindre. Mais, dans l'ensemble, nous nous sommes assez vite tapés dans la main.

Je reprends un peu confiance. À l'évidence, Marescot connaît son affaire.

— J'en viens au volet économique. L'argent si vous préférez. Là, c'était du grand n'importe quoi. Non seulement vos associés mangeaient dans votre gamelle, mais ils vous boulottaient la main et une partie du bras.

— Ça ne m'étonne pas. Ces gens sont des rapaces.

— S'agissant de la répartition des profits du film…

— En admettant qu'il en réalise, me sens-je obligé de préciser.

— Oh, à votre place, je ne m'inquiéterais pas trop pour ça. Avec un sujet en or, une vedette oscarisée, des producteurs chevronnés, vous allez toucher le pactole. Mon rôle consiste à maximiser votre part, en allant chercher dans la poche de vos associés ce qu'ils préféreraient conserver pour eux.

— S'ils le pouvaient, ils garderaient tout !

— C'est grosso modo ce qu'ils s'apprêtaient à faire avec ce contrat. Ils s'étaient par exemple arrogé 10 % de royalties sur les recettes en Indonésie.

— En quel honneur, je vous prie ?

— Ils invoquent des accords historiques avec les distributeurs locaux. De vous à moi, c'est un peu éculé comme procédé. Idem pour un certain nombre de subventions en Scandinavie, qu'ils avaient l'intention de collecter directement, sans les partager avec vous. Tiens, un autre exemple, ils veulent publier une biographie romancée de Scherbius à la sortie du film.

— Pourquoi romancée ? Qu'ils traduisent mon livre !

— Allons, vous les connaissez. Ils rebaptiseront notre ami Smith ou Jones et situeront l'action dans le Minnesota. Peu importe d'ailleurs, tant que vous êtes intéressé aux ventes…

— Parce qu'ils envisagent de me tenir à l'écart ?

— Ils l'envisageaient. J'y ai mis bon ordre. Après tout, le premier à avoir écrit une biographie fictive de Scherbius, c'est vous ! Cela mérite au moins 2 ou 3 % des ventes futures.

Marescot est maintenant dans son élément. Il tourne les pages du contrat au pas de charge, en énumérant ses conquêtes : une déduction forfaitaire en Nouvelle-Zélande, le droit d'auditer les comptes des distributeurs sud-américains, des délais de paiement raccourcis, le remboursement de mes frais de documentation.

— Ça n'a l'air de rien, mais je pense vous avoir économisé pas loin d'un demi-million chacun, dit-il en refermant sa sacoche.

— Puissiez-vous dire vrai !

— Ma secrétaire vous adressera d'ici la fin de la semaine le contrat définitif, ainsi que les coordonnées bancaires de la société luxembourgeoise.

— Vous voulez dire française ? dis-je en finissant ma coupe de champagne.

— Non. Krull SARL est une société à responsabilité limitée luxembourgeoise. C'est beaucoup plus avantageux d'un point de vue fiscal, ne serait-ce que…

— Grâce ! dis-je en riant. Je vous crois sur parole.

Je resterais bien discuter avec Marescot toute la soirée, mais son vol pour New York est prêt à embarquer. Il se hisse péniblement sur ses jambes.

— Merci de votre aide, dis-je en lui serrant la main avec effusion.

— Au plaisir de vous revoir, monsieur Le Tellier. Scherbius m'avait prévenu que vous étiez un gentleman. Il n'a pas menti.

Le cinéma m'a ruiné

Le lundi suivant, j'effectue mon virement au Luxembourg. Il m'en coûte exactement 372 300 francs (50 000 dollars à 7,30 francs, que la banque alourdit de frais de virement et de commissions de change). Je remets le même jour à Scherbius 12 500 francs en liquide, ma participation aux frais d'avocat.

Les contrats que m'a promis Marescot tardant à arriver, je finis par demander à Scherbius si son ami est rentré de New York.

— Qui ça ? Pierrot la Carambouille ? Il n'a jamais mis les pieds hors de France.

— Allons donc, quand je l'ai rencontré, il rentrait de Singapour.

— Là, vous m'étonnez. Il habite un F3 à Brie-sur-Marne.

Un détail me revient en mémoire.

— Enfin, j'ai vu son billet de Concorde !

— Vous êtes sûr que son nom figurait dessus ? Non ? Alors j'ai bien peur que Pierrot ne se soit payé votre bobine. Vous ne seriez pas le premier, si ça peut vous consoler. Il a tout de même tiré six ans à Fleury-Mérogis pour abus de confiance.

— Quoi ? Et c'est maintenant que vous me le dites ? Mais il risque de se faire la malle avec notre argent !

— Oh non, vos 50 000 dollars et les miens dorment paisiblement sur un compte numéroté aux Bahamas.

Je comprends soudain l'effroyable machination dont je suis victime. Deux lettres postées à Los Angeles ont suffi à Scherbius pour me faire croire que Hollywood préparait un film sur lui. La promesse subséquente de gains mirobolants, un pacte d'actionnaires aux petits oignons et un avocat jet-setter ont eu raison de ma vigilance. J'explose de colère.

— Cette fois, c'en est trop ! Je vais vous dénoncer à la police.

La menace laisse Scherbius de marbre.

— Pour 400 000 balles ? Permettez-moi d'en douter. Je vous suis plus utile en liberté qu'en prison. Qu'écririez-vous dans vos bouquins si j'étais en cabane ? Que j'échange mes compotes contre des tours de téléphone ?

— Au moins, nous sommes quittes. Vous ne viendrez plus me réclamer je ne sais quels droits d'auteur !

— Détrompez-vous. Ce sont deux comptabilités distinctes. Que vous ayez été roulé comme n'importe qui n'efface pas votre ardoise.

De fait, je renonce, la mort dans l'âme, à porter plainte. Scherbius a diablement bien monté son affaire, ne serait-ce que parce qu'il peut, aux yeux de la loi, se poser en victime au même titre que moi. Ses empreintes digitales n'apparaissent pas sur les enveloppes que j'ai reçues des États-Unis. Si l'on ajoute à cela l'opacité notoire des banques luxembourgeoises, mes chances d'obtenir justice avoisinent le zéro.

J'enrage, contre Scherbius bien sûr, mais surtout contre moi. C'est la deuxième fois que je tombe dans son piège. Après avoir gobé les mensonges d'un imposteur, je me suis associé à un escroc.

Le préjudice sur mes finances personnelles est dévastateur. Louise et moi sommes pratiquement rincés[1]. Toutes nos liquidités y sont passées et je ne sais même pas comment je vais payer mes impôts ou le loyer de mon cabinet.

Aussi, mes droits d'auteur sont tellement faibles ! Qu'on y songe : je touche à peine 10 ou 12 % des revenus générés par mes livres. Alice Samuel oppose à mes demandes de revalorisation répétées autant de fins de non-recevoir, en invoquant les coûts de fabrication, la rémunération des libraires, les taxes diverses et variées, la gestion des invendus (dans mon cas !). Que les titans de la scène littéraire en soient réduits à toucher des piécettes ne semble pas la choquer outre mesure.

Pendant quelque temps, je fais feu de tout bois pour redresser la barre. Je consulte le samedi, j'anime des conférences pharmaceutiques à Vancouver ou Bangkok, je signe des tribunes dans *L'Événement du jeudi*, je rejoins le comité scientifique de plusieurs sociétés savantes. Les pages de mon agenda disparaissent sous les engagements, tandis que celles de mon passeport s'agrémentent de tampons bigarrés. De chaque déplacement, je rapporte un souvenir à Philippe : un Pinocchio d'Italie, un samouraï réveille-matin du Japon.

Pour chaque invitation que j'accepte, j'en refuse cinq autres. C'est qu'il ne se trouve plus grand monde pour nier l'existence des troubles de la personnalité multiple. Plus un congrès ne se tient sans leur consacrer une table ronde, plus une revue scientifique ne paraît sans leur ménager une place au sommaire. Les cas se chiffrent désormais par milliers.

Pour avoir révélé le phénomène des TPM en Europe, j'ai le privilège de pouvoir choisir mes patients, qui affluent en masse, selon la règle qu'il vaut mieux s'adresser au bon Dieu

---

1. Bien que je mérite amplement ses foudres, Louise ne me reprochera jamais mon inconséquence. Ma femme est une sainte.

qu'à ses saints. Je sélectionne les heureux élus avec soin, au vu de leurs symptômes et de leurs antécédents psychiatriques. Certains jours, se succèdent dans mon cabinet une actrice réputée, un ministre, un animateur de radio et un capitaine d'industrie.

La presse ne me laisse guère de répit non plus. Les journaux veulent connaître mon avis sur l'hypnose ou l'influence de la télévision sur l'atomisation de la pensée. J'en profite pour mettre en garde le public contre les charlatans[1].

Devant l'immense engouement que suscitent mes recherches, je réactive auprès d'Alice l'idée d'une adaptation audiovisuelle de *Scherbius*. Armés de notre bâton de pèlerin, nous frappons à la porte des financeurs du septième art. Las : ceux qui comprennent le projet sont encore plus désargentés que moi. Ils cachent leur impécuniosité derrière des concepts ronflants, comme «préachat» ou «avance sur recettes». Si les producteurs hollywoodiens fument le cigare, les Français tirent piteusement sur leurs Gitane maïs. Nous suspendons vite nos démarches.

Le cinéma m'a ruiné, mais je ne dois pas compter sur lui pour me renflouer.

---

1. De nombreux thérapeutes, y compris parmi ceux qui ont pignon sur rue, n'ont reçu aucune formation théorique sur les personnalités multiples.

Où je donne une interview à mon insu

Novembre 1986. Tandis que les étudiants défilent dans les rues de Paris pour obtenir le retrait de la loi Devaquet, je préside un colloque intitulé «Fragmentation(s)» au Japon. Le deuxième jour, une hôtesse du palais des congrès m'arrache avec force courbettes au tonkatsu que je partage avec le professeur Kuroda, pour me conduire en hâte à une cabine téléphonique.

— Allô, dis-je avec un mauvais pressentiment.

J'entends un soupir de soulagement à l'autre bout de la ligne.

— Dieu soit loué, j'avais peur de ne pas réussir à te joindre.

— Alice? Mais quelle heure est-il à Paris?

— 7 heures du matin. Bon sang, Maxime, qu'est-ce qui t'a pris de donner une interview au *Figaro* sans m'en parler?

— Au *Figaro*? Je n'ai eu aucun contact avec eux depuis des lustres.

— Il faut croire que si. Tu as droit à une double page, avec la totale : une photo en pied, des citations de Louise, le récit de tes démêlés avec Hollywood…

Je suis à présent aussi paniqué qu'Alice.

— L'article est signé?

— D'un certain Stéphane Brioncet. Je me suis renseignée : c'est un journaliste scientifique qui travaille en free-lance. Il publie régulièrement dans *L'Express* et *Le Figaro*.

— Ne va pas chercher plus loin, c'est Scherbius. Il me harcèle depuis des mois. Le portrait est mauvais ?

— Cataclysmique. Tu dois avancer ton retour. Je vais organiser une conférence de presse au plus vite.

Nous convenons que je rejoindrai Tokyo le soir même, afin de prendre le premier vol pour Paris le lendemain matin. Peu après, Alice me faxe l'article. Il dépasse toutes mes craintes.

« QUAND PLATON CITE SOCRATE, C'EST SON NOM QUI FIGURE SUR LA COUVERTURE »

par *Stéphane Brioncet*

Enfant, Maxime Le Verrier ne manifestait aucune disposition pour la science. Aujourd'hui psychiatre renommé, professeur à Paris-VI et auteur du best-seller Scherbius, *il nous livre les clés de sa réussite : un arrivisme forcené, des rencontres providentielles et une solide dose de chance.*

Les voies du succès sont impénétrables. Quand Maxime Le Verrier voit le jour en 1946 à Saint-Pois, une modeste bourgade de la Manche, personne ne miserait un sou sur les chances de ce poupon malingre, qui réussit l'exploit d'échouer aux tests de réflexes de la maternité. « Il répondait aux stimuli, se souvient le docteur Cottard, aujourd'hui retraité, mais seulement après un délai de latence d'une à deux secondes. C'était très étrange. Lévi-Strauss a observé la même chose chez les nouveau-nés de certaines peuplades africaines. »

Maxime, qui est fils unique, n'en finit pas d'inquiéter ses parents, Jean, cadre moyen à la SNCF[1], et Rolande, assistante

---

1. Ce qui permet à Maxime Le Verrier de voyager encore à demi-tarif, dix ans après la mort de son père.

sociale à Avranches. Il marche à dix-huit mois, articule ses premiers mots à trois ans et redouble son cours préparatoire. C'est un gamin empoté, qui tombe à bicyclette et coule à pic sitôt lâché dans une piscine. Encore aujourd'hui, il souffre d'une coordination médiocre, confinant à l'ataxie, comme en témoigne la carrosserie constellée de gnons de sa R30. «Je n'ai encore tué personne au volant, plaisante-t-il, mais ce n'est pas faute d'avoir essayé.»

Paul Lestienne, le directeur de l'école primaire, se souvient, sans feinte nostalgie, d'un enfant geignard, que sa voix de crécelle et ses jérémiades continuelles désignaient aux brimades de ses petits camarades. «Je m'efforçais de le protéger – c'était mon métier après tout –, mais il ne faisait rien pour me faciliter la tâche. Lorsqu'il pleurnichait, les yeux rougis et la morve au nez, je devais me retenir pour ne pas lui retourner une claque.»

Le déclic se produit en sixième, quand il décroche un inespéré 11/20 en sciences naturelles. C'est la première fois de sa vie qu'il obtient la moyenne : c'est décidé, il sera docteur. Quoique sceptiques, ses parents l'encouragent en lui offrant un kit du petit chimiste et en l'emmenant visiter l'école vétérinaire de Toulouse.

Toute sa scolarité durant, Le Verrier compensera son manque d'aptitudes naturelles par une effarante quantité de travail. Il se hisse en cinquième, puis en quatrième, décroche son BEPC d'un cheveu, déjouant les pronostics du proviseur qui avait tenté de le dissuader de se présenter à l'examen. En seconde, il abandonne sa dernière place coutumière à un jeune Polonais débarqué de frais. Ivre de confiance, il enchaîne alors les exploits : une vingt-troisième place (sur vingt-six) en latin, une mention «Passable» en dessin et un rôle muet de domestique dans le *Topaze* monté par sa prof de français[1].

Il arrache le bac à l'oral, sur un de ces coups de bol monstres qui jalonneront sa carrière. «J'avais un monceau de points à rattraper, raconte-t-il, et seulement trois matières pour le faire. En maths, j'ai confondu nombres impairs et

---

1. Il ouvre et ferme la porte à plusieurs reprises.

nombres premiers; ça commençait mal. En physique, l'examinateur m'a demandé de calculer la durée du vol d'un boulet de canon; j'ai trouvé huit ans et demi; il m'a dit : "Non, ça c'est le temps qu'il vous faudra réviser pour avoir votre bac." Restait les sciences nat'. Et là, miracle : je suis tombé sur la reproduction chez les castors, un domaine – d'aucuns diraient même *le* domaine – où je suis incollable. Depuis, je conduis avec une patte de castor accrochée à mon rétroviseur. »

Son bac en poche, Le Verrier rêve de monter à la capitale. Ses parents le ramènent à la raison : la fac de médecine d'Angers est jugée plus en rapport avec ses moyens. Mais la barre est encore trop haute. Maxime, qui sait à peine nommer les doigts de la main, fait un blocage sur l'anatomie. Il parvient, à grand-peine, à mémoriser les organes (le foie est son préféré), mais jette l'éponge quand il apprend que le squelette humain comporte deux cent six os. Germe alors en lui l'idée d'engager un tiers pour passer l'épreuve à sa place. «Dans mon esprit, raisonne-t-il, ce n'était pas vraiment tricher, vu que je me destinais à la psychiatrie. Nous avons eu une très bonne note. Si bonne du reste que l'année d'après, j'ai fait la même chose en hématologie, en nutrition et en orthopédie. Cela me laissait plus de temps pour travailler les autres matières. »

De petite combine en magouille ordinaire, Le Verrier trace sa route jusqu'à l'internat de psychiatrie, qu'il effectue à Nantes sous la houlette d'un mentor de légende. «À mon arrivée, le professeur Arribas avait soixante-quinze ans et déjà plus toutes ses facultés. Je peux le dire aujourd'hui, car il est mort : sur la fin, il sucrait carrément les fraises. Allez savoir pourquoi, il m'avait pris à la bonne. J'en ai bien profité : on revoyait mes évaluations ensemble, je cosignais ses articles. À la même époque, j'ai commencé à me passionner pour l'école de la Salpêtrière. Je n'avais pas vraiment d'avis sur l'hypnose, juste l'intuition que la roue tourne et que Janet, Charcot, Binet et consorts finiraient forcément par revenir à la mode, au même titre que le puzzle ou le spiritisme. »

En 1974, il croise la femme de sa vie dans le passage Pommeraye. C'est le coup de foudre immédiat, au moins pour lui.

Louise est professeur d'anglais au lycée Clemenceau ; devant l'insistance de cet escogriffe, elle accepte de lui enseigner la langue de Shakespeare. La tâche se révèle cyclopéenne. «Il l'écrit à peu près correctement, s'amuse Louise, mais, à l'oral, c'est une vraie boucherie. Pour ne pas le peiner, je lui dis qu'il a l'accent sud-africain, tout en priant pour qu'il ne mette jamais les pieds à Johannesburg.»

Baragouiner l'anglais confère cependant à Le Verrier un avantage décisif sur ses confrères, dans un domaine où les grandes découvertes viennent souvent des États-Unis. Il a vent des travaux de Milgram avant qu'Henri Verneuil ne les popularise dans *I... comme Icare*, lit Maslow dans le texte et pompe allègrement les techniques d'hypnose d'Erickson.

Il est difficile de sous-estimer l'importance de cet axe atlantique dans la carrière de Le Verrier. Il dénigre les chercheurs yankees, mais les pille sans vergogne, pourfend leur vénalité, mais envie les moyens financiers dont ils disposent. De sa lecture de *Sybil*, le récit de la thérapie d'une Américaine tiraillée entre seize personnalités, il tire la conviction que les TPM (troubles de la personnalité multiple) s'apprêtent à déferler en Europe. Se souvenant qu'un Français, Azam, a consacré un opuscule au sujet à la fin du XIXᵉ siècle, il décide de marier ces deux thèmes, les TPM et la Salpêtrière, au sein d'une thèse de doctorat. C'est un nouveau coup de génie : le jury, incapable de juger la qualité de son travail, lui décerne une mention «assez bien» qui couronne un parcours académique placé sous le signe de la sueur.

Son diplôme en poche, Le Verrier s'installe à Paris avec Louise. Réalisant un rêve de gosse, il loue un cabinet boulevard Saint-Germain, grâce à l'héritage de ses parents. Il n'a ni clients ni relations dans une ville comptant plus de psychiatres que de plombiers, mais qu'importe! Il a du temps, un petit bas de laine, du courage à revendre.

C'est à croire que les fées se sont penchées sur son berceau : son premier patient n'est autre que l'imposteur Scherbius, condamné à suivre une thérapie après avoir tenté d'enlever le président du Congo. Le Verrier n'est toujours pas revenu de la coïncidence : «Les PTT ont raccordé ma ligne le 6 octobre 1977. Une heure après, je recevais l'appel qui allait changer ma vie.» Il ne croit pas si bien dire. Le livre qu'il tire de sa collaboration avec Scherbius remporte un immense succès. «Nous en avons vendu 400 000 exemplaires rien qu'en France et plus d'un million tous pays confondus», commente-t-il d'un air gourmand. Dès qu'il s'agit de gros sous, l'ex-cancre est soudain très à l'aise avec les chiffres.

Seul bémol, le livre se révèle un tissu de mensonges. Un détective privé, engagé à la demande de l'Association américaine de psychiatrie, est incapable de corroborer la moindre assertion de Scherbius, qui avouera plus tard avoir simulé les symptômes du TPM. «J'aurais pu lui faire avaler n'importe quoi, raconte l'imposteur que nous avons joint durant ses vacances à Majorque. Que j'étais boulimique, suicidaire, paranoïaque ou catatonique... Je n'aimerais pas être opéré de l'appendicite par un chirurgien diplômé de la même fac que lui.»

Tout en reconnaissant que les apparences sont contre lui, l'intéressé se justifie. «Où irait la profession si les psychiatres mettaient en doute la sincérité de leurs patients? "Non, mademoiselle, vous ne me la ferez pas, vous n'êtes pas anorexique!"»

La véhémence de Le Verrier s'explique : selon nos calculs, la première édition de *Scherbius* lui a rapporté entre deux et trois millions de francs, un joli magot qu'il n'a pas jugé bon de partager avec son compère. «Pourquoi l'aurais-je fait? se défend-il. Scherbius a signé un contrat en bonne et due forme. Est-ce que les descendants de Napoléon réclament des droits d'auteur à André Castelot?»

À cette question, il est tentant de riposter par une autre : monétiser les confidences de son patient ne fait-il pas de lui le véritable usurpateur des deux? Dans son bureau lambrissé surplombant la Seine, Le Verrier mûrit longuement sa réponse. «La notion d'auteur est très relative. Quand Platon cite Socrate, c'est son nom qui figure sur la couverture. Peu importe que je me sois trompé de diagnostic, ce qui compte, c'est que j'ai réussi à faire parler Scherbius. Il m'a livré des anecdotes qu'il n'avait jamais confiées à personne et que j'ai, grâce à mon talent, rendues intelligibles pour le plus grand nombre. À ce titre, j'estime mériter chaque centime que j'ai gagné.»

Mais Le Verrier ne court pas qu'après l'argent. *Scherbius* lui apporte aussi gloire et honneurs, sous la forme d'un poste de professeur à la prestigieuse université Paris-VI. Par une ironie délicieuse, il se trouve propulsé spécialiste du trouble de la personnalité multiple, sans avoir jamais soigné un malade atteint de ce syndrome. Il donne de lucratives conférences au Japon et discute d'égal à égal avec les auteurs de *Sybil* et *Billy Milligan*, deux ouvrages présentant la troublante particularité d'être vrais de la première à la dernière ligne. L'intéressé balaie ces arguties d'un revers de main. « Sans doute manquais-je un peu d'expérience en 1978, mais mon audace m'a permis de prendre de vitesse les Italiens et les Allemands. Aujourd'hui, plus un article sur les TPM ne se publie en Europe sans mon imprimatur. »

Qui ne connaîtrait pas la signification du sigle TPM pourrait croire que Le Verrier décrit une juteuse opportunité commerciale. « Le marché français progresse de 20 à 30 % par an, explique-t-il avec des étoiles dans les yeux. Comme je croule sous les demandes, je garde les cas les plus faciles et j'adresse les autres à mes confrères. » Modeste, il oublie de préciser qu'il collecte une somme forfaitaire de deux cents francs par dossier transféré. Le docteur P., qui tient à conserver l'anonymat, estime avoir versé trois mille francs en liquide à l'auteur de *Scherbius* au cours des trois années écoulées. « Cela paraît beaucoup, dit-il, mais le TPM typique requiert des années de traitement. À cent cinquante francs la séance, on s'y retrouve vite. »

La principale menace pour Le Verrier n'émane toutefois pas du Conseil de l'Ordre. Aux États-Unis, des chercheurs s'alarment de l'hyperinflation des cas de TPM, notant qu'on a dénombré l'an dernier plus de nouveaux cas en Pennsylvanie que dans l'ensemble de la presse scientifique au XIXᵉ siècle. « Depuis *Sybil*, explique Richard Kluft, diplômé de Harvard et praticien libéral, le diagnostic est sur toutes les lèvres. Que mes patients loupent leurs examens, trompent leur femme ou giflent leur patron, c'est toujours une personnalité nuisible qui a pris le contrôle de leur esprit. Certains de mes confrères se laissent embobiner, quand ils n'alimentent pas eux-mêmes l'hystérie ambiante, mais la réalité finira par reprendre ses droits.» Pour les médecins dont la clientèle est exclusivement constituée de TPM, ce serait une véritable catastrophe, ce qui explique sans doute pourquoi Le Verrier a réédité son livre en grande pompe en 1983. Il a été le premier surpris du succès de cette deuxième version, pourtant à peine enrichie par rapport à l'originale. «Nous en avons écoulé un demi-million d'exemplaires, preuve que les Français me gardent toute leur confiance», analyse-t-il.

Cependant, on peut scruter l'âme des autres et manquer de clairvoyance dans ses propres affaires. Selon nos informations, Le Verrier et Scherbius ont été récemment victimes d'une douloureuse escroquerie. Contactés par un certain Pierre Marescot, qui prétendait représenter un studio hollywoodien, ils ont versé, chacun, 50 000 dollars sur un compte bancaire luxembourgeois pour s'assurer d'une partie des bénéfices d'un film censément à venir. Avant de disparaître, Marescot, plus connu dans les milieux judiciaires sous le surnom de Pierrot la Carambouille, a même réussi à se faire payer 25 000 francs en liquide pour prix de ses bons offices.

Malgré l'importance du préjudice, Le Verrier n'a pas porté plainte. Scherbius, son vieux complice, avance deux explications possibles. «D'abord, personne n'aime admettre qu'il voulait frauder le fisc. Mais je crois surtout qu'il avait peur que l'aventure n'arrive aux oreilles de son éditrice, Alice Samuel. Marescot était prêt à nous réserver 10 % du capital de la société d'exploitation. J'ai proposé à Maxime d'investir à égalité avec Alice. Il a refusé, prétextant qu'elle s'arrogeait déjà une part disproportionnée des profits du livre et qu'elle n'en saurait jamais rien.»

Le Verrier a les moyens d'essuyer un revers occasionnel. On lui prête l'intention de sortir une troisième édition de son magnum opus. «Peut-être, concède-t-il. Quand j'aurai trouvé de quoi remplir trente ou quarante pages.»

Ah, amour de la science, quand tu nous tiens...

Honte à toi, Alexandre

Je rentre en France, abrité derrière des lunettes noires, sur un vol Japan Airlines où j'ai moins de chances de faire des rencontres déplaisantes. Alice m'attend à l'aéroport, les traits creusés par la fatigue. Je m'empresse de dissiper les odieuses accusations proférées par Scherbius.

— Il ment sur toute la ligne !

— Nous en parlerons plus tard, dit Alice d'un air las.

— Au contraire, il faut crever l'abcès.

— Tu t'es vraiment fait plumer ?

— Oui. Par Scherbius. Marescot n'est qu'un homme de paille. J'ai insisté pour qu'on te ménage une place au capital. Au départ, Scherbius s'y opposait et puis j'ai fini par le convaincre.

— Pourquoi n'en ai-je rien su, alors ?

— Parce que tu étais aux États-Unis. Nous avions prévu de te vendre un tiers de nos parts à ton retour.

Nous montons dans l'ascenseur. Alice presse un bouton, farfouille dans son sac, en tire ses clés, un ticket de parking.

— Je te crois, dit-elle enfin.

— J'espère bien ! Je n'aurais jamais investi sans toi.

— On dirait en tout cas que Scherbius t'a dans le collimateur.

— Après tout ce que j'ai fait pour lui !

— Où s'est-il procuré cette photo ?

— Il l'a prise à mon insu pendant l'entraînement des footballeuses de l'équipe de France.

— Tu dois absolument récupérer les négatifs.

Nous passons le trajet vers Paris à mettre au point notre riposte. Je vais porter plainte contre *Le Figaro* pour complicité de diffamation, en exigeant un droit de réponse. Alice, soucieuse de ne pas donner à cette histoire plus d'attention qu'elle ne le mérite, a renoncé à tenir une conférence de presse. Je rencontrerai, à la place, quelques journalistes choisis, qui se chargeront de relayer ma version des événements.

C'est en retrouvant Louise que je prends la pleine mesure de la monstruosité du méfait de Scherbius. Ma tendre épouse sanglote depuis quarante-huit heures sur l'honneur bafoué de son mari et la méchanceté des hommes. Sans douter un instant de mon intégrité, elle sait que la route de la reconquête sera longue et semée d'embûches. Honte à toi, Alexandre, de répandre ainsi les larmes d'une femme.

Le Figaro insère mon droit de réponse[1]. Son directeur, Robert Hersant, me présente personnellement ses excuses. Il m'explique par quel fâcheux concours de circonstances le plus grand quotidien français a publié un texte si éloigné de sa ligne éditoriale.

Contrairement à la plupart des journalistes free-lance qui travaillent sur commande, Brioncet propose ses propres sujets aux titres auxquels il a l'habitude de colla-

---

1. Que je ne vois pas l'intérêt de reproduire ici, dans la mesure où il n'apprendrait rien à mes lecteurs qu'ils ne sachent déjà.

borer. Quand il a émis l'idée de rédiger un portrait sur moi, Jacques Bollaert, le responsable de la rubrique scientifique, lui a aussitôt accordé une double page, un privilège habituellement réservé aux Prix Nobel ou aux ministres de la Recherche. Si Bollaert avait été moins guilleret, il aurait remarqué que Brioncet n'avait pas sa voix habituelle. En passant quelques coups de fil, il aurait appris de surcroît que le journaliste accompagnait alors une expédition météorologique dans les îles Kerguelen. L'erreur de Bollaert n'eût sans doute pas prêté à conséquence, s'il n'était lui-même parti en congé au moment où Brioncet rendait son article, en donnant pour unique consigne à son jeune adjoint de relire le texte «pour l'orthographe et la syntaxe». Hersant, en homme d'honneur, m'offre la tête de son collaborateur. Je refuse, évidemment : Scherbius est le seul coupable dans cette histoire.

J'accepte tout de même un modique dédommagement financier, pour l'exemple.

Nouvelle tentative de diagnostic

À mesure que s'estompent les effets de son navrant canular, je suis bien obligé de me demander ce qui pousse Scherbius à me persécuter de la sorte. Son outrance, sa froide détermination dénotent à coup sûr une pathologie psychiatrique. Reste à savoir laquelle.

J'avance ici une hypothèse : Scherbius souffre d'un trouble de la personnalité antisociale (TPA), une pathologie qui se caractérise par une totale indifférence à l'égard des normes sociales, des émotions et des droits d'autrui, et touche environ 3 % de la population masculine (1 % des femmes).

Le DSM recense neuf comportements typiques des TPA.

1. Incapacité à conserver un emploi. À moins de considérer que Scherbius a élu profession d'imposteur, force est de reconnaître qu'il n'a jamais occupé un poste plus de quelques semaines.

2. Incapacité à exercer des responsabilités parentales. Il n'a, à ma connaissance, pas d'enfants. S'il en a, il s'en occupe bien mal.

3. Refus de se plier aux normes sociales et de respecter la loi. Sans commentaire.

4. Incapacité à entretenir une relation amoureuse prolongée. Disons charitablement que s'il a des liaisons, celles-ci sont des plus brèves.

5. Irritabilité ou hostilité pouvant déboucher sur des agressions physiques. S'il n'a jamais, à proprement parler, porté la main sur moi, il cherche à me blesser par tous les moyens possibles.

6. Refus d'honorer ses obligations financières de toutes natures (dettes, pension alimentaire, etc.). Je n'insiste pas.

7. Manque de planification ou impulsivité, prenant souvent la forme d'un vagabondage géographique et/ou professionnel. Je rappelle qu'il n'a pas d'attaches et habite à l'hôtel.

8. Mépris pour la vérité, se manifestant par des mensonges répétés, des escroqueries et l'utilisation de pseudonymes.

9. Imprudence mettant en danger sa vie et celle des autres.

Même en tenant compte d'une certaine marge d'appréciation, Scherbius remplit entre six et huit des neuf symptômes[1], bien au-delà du seuil de quatre considéré comme suffisant par l'Association américaine de psychiatrie.

Les TPA ne ressentent pas d'émotions. Étant incapables de se mettre à la place d'autrui, ils n'éprouvent pas de remords pour les souffrances qu'ils infligent. À force de penser que les règles ne s'appliquent pas à eux, ils finissent souvent en prison, où ils retrouvent quantité de leurs semblables[2].

Comme de nombreux troubles, le TPA prend ses racines dans l'enfance. Le patient-type a rejeté très tôt l'autorité

1. Et même un de plus, si l'on ajoute une autre caractéristique mentionnée ailleurs dans le DSM, à savoir une aversion sans bornes pour l'ennui.

2. Ils formeraient, selon certaines études, la majorité de la population carcérale.

parentale. Il s'est fait expulser de son école pour mauvaise conduite, a eu des démêlés avec la justice, et est devenu sexuellement actif avant l'âge de quinze ans. Le manque de discipline à la maison, la misère, l'absence d'un des parents favorisent le développement de la maladie.

Ne sachant rien de l'enfance de Scherbius, il m'est difficile de confirmer qu'il remplit ces critères. Et cependant, au hasard de ses histoires réelles ou inventées, je remarque qu'il a souvent fait preuve d'insubordination (cf. l'épisode du coup de règle), qu'il a fugué, qu'il a traversé l'adolescence sans figure paternelle et qu'il a vu sa mère s'enfoncer dans la pauvreté.

Si mon diagnostic est correct – et je n'ai pas l'habitude de m'engager à la légère –, Scherbius ne fera pas l'économie d'une cure sévère. Le TPA est en effet l'un des troubles les plus difficiles à guérir. Les patients, qui n'ont pas conscience de la gravité de leur cas, ont tendance à simuler la conduite qu'attend d'eux le personnel soignant. Menaces, leçons de morale et appels à la décence sont voués à l'échec. En l'absence de traitement médicamenteux, l'internement se révèle presque toujours nécessaire.

Un seul détail me chiffonne. La plupart des TPA affichent une intense activité sexuelle – mariages multiples, mœurs légères[1], ébats violents, etc. Or, non seulement je ne sais rien de la vie sentimentale de Scherbius, mais l'amour ne s'est jamais invité dans ses récits. Comment l'expliquer ? Pourquoi notre homme tient-il ainsi le sexe à distance ? Parce qu'il en a peur ? Parce qu'il le dégoûte ?

Osons une autre hypothèse : parce qu'il est puceau. Traumatisé par son éducation religieuse, confus quant à son

---

1. Expression qui, dans le jargon du DSM, démarre à plus de dix partenaires par an.

orientation sexuelle, Scherbius reste prudemment à l'écart des jeux d'Éros. Chaque année qui passe accroît son malaise et complique un peu plus l'inévitable aveu de sa virginité. Puisse-t-il saisir cette perche que je lui tends et comprendre que l'amour charnel constitue l'une des plus belles expériences que nous offre notre passage sur terre.

Je dédie ce livre à mon fils.

Philippe nous a quittés le 18 juin, quelques jours avant que je remette mon manuscrit. Il est tombé dans l'escalier de notre immeuble, alors que Louise le conduisait au square. Sa tête a violemment heurté le carrelage. Il est mort dans l'ambulance. Il avait neuf ans.

Les mots sont impuissants à décrire l'horreur que représente la perte d'un enfant.

«La blessure vit au fond du cœur», a écrit Virgile. Elle ne se refermera jamais.

SCHERBIUS

MAXIME LE VERRIER

(QUATRIÈME ÉDITION)

Éditions du Sens

1993

À Philippe

PRÉFACE À LA QUATRIÈME ÉDITION

Cinq ans se sont écoulés depuis la troisième édition de ce livre, cinq ans durant lesquels Scherbius s'est encore ingénié à déjouer les pronostics et à mettre les rieurs de son côté.

Nombreux sont les lecteurs qui s'étonnent de ma patience, voire de ma mansuétude, à l'égard d'un filou qui n'a de cesse de me tourner en ridicule, quand il ne retourne pas carrément mes poches. Mais la colère est un luxe interdit au médecin. Scherbius est, à mes yeux, un malade, un être imparfait tyrannisé par ses instincts, dont il m'appartient d'élucider le mystère et, au minimum, de soulager les souffrances. Je réprouve son comportement, mais je ne le déteste point. Le voir croupir en prison ne m'apporterait aucune satisfaction[1].

Et pourtant, l'animal met ma magnanimité à rude épreuve. En 1988, il a profité de la confusion causée par la mort de mon fils pour substituer aux dernières pages de la troisième édition un texte de sa composition. Le temps que nous nous apercevions de la supercherie, des milliers d'exemplaires avaient atteint les librairies. Cinq à six cents

1. Récupérer l'argent qu'il m'a volé me suffirait.

seraient encore en circulation. J'implore leurs propriétaires de les retourner, toutes affaires cessantes, aux Éditions du Sens[1]*.*

Que mes lecteurs se rassurent cependant : c'est bien moi qui ai écrit le livre que vous tenez entre les mains !

---

1. Ils recevront en échange l'ouvrage original, dédicacé par mes soins.

Où j'enterre la piste du traumatisme sexuel

Il faut savoir reconnaître ses erreurs : Scherbius a apporté un cinglant démenti à mon hypothèse selon laquelle il serait vierge et hésitant quant à son orientation sexuelle.

Il mène depuis cinq ans une vie amoureuse riche et mouvementée. Pour le dire plus crûment, il tire sur tout ce qui bouge, avec une préférence pour les femmes de mon entourage. Il a séduit trois de mes doctorantes, la standardiste des Éditions du Sens, ma banquière, ma dentiste et même l'inspectrice des impôts qui s'est penchée sur ma situation fiscale[1]. Il ne se vante pas de ses bonnes fortunes, mais ne fait rien non plus pour les cacher. Il dîne au restaurant en leur compagnie, sort au théâtre, déambule sur les Champs-Élysées, et s'est même laissé photographier par *Jours de France* au bras de la princesse Annelise du Danemark.

Adieu donc à la piste du traumatisme sexuel ; ou, si celui-ci a existé, il a été bien surmonté.

J'ai la désagréable impression, une fois encore, que Scher-

---

1. Car l'article du *Figaro*, dans lequel Scherbius me prêtait des desseins frauduleux, m'a valu un contrôle, dont je suis sorti, faut-il le préciser, blanc comme neige.

bius s'évertue à me prendre à contre-pied. Il suffit que je rende hommage à sa probité pour qu'il se mette à voler, que je le traite de puceau pour qu'il se métamorphose en don Juan. Cherche-t-il à saper ma crédibilité ? À se rendre plus intéressant à mes yeux ? Le mystère reste entier.

Scherbius continue d'escroquer à tout-va

Depuis 1988, Scherbius mène grand train.

Il loge à l'hôtel, alternant entre le Régina, rue de Rivoli, la Villa Panthéon dans le Ve arrondissement, et le Raphael, avenue Kléber, où sa générosité auprès du personnel lui a valu le surnom de Monte-Cristo.

Selon mes informations, il se lève à l'aube, petit-déjeune en parcourant la presse internationale, vaque à ses emplettes (tailleur, bottier, etc.) dans la matinée, avant de rejoindre son béguin du moment au Jamin, le restaurant gastronomique de Joël Robuchon. Une promenade digestive le mène à la Cinémathèque, place du Trocadéro, où il visionne une toile, et parfois deux ou trois, de son cher Hitchcock. Puis c'est le retour à l'hôtel, où il passe des appels et reçoit ses associés. Le temps de se changer, et il ressort à l'Opéra Bastille dont il a été, par on ne sait quel passe-droit, l'un des premiers abonnés.

Officiellement, il vit de ses économies constituées au black jack[1]. Il s'acquitte de ses menus achats en espèces,

---

1. Il a été interdit de casino en 1980, à la suite de la publication de mon livre.

ses factures plus conséquentes étant réglées par des tiers ou par des sociétés offshore aux noms énigmatiques (Tertius, Almotasim, Bokhari...). Il dépense sans compter. Une personne digne de foi l'aurait vu donner 12 500 francs[1] à un mendiant à la station de métro Saint-Michel.

Depuis la parution de la troisième édition, qui décrivait le mécanisme de ses malversations, Scherbius est étroitement surveillé. Pendant quelques mois, la police a écouté ses conversations téléphoniques, épluché ses mouvements bancaires, enquêté sur ses fréquentations – sans résultat. L'étau semble depuis s'être un peu desserré, encore qu'il lui arrive, de temps à autre, de désigner à ses interlocuteurs un petit homme au teint bistre tapi derrière un arbre. Ce sixième sens, qui nous avait sauvé la mise à Mulhouse, ne l'a manifestement pas quitté.

Un autre argument joue en faveur de Scherbius : ses victimes craignant d'attirer l'attention des autorités sur leurs propres turpitudes, il ne fait l'objet d'aucune poursuite. Je suis paradoxalement le seul qui pourrait porter plainte contre lui. Mon préjudice est établi : j'ai été détroussé de 384 800 francs. Je connais l'instigateur du complot, ainsi que son complice, le dénommé Marescot. Louise pourrait témoigner que les événements se sont déroulés comme je les ai décrits. J'ai plus d'une fois commencé à écrire au parquet. Immanquablement, au dernier moment, une prévention me retient. Je n'arrive pas à me résoudre à incriminer un patient, pas plus qu'à infliger à Alice Samuel un déballage sordide, où ma parole ne vaudra, légalement, pas plus que celle de Scherbius. Et puis, soyons honnêtes, j'ai perdu l'espoir de revoir mon argent. À quoi bon engor-

---

1. Soit le montant, au franc près, de ma part des honoraires de Pierrot la Carambouille.

ger les tribunaux et engraisser un avocat par-dessus le
marché ?

En ma présence, Scherbius ne cache pas qu'il continue
d'escroquer à tout-va. Il quitte fréquemment le territoire,
prétendant à son retour avoir rencontré je ne sais quel
prince du Liechtenstein ou le vice-président du patronat
espagnol, pour des affaires «à sept ou huit chiffres[1]».

Bien que probablement richissime, il continue à me har-
celer. Tout lui est prétexte pour me soutirer trois sous. Au
café, il me tend la note, quitte à laisser cent francs de pourboire au serveur. Il feint d'avoir oublié son portefeuille et
cherche à m'emprunter le prix d'une carte de téléphone ou
d'une course en taxi. Ces manœuvres puériles auraient de
quoi faire sourire, si elles ne s'accompagnaient de tentatives
d'extorsion plus sérieuses. J'ai dû faire changer le code de
ma carte bleue, après avoir surpris Scherbius le noter sur sa
main. Il reluquait de même ma montre Audemars-Piguet
avec tant d'insistance que je l'ai temporairement remisée
au coffre.

Parfois, j'ai l'impression qu'il cherche moins à s'enrichir
à mes dépens qu'à m'appauvrir tout court. Il me pousse à
jouer des sommes inconsidérées, sur la foi de tuyaux douteux. «Placez 50 000 francs sur Green Dancer dans la quatrième à Longchamp, vous ramasserez dix fois la mise.
Réinvestissez le tout sur Saint-Gobain; ils vont annoncer
des résultats du tonnerre vendredi.» Quand je lui rétorque
que je n'ai pas ses moyens, il me chambre : «Vraiment ?
Qu'attendez-vous pour sortir une nouvelle édition ?»

Comme je sais qu'il n'hésitera pas à me frapper à nouveau
si je baisse ma garde, je me méfie de tout le monde : des
démarcheurs à domicile, des admirateurs qui m'accostent

---

1. Dans quelle monnaie, il se garde bien de le dire.

dans la rue (potentiellement des comparses), des passagers qui me serrent d'un peu trop près dans le métro, du postier qui fourre des prospectus dans ma boîte aux lettres. Je ne m'illusionne cependant guère sur l'efficacité de mes précautions. Fermez la porte à Scherbius et il passera par la fenêtre ; barricadez les volets et il se faufilera par la cheminée.

La sagesse voudrait que je coupe les ponts avec lui, que je cesse d'actualiser ce livre, mais je ne puis m'y résigner. Nos destins sont désormais trop inextricablement liés. Scherbius existe dans mon regard, comme j'existe dans le sien. Nous sommes associés, que je le veuille ou non, pour le meilleur et pour le pire.

Scherbius veut-il ma perte ?

Que Scherbius ait contribué à lancer ma carrière n'est pas douteux. Il m'a apporté une notoriété dont peu de mes confrères peuvent s'enorgueillir. J'ai vendu cinq millions de livres en dix-huit langues, dont le finnois et le swahili. Je suis docteur honoris causa des universités de Kyoto, Vladivostok et Abidjan[1]. Les facultés américaines, qui, à défaut d'engendrer le succès, savent le caresser dans le sens du poil, m'offrent des ponts d'or.

Sans Scherbius, je ne serais sans doute pas non plus devenu professeur d'université à trente-deux ans, ni le directeur de thèse le plus demandé de Paris-VI. Je ne recevrais pas cent lettres par semaine et les commerçants de la rue Mouffetard ne se disputeraient pas ma clientèle.

Ma réussite précoce ne m'a cependant pas apporté que des avantages. En France, mon succès dérange. Certains collègues malintentionnés – ils se reconnaîtront – se gaussent en privé de mes erreurs de diagnostic, signe, selon eux, que je me suis attaqué à un cas trop complexe pour

1. Seul un emploi du temps trop chargé m'empêche d'aller collecter les distinctions que l'on me décerne un peu partout dans le monde.

moi. Ils résilient leurs abonnements aux revues qui me publient, boycottent les colloques qui m'invitent, et sabotent ma candidature à l'Académie des Sciences[1], en distribuant aux votants des fac-similés de l'article du *Figaro*.

C'est qu'au fond le format de ma collaboration avec Scherbius – si on peut encore la baptiser ainsi – m'est intrinsèquement défavorable. En figeant à intervalles réguliers mes réflexions pour les besoins de ce livre, je lui fournis les verges avec lesquelles il ne se prive pas de me fouetter.

Tout de même, je m'interroge sur ses motivations. Car me ridiculiser ainsi doit perdre à la longue de sa saveur. Ses arguments pour revendiquer une partie de mes droits d'auteur ne tiennent pas debout : il n'a pas écrit mes livres ; il a continué à fréquenter mon cabinet, en sachant qu'il ne serait pas rémunéré ; il est riche à millions ; et, enfin, il a déjà récupéré une partie de ce que je suis censé lui devoir.

Si je ne craignais de m'accorder trop d'importance, je dirais qu'il cherche, purement et simplement, à m'anéantir. Quand je suggère qu'il abrite des personnalités multiples, il en invente une douzaine au pied levé. Quand j'écris que je le crois honnête, il se précipite pour me faire les poches[2]. Et quand j'émets des doutes sur sa sexualité, il trousse mes doctorantes. Me donner tort ne lui suffit pas, il faut qu'il me démolisse, tout en sachant que, dans l'intérêt supérieur de la science, je serai forcé de relater ses exploits à mes lecteurs.

1. Où une place m'avait pourtant été promise dès 1986.
2. Il lui arrive de dépenser pour certaines tentatives d'escroquerie à mon encontre plus qu'elles ne pourraient lui rapporter, témoin cette fois où une batterie de télévendeurs se sont relayés pendant une semaine pour tenter de me fourguer un tire-bouchon révolutionnaire trois-en-un « au prix imbattable de 199 francs ».

La relation qui nous unit est, à ma connaissance, sans précédent dans l'histoire de la psychiatrie. Scherbius est à la fois le rêve et le cauchemar d'un thérapeute, au point que je serais parfois bien en peine de dire qui est le cobaye de l'autre.

Le best-seller introuvable

Juin 1988. L'année universitaire se termine. J'en profite pour achever la troisième édition de *Scherbius*.

Un samedi, Alice Samuel nous invite à un barbecue dans sa maison de Rueil. Louise apporte une tarte aux pommes, Philippe le ballon de foot que je lui ai offert pour son anniversaire. Sur la terrasse, une surprise de taille nous attend. Une bière à la main, Scherbius discute avec un radiologue, ami de nos hôtes. Je me raidis instinctivement. C'est la première fois que je le revois depuis l'épisode du *Figaro*.

— Le temps est venu d'enterrer la hache de guerre, tu ne crois pas ? me glisse Alice, à qui ma réaction n'a pas échappé.

— Tout à fait d'accord ! dit Scherbius, en venant à notre rencontre.

Nous allons nous asseoir au fond du jardin, sur deux sièges en rotin à l'écart, qui me donnent à penser que nos retrouvailles ne doivent pas grand-chose au hasard.

— Quoi de neuf depuis le temps ? lance Scherbius d'un ton désinvolte qui me hérisse instantanément le poil.

— Oh, trois fois rien : un contrôle fiscal, des audiences devant le Conseil de l'Ordre pour répondre d'accusations de trafic d'influence, les boules puantes de collègues qui me traitent de pingre et d'arriviste...

— La routine, quoi !

Cette fois, je sors de mes gonds.

— Que recherchez-vous, bon Dieu ? C'est du fric que vous voulez ?

— Ne soyez pas vulgaire, Maxime. Vous connaissez mes exigences : j'attends que vous admettiez ma contribution à vos livres.

— De l'argent, c'est bien ce que je dis !

— Décidément, je vais finir par croire les rumeurs sur votre avidité. Mais non, l'argent n'est qu'un corollaire. Moi, je vous parle de mon nom sur la couverture, de licence artistique...

— Jamais !

— Alors, je continuerai à faire savoir au monde qui de nous deux tient véritablement la plume.

— Vous avez eu de la chance jusqu'à présent. La justice vous a épargné, mais elle ne vous ratera pas toujours.

— À moins, justement, qu'elle ne soit de mon côté.

C'est plus que je n'en peux supporter. Je me lève et vais jouer au ballon avec Philippe. Scherbius retourne baratiner son radiologue. Des bribes de leur conversation me parviennent. Il est question d'un terrain en Sardaigne qui regorge d'un métal rare entrant dans la fabrication des batteries de pacemakers et des pointes de stylos à plume. Un groupe immobilier napolitain a offert deux milliards de lires à son propriétaire, alors que la couche superficielle contient à elle seule pour cinq milliards de minerai. Le radiologue, captivé, pose toutes les mauvaises questions et aucune des bonnes. Au bout d'un moment, j'interromps ma partie de foot pour l'avertir qu'il est en train de se faire entortiller par un escroc de classe mondiale.

— Hé, je vous reconnais ! dit le médecin qui a un peu forcé sur la sangria. Vous êtes le psychiatre constamment à côté de la plaque !

— C'est bien lui, confirme obligeamment Scherbius.

— Vous n'en avez pas marre de resservir les mêmes salades à vos lecteurs ?

— Ne dites pas ça, le corrige Scherbius, il rajoute au moins vingt pages tous les cinq ans.

Le radiologue pointe vers moi un index menaçant.

— Vous devriez avoir honte de dénigrer vos patients. Jamais je ne me permettrais.

— On en reparlera quand l'un d'eux vous aura refait de 400 000 balles, dis-je en me retenant de lui coller mon poing dans la figure.

Je les plante là tous les deux, attrape Philippe par la main et pars à la recherche de Louise. Elle discute près du buffet avec la maîtresse de maison.

— On rentre, ma chérie, dis-je d'un ton qui ne souffre aucune contestation.

— Déjà ! s'exclame Alice.

— Scherbius me nargue. Il est en train de plumer un de tes invités sous mon nez.

— Qui ? Jean-Claude ? Pas de danger, c'est un grand garçon.

La remarque d'Alice me blesse. Elle sous-entend que je suis a contrario une proie facile. Si même mes soutiens historiques se retournent contre moi…

— Allons-y, dis-je. De toute façon, j'ai du travail par-dessus la tête.

— Je serais bien resté encore un peu, dit Philippe.

— Idem, renchérit Louise.

Je n'ai pas entendu Scherbius arriver dans mon dos.

— Vous savez quoi ? dit-il en me prenant par l'épaule.

Rentrez donc à Paris, je raccompagnerai votre petite famille en fin d'après-midi.

— Merci, dis-je froidement, ce ne sera pas nécessaire.

— Pourquoi? demande Philippe. Moi, je veux bien.

Heureusement, Louise vient à mon secours.

— Papa a raison, dit-elle. Je t'emmènerai au square.

Alice renonce à nous retenir.

— À propos, dit-elle en me faisant la bise, j'attends toujours ton dernier chapitre.

— Pour quand te le faut-il?

— La fin du mois?

— Tu l'auras.

— Préviens-moi quand tu es prêt. Je t'enverrai un coursier.

Nous reprenons la route, inconscients de la tragédie en préparation.

Arrivés à Paris, Louise propose à Philippe de rejoindre ses copains au Jardin des Plantes. Il ne se le fait pas dire deux fois. Il enfile son maillot de l'équipe de France et dévale quatre à quatre l'escalier de l'immeuble. Soudain, Louise entend un cri de surprise, les bruits sourds d'un petit corps brinquebalé, puis un dernier choc, d'une netteté et d'une sécheresse abominables, lorsque la tête de Philippe percute de plein fouet le carrelage du hall d'entrée.

*

Dans notre intérêt à tous les deux, je préfère penser que Scherbius ignore tout de ce drame quand il met à exécution le plan démoniaque que lui a soufflé mon échange avec Alice. Il rédige, dans ma veine, sa propre version de la conclusion de la troisième édition. Il y ajoute une de mes cartes de visite, un relevé d'identité bancaire «pour le paiement du solde de l'à-valoir», et adresse le tout par courrier aux Éditions du Sens.

Aimée, l'assistante d'Alice, reçoit le pli le 22 juin.

J'enterre mon fils le 23.

Le 29, anéanti de chagrin, je planche sur mon texte, quand je reçois un appel d'une société de courses.

— M. Le Tellier? Société Escargot Express à l'appareil. Quand c'est-y que nous pouvons passer prendre votre pli pour Mme Samuel?

— Demain, dis-je d'une voix blanche. Venez demain après-midi.

— 14 heures ?

— Si vous voulez.

— C'est noté. La bonne journée à vous.

En raccrochant, je m'étonne qu'Alice puisse se figurer que j'ai la tête à mon manuscrit. Elle a pourtant eu la délicatesse de ne pas le mentionner à l'église, alors qu'elle me serrait contre sa poitrine comme une sœur. Peut-être avait-elle donné des instructions avant la mort de Philippe et n'a-t-elle pas pensé à les décommander? À moins que cette fidèle amie n'ait deviné que je noierais ma douleur dans le travail. Qu'importe au fond : mon texte, un nouveau diagnostic sur la personnalité antisociale de Scherbius, est prêt. Sur un coup de tête, j'y joins un dernier hommage à mon fils. Il me demandait souvent à quel âge il pourrait lire mes livres. «Plus tard, répondais-je. Je te dirai.» Nous pensions avoir toute la vie. Comme nous nous trompions.

Le lendemain, à 14 heures précises, j'ouvre la porte au coursier. Il arbore, malgré la saison, une combinaison de motard, des gants, et un casque intégral dont il n'a pas jugé bon de relever la visière. Je lui tends mon enveloppe sans mot dire – souhaiterait-il engager la conversation que j'en serais de toute façon incapable. Il porte la main à sa tempe avec la grâce d'un scaphandrier et s'engouffre dans l'ascenseur. La concierge racontera plus tard qu'arrivé en bas, à quelques centimètres de l'endroit où mon fils s'est brisé la nuque dix jours plus tôt, Scherbius – car c'est lui qui se cache sous cette panoplie de prince des ténèbres – a retiré casque et gants, et s'est débarrassé de mon manuscrit dans la poubelle de l'immeuble.

Louise et moi partons nous reposer à l'île de Ré. De son côté, Alice, ravie de ma conclusion, ou, plutôt, de celle de Scherbius, la transmet en l'état à l'imprimeur. Nous sommes convenus, par souci de simplicité, qu'Alice visera elle-même les épreuves de cette troisième édition, somme toute assez brève. Après quelques corrections de pure forme, elle lance fin juillet un tirage de 30 000 exemplaires, un chiffre énorme, mais justifié par le succès des éditions précédentes. Les premiers livres arrivent en librairies dans la semaine du 23 août. Bien que la sortie officielle ait été fixée au 30, certains détaillants les mettent aussitôt en vente, en violation de leur contrat de distribution[1].

Le 28 août, un journaliste du *Magazine littéraire* me joint à mon cabinet. La conclusion de mon livre, m'explique-t-il, enthousiaste, lui a donné l'idée d'un dossier sur les rapports entre la littérature et la vie. Le quiproquo dure plusieurs minutes, avant que je ne réalise que le texte qu'a lu mon interlocuteur n'est pas celui que j'ai écrit. Le temps de raccrocher, j'appelle les Éditions du Sens, en redoutant une nouvelle catastrophe. Alice est catégorique : elle ne m'a pas envoyé de coursier, pour la bonne raison que mon texte lui était déjà parvenu par la poste. Point besoin d'être grand clerc pour comprendre que Scherbius est passé par là.

---

1. L'appât du gain, encore et toujours…

Plutôt que d'ergoter sur les erreurs qui ont été commises, nous parons au plus pressé. Je réécris ma conclusion[1], et plus pénible encore, mon adieu à Philippe. Bien que la deuxième version me paraisse un peu inférieure à la première, je n'ai pas le luxe de la peaufiner indéfiniment[2]. De son côté, Alice a pilonné le premier tirage. Elle allègue de vagues erreurs d'impression pour prier les libraires de renvoyer leurs cartons, dans l'attente d'un nouvel arrivage. Des milliers de livres nous reviennent, mais au moins autant traînent encore dans la nature. Plus grave encore, les exemplaires du service de presse ont depuis longtemps atteint leurs destinataires ; en réclamer la restitution ne ferait qu'éveiller la curiosité des journalistes.

Un article, titré « Le best-seller introuvable », paru dans *Libération* le 5 septembre, achève de nous compliquer la tâche. « Jamais depuis *Suicide, mode d'emploi*, un ouvrage précédé d'une telle réputation n'a été aussi difficile à se procurer. L'éditeur n'approvisionne plus les libraires, qui ont interdiction d'écouler les exemplaires en leur possession. Cette situation ubuesque a donné des idées à des petits malins, qui raflent les rares exemplaires disponibles pour les écouler au marché noir. »

Le soir même, nous tenons avec Alice une réunion de crise. Nous avions naïvement espéré que la boulette d'Aimée passerait inaperçue. Il faut nous rendre à l'évidence : un texte comme *Scherbius* fait partie du patrimoine national ; à la seconde où il entre dans l'espace public, il cesse de nous appartenir. Les critiques, les libraires, mes confrères se jetteront bientôt avidement sur les deux versions pour

---

1. Dont je n'avais imprudemment pas conservé de copie.
2. Étrange comme Scherbius, tout en revendiquant des droits sur ce livre, s'acharne à en tirer la qualité vers le bas.

les comparer. Au vu de leurs conclusions si contrastées, ils ne pourront manquer de comprendre que l'une d'elles – la première, forcément – a été écrite par Scherbius. Alice envisage, pour la première fois, de publier un communiqué, ajoutant qu'à son avis, « ça ne nuirait pas aux ventes ».

Tant qu'à élucubrer, elle propose de publier nos deux textes côte à côte, voire d'en commissionner un troisième, qui en étudierait les points communs et les différences. Je sens, hélas, qu'elle apprécie le texte de Scherbius et que, sans le juger supérieur au mien, bien sûr, elle trouverait dommage d'en priver nos lecteurs. Je suis obligé de lui expliquer que je serais sûrement mieux disposé à l'égard de notre énergumène, si je ne le tenais pour partiellement responsable de la mort de mon fils. Elle a la délicatesse de ne pas insister. Nous décidons, pour finir, de publier mon texte, et lui seul, sans nous étendre sur les circonstances rocambolesques de sa genèse.

Le livre ressort fin septembre. Dopé par cette publicité inattendue, il réalise des ventes ahurissantes, supérieures aux deux premières éditions réunies ! Je savoure le sel de la situation : non seulement Scherbius n'a pas réussi à pirater mon livre, mais il a indirectement contribué à son succès. En croyant œuvrer à ma perte, il a assuré ma gloire[1] !

Ma jubilation cède cependant place à la fureur, quand j'apprends que Scherbius est le mystérieux acheteur des éditions originales. Il en a apparemment accumulé plusieurs centaines, qu'il propose à la vente sur un serveur Minitel au prix extravagant de 790 francs l'unité ! Même en tenant

---

1. Et ma richesse, car j'ai profité du nouveau rapport de force avec les Éditions du Sens pour obtenir une revalorisation substantielle de mon contrat (ainsi que le remboursement du solde de l'à-valoir indûment réglé à Scherbius).

compte des frais de port, je calcule que sa combine va lui rapporter près de 400 000 francs, qu'il se gardera évidemment de déclarer au Trésor public.

*

Après bien des hésitations, j'ai résolu de reproduire le texte de Scherbius, qui me semble trop révélateur pour être passé sous silence.

Texte de Scherbius frauduleusement inséré
dans la troisième édition

Dix ans après avoir posé un premier diagnostic[1] sur Scherbius, je pense à présent que celui-ci souffre d'une forme singulière de *pseudologia fantastica*, une pathologie aussi connue sous les noms de «mythomanie» ou «mensonge pathologique», qui a été décrite pour la première fois par l'Allemand Anton Delbrück en 1891.

Il s'agit d'une affection chronique, en ce sens que ceux qui en sont atteints mentent constamment, et pas seulement sous la pression des circonstances ou pour en tirer un bénéfice. Les histoires inventées, bien que souvent spectaculaires, restent dans les limites de la plausibilité. Dans toutes ou presque, le patient se présente sous un jour favorable, en se peignant sous les traits d'un héros ou sous ceux d'une victime. Il ment aussi fréquemment sur son identité et ses origines.

Faute de données épidémiologiques fiables, les chiffres qui suivent constituent une synthèse des observations de

---

1. Diagnostic erroné, certes, mais qui a eu l'immense mérite de mettre un coup de projecteur sur un syndrome inconnu et, par conséquent, mal soigné. On recense désormais des milliers de cas de TPM en Europe.

mes collègues français et étrangers[1]. J'estime à environ un sur mille la prévalence de la maladie, qui se déclare typiquement à l'adolescence et frappe hommes et femmes sans discrimination. D'après mes recoupements, les patients affichent un quotient intellectuel en ligne avec la moyenne, tout en possédant des aptitudes supérieures dans le domaine verbal. Dans au moins un tiers des cas, la maladie s'accompagne d'une anomalie du système nerveux, telle qu'épilepsie, traumatisme crânien ou encéphalite.

Contrairement à la personnalité antisociale qui ment pour manipuler son entourage, ou à la personnalité *borderline* qui cherche à attirer l'attention, le mythomane ment par habitude, pour pimenter son existence ou se donner un rôle plus en rapport avec l'image idéale qu'il nourrit de lui-même. Ses affabulations finissent par tisser une trame si serrée qu'il a parfois du mal à faire la part entre ce qu'il a imaginé et ce qu'il a réellement vécu[2]. Elles n'entrent pour autant pas dans la catégorie des délires, dans la mesure où, confronté à l'évidence, le patient peut reconnaître avoir menti.

Malgré son intérêt évident, la *pseudologia fantastica* n'a donné lieu, depuis sa formulation par Delbrück, à aucune étude sérieuse. L'aliéniste français Ernest Dupré, glorieux contemporain de Binet et Janet, a été un des seuls à tenter d'en donner, en 1905, une définition un peu élaborée.

Que Scherbius présente plusieurs des symptômes décrits ci-dessus n'aura pas échappé à mes lecteurs avertis[3]. «Le banal l'assomme, écrivais-je dans la deuxième édition. N'étant heureux que dans le déséquilibre, il fabrique perpétuellement des drames dont il est le héros. Il a le don de

1. Que j'invite à m'adresser leurs cas les plus ardus.
2. On parle dans ce cas de «faux souvenirs».
3. En existe-t-il une autre sorte ?

broder une histoire à partir de n'importe quoi : un fait divers entendu à la radio, une date, un lieu. » Ses compétences verbales étant aussi à l'évidence remarquablement développées, Scherbius ne s'écarte du portrait-robot du mythomane que sur un point : son quotient intellectuel, très supérieur à celui des chercheurs qui se sont penchés sur son cas.

Si la *pseudologia fantastica* n'a jusqu'ici guère intéressé les psychiatres, c'est qu'elle occupe moins souvent le rôle principal que celui de symptôme dans une autre pathologie, comme le narcissisme ou le trouble de la personnalité histrionique. Elle ne figure d'ailleurs même pas dans le DSM[1].

Un mot du cheminement intellectuel qui m'a conduit à la révélation.

Le premier épisode remonte à 1977. Scherbius récrimine contre sa sœur, une chipie « qui n'aimait rien tant que de [le] faire accuser des forfaits qu'elle avait commis ». Et de citer plusieurs cas où il a été puni pour les bêtises de Danielle : « Elle racontait que j'avais vidé la boîte de fruits confits, que j'empochais la monnaie des courses ou que j'avais cassé le vase rose du salon. » Sur le moment, le dernier exemple me fait penser à l'histoire éponyme du petit Nicolas[2]. Je chasse le détail de mon esprit.

Peu après, Scherbius raconte comment son père, Joseph, a été arrêté, sans préavis, par deux gendarmes. Là encore, un aspect de ce tableau me dérange, sans que j'arrive à mettre le doigt dessus.

En 1986, je montre à Louise les lettres venues des États-

---

1. Contrairement à la variante dont souffre Scherbius, qui devrait trouver une place de choix dans les manuels de psychiatrie.

2. Dans laquelle, si j'ai bonne mémoire, Nicolas casse le vase du salon en jouant au ballon et ne sait comment annoncer la nouvelle à ses parents.

Unis qui m'ont convaincu que Hollywood s'apprêtait à tourner un film sur Scherbius. Dotée d'une excellente mémoire, elle me fait remarquer que Eugene Henderson est le patronyme du héros du *Faiseur de pluie*, un roman de Saul Bellow. En découvrant la deuxième missive, elle exulte : «Moses Herzog? Mais c'est le héros du livre suivant de Bellow : un homme en proie à la crise de la quarantaine, qui flirte avec l'idée de se faire interner.»

L'histoire du petit Nicolas me revient alors en tête. Nous passons avec Louise le reste de la soirée à chercher les noms des avatars de Scherbius dans un dictionnaire des personnages.

Nous découvrons que Philippe Bridau, l'employé de Manpower, sert sous les ordres de Napoléon dans *La Comédie humaine* de Balzac; que Jacques Thibault, le professeur de latin qui reprend du service après avoir enterré sa mère a déjà perdu la sienne dans la mémorable fresque de Roger Martin du Gard; que le docteur Cottard qui m'aurait mis au monde est un habitué du cercle de Mme Verdurin dans *À la recherche du temps perdu*.

Bien décidé à tirer cette affaire au clair, je charge des collègues de la Sorbonne d'éplucher mon livre, à la recherche de noms ou de situations familières. Les résultats dépassent toutes mes espérances.

Ainsi, l'huissier criant « À bas les propriétaires » apparaît dès 1941 sous la plume de Marcel Aymé.

Les malheurs de Sophie ont fourni à Danielle l'idée de trancher les poissons rouges de son frère[1] ou de prétendre qu'il s'était empiffré de fruits confits.

La scène de l'arrestation est évidemment inspirée du

---

1. Comme me l'avait signalé une certaine Mme Rostopchine à l'époque. Que ne l'ai-je écoutée…

Procès[1]. À noter que, chez Kafka, les deux hommes qui arrêtent Joseph K. au petit matin ont un comportement irréprochable, contrairement aux bourreaux, encore au nombre de deux, qui l'appréhendent « vers neuf heures du soir » et le poignardent « comme un chien » dans une carrière.

Si la description de Dodo les Carreaux (« Immanquablement vêtu de noir, il se déplaçait en rasant les murs. Le cliquetis de son énorme trousseau de clés le précédait ») ne figure pas *stricto sensu* dans *Le petit chose* d'Alphonse Daudet, elle va comme un gant au pétrifiant surveillant général, M. Viot.

Sur une intuition, j'élargis mes investigations à la littérature étrangère et au cinéma.

Michel Ciment, rédacteur en chef de *Positif* et professeur à Paris-VII, note que ma rencontre avec Louise, que Scherbius situe passage Pommeraye, ressemble fort à celle de Lola et Roland Cassard dans le film de Jacques Demy.

Un collègue germaniste détecte dans la SARL Krull un clin d'œil au roman de Thomas Mann, *Les confessions du chevalier d'industrie Félix Krull*, dont le protagoniste est un aigrefin[2]. Il me signale par ailleurs que Hütter, Dinger et Schneider, les trois camarades de classe de Scherbius dans les Vosges, ont fondé le groupe de rock progressif Kraftwerk.

Une prof de civilisation américaine m'informe que Howard, l'intransigeant architecte de la première édition, sort d'un roman d'Ayn Rand intitulé *La source vive*. Elle attire aussi mon attention sur les titres des films dans les-

---

1. Je me reproche d'avoir manqué cette référence, la plus évidente peut-être. Je ne voudrais pas que mes lecteurs me croient inculte. J'ai vu deux fois le film avec Romy Schneider.

2. Là encore, je m'en veux de ne pas y avoir pensé tout seul. Pour ma défense, Romy Schneider ne joue pas dans l'adaptation cinématographique.

quels aurait joué mon correspondant Moses Herzog : *Trop beau pour être vrai* (*Too Good to Be True*) et *La poule aux œufs d'or* (*The Goose That Laid The Golden Eggs*). «Vraiment, dit-elle en pouffant, tu ne t'es douté de rien?»

Non, je ne me suis douté de rien.

Encore aujourd'hui, je ne sais comment interpréter ma trouvaille.

Mon premier mouvement a été de penser que, fatigué d'inventer sans cesse noms, lieux et arbres généalogiques, Scherbius pioche sans vergogne dans les chefs-d'œuvre de la littérature. Pourquoi s'en priverait-il? Sa mémoire le lui permet, et, à condition d'éviter les patronymes comme Julien Sorel ou Emma Bovary, ses chances de se faire pincer sont assez minces.

Plus je considère cette explication, cependant, et plus je la trouve indigne de lui. Un homme capable de compter les cartes au black jack ou d'abuser un spécialiste mondial de l'hypnose ne sous-traite pas sa production romanesque à la comtesse de Ségur.

Et si la vérité était plus simple? Si certaines scènes, certaines situations littéraires étaient si parfaites qu'il était vain de chercher à les améliorer?

Je m'explique.

Quand, en 1977, Scherbius m'avait donné quelques exemples des personnalités qu'il inventait sur sa paillasse de moine, je me souviens m'être extasié devant le cas de «Herbert, l'huissier alsacien, radié de son ordre professionnel le jour où il a gueulé "À bas les propriétaires!" dans une réunion de syndic». Quelle beauté! avais-je pensé à l'époque. L'officier de justice qui mord la main qui le nourrit et préfère perdre son gagne-pain (car sans propriétaires, plus d'huissiers!) que de cautionner plus longtemps cette mascarade qu'on appelle la propriété privée! Comment, m'étais-je demandé, une idée si brillante pouvait-elle germer dans le cerveau d'un adolescent ?

Dans la nouvelle de Marcel Aymé, l'huissier s'appelle Malicorne. Il meurt dans son sommeil et monte au ciel, où saint Pierre, ne le jugeant digne ni du paradis ni de l'enfer, décide de le renvoyer sur terre. Soucieux de son salut, Malicorne se met alors à distribuer son argent aux pauvres, en notant chacune de ses bonnes actions dans un petit calepin. Un jour qu'il voit un butor rudoyer sa locataire, une femme malade incapable de réunir l'argent du loyer, son sang ne fait qu'un tour. « À bas les propriétaires ! » s'écrie-t-il en s'interposant. Hélas, il écope d'un coup fatal et monte à nouveau au ciel, où Dieu et saint Pierre le félicitent pour sa bonne action. « Une bonne action ? s'offusque Malicorne en produisant son carnet. J'en ai commis des centaines. — Non, répond Dieu, les yeux humides, tu n'en as commis qu'une, mais qu'elle était belle ! »

Si le Très-Haut lui-même s'émerveille de l'acte de Malicorne, à quoi bon chercher plus loin ? Quel geste plus héroïque Scherbius pourrait-il prêter à son propre huissier ? Postdater ses commandements à payer ? Fermer les yeux sur l'argenterie pendant une saisie ? Non, il faut savoir admettre ses limites : Marcel Aymé a conçu le destin romanesque le plus élevé pour un officier de justice, instituant du même coup un canon auquel il serait futile de se mesurer.

L'arrestation de Joseph K. ou les poissons émincés me semblent relever de la même logique. Pourquoi s'échiner à imaginer des exemples de cruauté enfantine, quand *Les malheurs de Sophie* nous en fournissent tant d'échantillons immortels ? Et pourquoi déranger une escouade de gendarmes quand deux policiers ont suffi à Kafka pour terrifier des générations de lecteurs ?

Tel un couturier qui nourrit son inspiration en feuilletant

les magazines de mode, Scherbius passe en revue les milliers de personnages de *La Comédie humaine* ou des *Mystères de Paris* pour peupler ses histoires. Il s'approprie, sans se donner la peine de les travestir, ceux qu'il estime totalement aboutis (l'huissier de Marcel Aymé, l'architecte de *La source vive...*) et perfectionne les autres, dans l'espoir secret d'en faire des archétypes aussi durables que Cosette ou Don Juan.

Je décèle en effet chez Scherbius l'ambition de marquer la littérature ou, à tout le moins, de fournir aux auteurs des générations futures un catalogue de personnages dans lequel ils pourront puiser à loisir. Il se vantait qu'une de ses familles d'accueil ait servi de modèle à Jean Dutourd pour le couple de crémiers collabos du roman *Au bon beurre*. À l'évidence, la littérature l'inspire; et si son rêve ultime était d'inspirer la littérature?

Même sans rien publier, il produit une œuvre. Et quelle œuvre! Pour lui, l'art et la vie se confondent. Dans les deux, il cherche du beau, du dépaysement, de l'héroïsme. Il avale tout : les grands maîtres et les petits, les Français et les Russes, Faulkner et Simenon, Raskolnikov et Arsène Lupin. Tous ont quelque chose à lui apprendre : un trait de caractère, un point de folklore, une tournure de phrase... Il pille allègrement, car c'est ce qu'auraient souhaité ses prédécesseurs. Ne dit-on pas que les écrivains forment une grande famille? Lui-même cède d'ailleurs volontiers ses créations au pot commun. Raoul, le marin amoureux d'une putain d'Amsterdam qui se refuse à lui : il en fait don à la collectivité! L'appelé réformé pour excès de zèle : cadeau! Le comptable qui falsifie les comptes d'une entreprise pour le bon motif : il est à vous, monsieur Dostoïevski!

Au cœur de la vision de Scherbius, se dresse une immense bibliothèque, hors du temps et de l'espace, qui contient l'ensemble des livres jamais écrits. Elle est ouverte à tous, aux érudits comme aux lecteurs du dimanche, aux Prix Nobel comme aux scribouillards. On y prend ce qu'on veut – un volume, un chapitre, une métaphore – sans d'autre engagement que celui d'y reverser ses propres textes[1]. Ce postulat admis, la question de la paternité des textes ne se pose plus. Nous sommes tous les auteurs de tous les livres, passés, présents et à venir.

Scherbius n'a rien publié, disais-je. J'aurais dû ajouter : «sous son nom». Je ne puis en effet me départir de l'impression qu'il narre son aventure par ma plume ; qu'il infiltre mes textes tel un passager clandestin[2] ; qu'il me dicte son livre.

L'affection dont il souffre n'admettant aucun précédent dans les annales de la psychiatrie, il m'appartient de la nommer, ou, plus modestement, de proposer deux ou trois appellations, parmi lesquelles la communauté scientifique fera son choix.

Pseudologia fantastica litteraria est évidemment une possibilité. On peut lui reprocher, cependant, d'être limitée à la sphère littéraire, quand Scherbius pioche régulièrement ses références dans d'autres disciplines artistiques, comme le cinéma ou la musique.

Pseudologia fantastica artistica, alors? Cette deuxième proposition ne me séduit pas davantage, d'abord parce qu'elle est déplaisante à l'oreille, ensuite parce qu'elle laisse de côté d'autres domaines de prédilection de Scherbius que sont le sport[3], la politique ou les variétés.

---

1. Sur la question de savoir comment un tel système rétribuerait la propriété intellectuelle, Scherbius est nettement moins disert.

2. Qu'on songe par exemple que son article du *Figaro* représente à lui seul 19 % du volume de la troisième édition.

3. Demandez-lui de nommer onze musiciens baroques italiens et il vous récitera la composition de l'équipe transalpine championne du monde de

Une troisième piste consiste à lui donner mon nom. Asperger, Ganser, Joubert, de La Tourette, les exemples ne manquent pas de génies qui ont accolé leur patronyme au syndrome qu'ils avaient découvert. Cependant, l'article précédant mon nom de famille complique la tâche. «Mal de Le Verrier», par exemple, n'est pas plus satisfaisant que «Mal du Verrier». Dans un souci de conciliation, je serais prêt à accepter un «Mal Le Verrier», ou à partir dans une direction radicalement différente (verriérite, *pseudologia fantastisca leverria*, etc.). Car une chose est sûre : l'orgueil n'a pas de place dans ces questions.

*

J'aimerais, pour finir, dédicacer ce livre à un petit garçon de neuf ans, qui nous a quittés la semaine dernière.

Ce petit garçon, c'était le nôtre, à Louise et moi. Il s'appelait Philippe. Il était notre fierté et notre plus grande joie de vivre.

Il a trouvé la mort dans un accident. On me pardonnera de ne pas en dire plus, afin de protéger notre famille.

J'ai trouvé dans le soutien de mes proches la force de finir ce manuscrit. Louise m'a rappelé que Philippe aimait me voir à mon bureau. J'attendais avec impatience le jour où il serait assez grand pour lire mes travaux. Ce jour ne viendra jamais. À moins, comme le croit Scherbius, que nous ne baignions dans la littérature, dans cette vie et dans la suivante.

---

football en 1934. Réclamez cinq noms supplémentaires et il vous donnera les remplaçants.

N'est pas Faulkner qui veut

Cinq ans ont passé mais je n'ai toujours pas digéré l'affront.

Dans le monde universitaire, l'usurpation d'identité constitue le crime suprême. Seul le plagiat, auquel elle s'apparente en un sens, peut lui être comparé.

Car mon nom est bien plus que mon nom, c'est ma caution, ma réputation, ma carte de visite. Des milliers de Français, qui ont lu le texte de Scherbius mais n'achèteront pas la quatrième édition, m'associeront à jamais à sa théorie inepte.

Mes confrères faux jetons – hélas, il en existe – me félicitent pour mon papier en feignant d'ignorer que je n'en suis pas l'auteur. «Quelle créativité! s'extasient-ils. On se demande où tu vas chercher tout ça!» Leur sourire en coin me met au défi de les détromper. Quand je me sens le courage de leur expliquer par quel concours de circonstances Scherbius a piraté mon livre, ils prennent un malin plaisir à souligner mes maladresses: «Tu ne t'en es pas rendu compte sur les épreuves? Oh, tu ne les as pas relues?» J'explique cent fois la même chose. Le barbecue à Rueil. La négligence coupable d'Aimée. La mort de Philippe. Pendant des mois,

tous les gens que je rencontre me ramènent, volontairement
ou non, à cet été où j'ai perdu à la fois mon fils et mon honneur. De la plus grande tragédie de mon existence, Scherbius a fait une pantalonnade.

Je n'ai pas non plus apprécié son hommage à Philippe[1],
même s'il ne m'a pas échappé que nous avons employé, lui
et moi, des mots relativement similaires. Cela réduirait, pour
certains, la portée de son crime. Tel n'est pas mon avis. Je
n'en tire qu'un seul enseignement, à savoir que le bougre
manque de la plus élémentaire décence.

Comme à son habitude, il me fait passer pour un parfait
abruti. J'ai lu *Le petit Nicolas*, mais pas Thomas Mann, je
m'autoproclame «spécialiste mondial de l'hypnose» et je
fais une fixation sur Romy Schneider. Je suis prêt à toutes
les contorsions pour entrer dans la nomenclature médicale,
y compris à appuyer le terme de «Mal Le Verrier», qui
donne, sans doute à dessein, l'impression que je suis la cause
du trouble et non celui qui l'a découvert.

Ces points mis à part, je suis obligé de reconnaître que
Scherbius imite assez habilement mon style, jusque dans
mon goût immodéré pour les questions rhétoriques et les
notes de bas de page.

Sa prose a de toute évidence pour but de grandir son
auteur et de salir votre serviteur. Paradoxalement, cependant, c'est en écrivant sous un nom d'emprunt qu'il est le
plus sincère et le plus lucide sur son compte. Son texte en
dit long sur ses aspirations et sur la représentation qu'il se
fait de lui-même et mérite, à ce titre, d'être soigneusement
analysé.

---

1. Je remercie en revanche les innombrables lecteurs qui m'ont témoi-
gné leur sympathie dans ces moments difficiles. Ceux à qui je n'ai pu
répondre me pardonneront.

Notons d'abord que Scherbius juge son cas à ce point original qu'il mériterait un nouveau diagnostic. C'est faire preuve d'une arrogance inouïe. Nous avons beau être tous uniques, la névrose du garde-chasse jaloux ou le syndrome de la pâtissière insomniaque ne figurent pas, que je sache, dans le DSM. L'Association américaine de psychiatrie, du reste, ne se penche sur la création d'un nouveau profil qu'à partir d'une centaine de cas répertoriés. Mais on sent que notre homme ne verrait pas d'inconvénient à incarner une catégorie à lui seul. Hubris, quand tu nous tiens…

Je remarque également que Scherbius affiche sa culture avec ce qu'il faut bien appeler une certaine vulgarité. Monsieur a lu Balzac et Dostoïevski, Kafka et Eugène Sue, et il entend bien nous le faire savoir. De peur sans doute que nous soupçonnions son érudition de se limiter à la littérature, il brandit des exemples issus d'autres arts, comme le cinéma ou la musique. Pareille cuistrerie est typique des autodidactes. Scherbius a honte de n'avoir pas fait d'études[1]. Les références dont il parsème si ostensiblement son texte constituent autant de preuves de son insécurité. C'est un peu triste.

Bien triste également cette façon de piller les trésors du patrimoine pour susciter l'admiration. Car, s'il est un point sur lequel je le crois sincère, c'est quand il dit vouloir marquer la littérature. Hélas, n'est pas Faulkner ou Martin du Gard qui veut. Scherbius écrit de façon désespérément quelconque. N'attendez pas de fulgurances sous sa plume. Il n'a ni le sens du rythme, ni celui de la métaphore. Sa ponctuation est approximative, ses constructions d'une lourdeur stupéfiante. Nous lui pardonnerions son indigence stylistique s'il nous éblouissait par la vigueur de son imagination. Or,

---

1. A-t-il même le brevet des collèges ? Je n'en suis pas certain.

que nous apprend ce texte ? Que Scherbius braconne sans scrupules dans nos bibliothèques, qu'il copie, imite, plagie «avec la bénédiction de ses prédécesseurs». Il ne crée rien, il recycle. On lui prête du souffle, il n'a que de la mémoire.

Le choix des personnages qu'il exhume du Panthéon des Lettres en dit long sur ses penchants. «Madame Bovary, c'est moi», répétait Flaubert. À ce compte, Scherbius est une fieffée canaille. Son Malicorne, par exemple, suinte l'hypocrisie par tous les pores de sa peau. C'est un homme en perdition, un renégat qui s'élève contre le système de la société privée qu'il est censé défendre et consigne ses bonnes actions dans un carnet, en prévision de sa rencontre avec saint Pierre. Le parallèle avec l'architecte de *La source vive* n'est pas moins accablant. Têtu comme une bourrique, Howard Roark est un monstre d'égoïsme, réfractaire à l'autorité. Enfin, malgré toute la sympathie que j'ai pour les Israélites, force est de reconnaître que Joseph K. ne fait guère d'efforts pour s'intégrer dans la société. Au total, les tendances narcissiques et antisociales communes à ces trois personnages peignent un portrait extrêmement répugnant de leur instigateur.

Une chose me frappe cependant. Scherbius aurait pu profiter de l'occasion pour inventer quelque supercherie à dormir debout, raconter comment il avait négocié la libération des otages au Liban ou joué au Jokari avec le dalaï-lama. Il aurait pu aussi plaider pour une meilleure répartition des profits de notre collaboration ou tenter de fissurer ma belle entente avec Alice Samuel. Il a remis ces sujets à une autre fois, pour nous dire la seule chose qui lui tient véritablement à cœur, et que je résumerai ainsi, en me mettant, une fois n'est pas coutume, à sa place.

«Parce que son nom figure sur la couverture de ce livre, vous croyez peut-être que c'est Le Verrier qui raconte mon histoire. Erreur : il n'est pas un mot de cet ouvrage que je n'ai choisi. Tantôt j'écris un article dans la presse, en sachant que Maxime ne pourra faire autrement que de l'insérer dans la prochaine édition. Tantôt, comme aujourd'hui, je transmets directement mon texte à l'imprimeur. Le reste du temps, je dicte et Maxime écrit. Je peux toujours prédire quel détail, quelle expression il retiendra dans le fatras d'anecdotes que je déverse sur lui. Je sais comment lui souffler une idée de façon qu'il la croie sienne, citer au détour d'une phrase l'étude américaine que je veux lui voir mettre en pièces. Je le pilote comme un automate. »

Pourquoi Scherbius attache-t-il une telle importance au fait de tenir la plume ? Pas pour les droits d'auteur, auxquels il semble avoir renoncé. Non, il entend simplement choisir la façon dont il nous présente son cas : vivre, littéralement, selon ses termes.

Les TPM ont fait leur temps,
place aux troubles de l'identité de genre

J'ai noté plus haut que Scherbius s'est transformé en crapule le jour où je le déclarais honnête puis en Casanova
après que j'eus exprimé des doutes sur sa sexualité. Il est
tentant de voir dans ce contre-pied systématique une mani-
festation de sa volonté d'échapper à toute tentative de le
définir. Se connaissant mieux que personne, il s'estime le
seul habilité à raconter son histoire. Quiconque, à commencer par moi, prétend le contraire s'expose à un démenti
immédiat.

Que penser pourtant du libre arbitre d'un homme à qui il
suffit d'intimer « gauche » pour qu'il aille à droite ? Scherbius
mènerait-il la vie qu'il mène aujourd'hui si je ne l'avais pas
rencontré ? Pas une journée ne se passe sans que je me pose
cette question.

Mes doutes font, d'une certaine façon, écho à un débat
qui agite actuellement le monde de la psychiatrie. Depuis
la première édition de ce livre, le nombre de cas de TPM
diagnostiqués aux États-Unis a explosé. Le philosophe Ian
Hacking note qu'il n'est pas une grande ville américaine
qui ne compte au moins plusieurs centaines de patients en
traitement. Le nombre de personnalités par malade a suivi

une évolution comparable, les praticiens rivalisant dans les congrès pour le titre honorifique du cas le plus spectaculaire[1].

« L'épidémie », pour reprendre le terme de mon confrère Myron Boor, n'a pas frappé également le monde occidental, tant s'en faut. L'Espagne et la Grande-Bretagne, par exemple, ne comptent qu'une poignée de cas. La France fait figure de pionnière en Europe, grâce, notamment, à l'engouement qu'ont suscité mes travaux.

Il n'en fallait pas plus pour que des scientifiques s'interrogent sur les raisons de l'essor du TPM. Hacking a publié plusieurs articles, que je le presse de réunir dans un livre, ne serait-ce que parce que ses conclusions rejoignent celles du cours que je donne à Paris-VI depuis dix ans. Chocs et traumatismes, argumente-t-il, peuvent altérer les souvenirs de l'individu, lui donnant l'impression qu'il ne les a pas vécus, ou, plus exactement, que c'est un autre que lui, auquel il est relié, qui en a fait l'expérience. Or, deux tendances sont conjointement à l'œuvre depuis une génération : une meilleure compréhension du lien entre mémoire et identité d'une part, et l'émergence de la notion de maltraitance (notamment sur mineur), quasi absente de la littérature scientifique avant 1970, d'autre part. Le psychiatre moderne est donc à la fois plus à même de détecter la survenance d'un traumatisme (tel qu'un viol ou un abandon) et d'en apprécier les conséquences psychiques.

Hacking avance une autre explication, qui ne surprendra pas mes lecteurs. Comme je le disais dès 1983, nommer une maladie est la plus sûre façon de la faire apparaître. Autour de 1975, dans l'hémisphère occidental, il est devenu possible

---

1. Aux dernières nouvelles, la palme revenait à un livreur de pizzas de Los Angeles, avec cent vingt-sept personnalités distinctes.

– au sens de toléré, acceptable – d'abriter des personnalités multiples : c'était un nouveau trouble mental, aussi respectable que l'autisme ou l'agoraphobie. Psychiatres et patients l'ont progressivement intégré dans le spectre des diagnostics. À l'heure où l'anorexie commençait à montrer des signes d'essoufflement, mes confrères américains ont calculé, avec leur opportunisme coutumier, qu'une cure d'unification de personnalité bien menée (c'est-à-dire pas trop vite) pouvait rapporter des milliers de dollars. Le TPM est devenu le produit de l'année, puis de la décennie.

Cela tendrait à prouver que, si certaines maladies se transmettent par le sang ou la salive, d'autres se propagent par la parole[1]. Car les mots contaminent, avec une puissance infectieuse sans équivalent dans la nature. Un discours éloquent peut embraser des millions de personnes, qui n'ont pas besoin de se voir ou de se toucher pour communier dans la même ferveur. Une chanson triste continue de nous serrer le cœur à chaque écoute. Quant à éradiquer le virus, n'y songez même pas : mettre un livre à l'index constitue la meilleure façon d'assurer sa postérité. Nabokov et le marquis de Sade ont survécu à leurs censeurs.

Un simple questionnaire suffit à certains de mes collègues pour implanter l'idée de personnalités multiples dans le cerveau de leurs patients. Avez-vous des absences passagères ? Vous arrive-t-il de perdre le fil d'une conversation ? D'être accusé de mentir alors que vous avez l'impression de dire la vérité ? Au-delà d'un certain nombre de « oui », le verdict tombe et la cure démarre.

Suis-je moi-même tombé dans ce travers ? C'est possible, encore que, dans mon cas, ce soit involontaire. Quand j'avais épuisé tous les autres diagnostics, le TPM restait parfois seul

---

1. Hacking parle joliment de « contagion sémantique ».

en lice. On parle de quelques patients, sans doute pas plus d'une poignée sur les centaines dont j'ai soulagé les misères ; les dommages n'ont du reste jamais été bien méchants.

Pour toutes ces raisons, et au risque de paraître scier la branche sur laquelle je suis assis, je pense que l'avenir du TPM est derrière nous. Le nombre de cas recensés recule depuis 1990, tout comme le nombre de pages que lui consacrent les revues scientifiques. L'effervescence est retombée. Le récent congrès de Barcelone s'est tenu devant des travées à moitié vides, ce qui n'était pas arrivé depuis une foudroyante épidémie de turista à Punta del Este. Selon mes contacts au sein de l'Association américaine de psychiatrie, la prochaine version du DSM regroupera le TPM avec d'autres désordres, en l'affublant d'un nouveau nom : trouble dissociatif de l'identité. Je doute qu'un simple changement cosmétique suffise à redynamiser le secteur.

Signe des temps, mes étudiants se détournent peu à peu des personnalités multiples. Certains ignorent jusqu'aux noms de Sybil ou de Billy Milligan. Ils se passionnent pour les études de genre, un nouveau domaine pluridisciplinaire qui se penche sur la construction du genre dans ses dimensions sociale, anthropologique, historique, psychologique, et j'en passe. « On ne naît pas femme, on le devient », écrivait Simone de Beauvoir dès 1949. Depuis, les chercheurs tentent de débrouiller la part de la biologie de celle du rôle de la société dans l'élaboration de l'identité sexuelle. Ils sont largement financés par les universités américaines, ainsi que par les gouvernements des pays se proclamant sensibles au sort des femmes.

Les psychiatres n'ont pas attendu la permission des mandarins de Berkeley pour se pencher sur ces questions cruciales. Le « trouble de l'identité de genre », par exemple, qui correspond au désarroi que peut ressentir un individu ayant l'impression que le sexe qu'il a reçu à la naissance n'est pas en adéquation avec son identité profonde, a fait son apparition dans le DSM dès 1980. Certains y ont vu, à l'époque, une manœuvre politique pour stigmatiser à nouveau l'homosexualité, qui avait été radiée du DSM en 1974. Je ne partage pas leur point de vue : la dysphorie de genre (le terme savant) relève sans l'ombre d'un doute de la psychiatrie, comme en témoigne la croissance exponentielle du nombre de cas recensés dans les revues spécialisées. Une immense détresse s'exprime, à laquelle nous ne pouvons rester indifférents. Je serai heureux, à mon modeste niveau, de pouvoir faire profiter d'éventuels patients de mon immense expérience en matière de reconstruction psychique.

Curieusement, Scherbius me pousse à m'investir dans ce nouveau secteur. Il me signale des articles et m'a même abonné[1] à *Between the Lines*, la revue californienne de référence. Pour autant que je puisse en juger, sa sollicitude est entièrement désintéressée. Il dit se préoccuper de mon avenir. « Les TPM ont fait leur temps, m'a-t-il écrit récemment. Vous êtes encore jeune, vous pouvez vous réinventer. »

Le conseil émanant d'un expert, j'ai bien l'intention de le suivre.

---

1. La facture, dois-je le préciser, a tout de même atterri sur mon bureau.

SCHERBIUS

MAXIME LE VERRIER

(CINQUIÈME ÉDITION)

Éditions du Sens

1998

À Philippe

PRÉFACE À LA CINQUIÈME ÉDITION

Cette cinquième édition est un peu particulière. En effet, à l'heure où elle paraît, Scherbius est en prison. Jugé pour escroquerie en 1995, il a été condamné, au terme d'un procès à huis clos, à une peine de dix ans, qu'il purge actuellement à la centrale de Saint-Martin-de-Ré.

Je lui rends souvent visite, sans grand mérite d'ailleurs, car je possède une résidence secondaire sur l'île[1], à quelques kilomètres à peine de la prison. Nous discutons, nous échangeons des conseils de lecture, il nous est même arrivé de jouer aux cartes sous l'œil des gardiens (j'ai perdu). Nous entretenons d'excellents rapports, les meilleurs depuis au moins une décennie.

Je le mentionne, car plusieurs lecteurs m'ont écrit pour regretter notre brouille. «Vous ne semblez plus animés par ce désir de faire progresser la science qui rendait votre tandem si sympathique», déplore M. Taillefer, de Beauvais. «Je ne désespère pas d'apprendre un jour de quoi souffre Scherbius, renchérit Mme de Fontaine, de Sceaux. Nous savons

---

1. Une fermette sans prétention, dont la valeur s'est toutefois bien appréciée depuis l'inauguration du pont.

ce qu'il n'est pas – un TPM, un menteur pathologique, une personnalité antisociale – mais, à part ça, nous ne sommes guère plus avancés qu'au premier jour. »

Je comprends mes lecteurs. Nul ne regrette plus que moi le tour qu'ont pris mes relations avec Scherbius. Pour ma défense, cependant, il n'est pas facile de poser un diagnostic serein sur quelqu'un pendant qu'il vous fait les poches !

Le hasard a voulu que Scherbius soit incarcéré à Ré[1]. Il est autorisé à recevoir des visites le mardi et le vendredi. Jusqu'à présent, il a toujours paru content de me voir. Nos tête-à-tête ressemblent plus à des discussions à bâtons rompus qu'à des consultations, mais l'essentiel n'est-il pas que je puisse reprendre mes observations ?

1. Plus exactement, il a emménagé sur l'île une semaine après avoir commencé à purger sa peine à Mont-de-Marsan. Il dit ignorer les raisons de son transfert.

Le crépuscule des TPM

Les dernières années ont encore charrié leur lot de péripéties.

Contre toute attente, Scherbius a accepté de participer à la promotion de la quatrième édition. À défaut de droits d'auteur, il a chèrement monnayé ses interventions dans les médias. Un photoreportage dans *Paris Match* lui a rapporté 50 000 francs, un passage dans l'émission de Mireille Dumas la moitié. Inutile de dire qu'aucun titre n'était prêt à payer le dixième de ces sommes pour s'attacher mes services.

En 1994, j'ai organisé à Ville-d'Avray un colloque intitulé «Le crépuscule des TPM», qui a rassemblé plus de six cents spécialistes venus du monde entier. J'ai expliqué en préambule que notre profession s'était fourvoyée dans les années 80 et que des praticiens indélicats, le plus souvent américains, avaient profité de la fragilité de leurs patients pour les convaincre d'entreprendre de coûteuses cures de réunification de la personnalité. Il ne viendrait à personne l'idée de nier l'existence du TPM, mais les cas attestés sont au fond assez rares. Les géants de la Salpêtrière en avaient recensé une dizaine; sans doute n'en existe-t-il, à un instant donné, guère davantage en Europe.

Les participants, divisés en ateliers, ont tenté d'isoler les raisons de ce mirage collectif. La responsabilité d'ouvrages à thèse comme *Sybil* ou *Billy Milligan* a été pointée du doigt, tout comme celle de l'Association américaine de psychiatrie qui, dès 1979, consacrait une large part de son congrès de Chicago aux personnalités multiples. L'inconstance des éditeurs du DSM a été aussi épinglée : comment un trouble dont il existe cent cas dans le monde a-t-il subitement fait son apparition dans la bible de la profession, pour être abruptement rebaptisé[1] quatorze ans plus tard et, sans doute, bientôt relégué aux oubliettes ?

Avons-nous durant ces trois jours ouvert de nouveaux horizons pour la psychiatrie ? Ce n'est pas à moi de le dire. Ce que je sais, c'est que nous avons effectué, ensemble, l'autopsie la plus sérieuse à ce jour du TPM comme phénomène de société. L'ovation que j'ai reçue au terme du colloque m'a convaincu d'en publier les actes aux Éditions du Sens[2]. J'ai rangé mon exemplaire entre le *Discours de la méthode* de Descartes et *La logique de la découverte scientifique* de Popper.

J'ai donc réorienté mes recherches vers les troubles de l'identité de genre. Je suis déjà très courtisé. La discipline, encore jeune, peine en effet à attirer des experts de mon calibre. Pourtant, mon intuition me souffle que les études de genre sont promises à un grand avenir. Je retrouve dans les congrès l'enthousiasme qui soufflait à Bali ou à Rio au début des années 80. La création à Londres du *Journal of Gender Studies* a été accueillie avec la même allégresse qu'en son temps le numéro spécial TPM de l'*American Journal of*

---

1. En « trouble dissociatif de l'identité » comme je l'avais pressenti.
2. Ils se sont moins bien vendus que ce livre, la faute à un prix de vente probablement un peu élevé.

Clinical Hypnosis. Les symposiums spécialisés refusent du monde. Surtout, les patients affluent.

Sur un autre sujet, Scherbius a réussi à m'emplâtrer de 20 000 francs. Ayant appris que nous projetions, Louise et moi, des vacances aux Antilles, il s'est fait passer pour mon agent de voyages et m'a soutiré mon numéro de carte de crédit afin de garantir la réservation. Quand le véritable vendeur a appelé le lendemain, j'ai immédiatement alerté la police. Tout est vite rentré dans l'ordre. Ma banque a couvert la fraude[1] et, en guise de dédommagement, le voyagiste nous a surclassés en première.

Sur le moment, j'avoue en avoir voulu à Scherbius. Depuis, je lui ai pardonné. L'escroquerie est devenue pour lui une seconde nature, une forme de gymnastique mentale nécessaire à son équilibre. C'est le jour où il cessera d'essayer de me voler que je m'inquiéterai. En attendant, je prends mes précautions. Je vide mes poches avant de lui rendre visite au parloir et j'ai souscrit une brochette d'assurances qui me protègent contre presque tous les actes de malveillance imaginables.

---

1. Ce qui est la moindre des choses, quand on songe au coût annuel des cartes bancaires.

« *Dites à M. le comte*
que la France a besoin de lui »

On se souvient que le procès de Scherbius s'est tenu à huis clos, devant un jury composé de magistrats professionnels. Seuls l'identité du plaignant et le montant de son préjudice avaient alors filtré dans la presse : le comte Armand de Boëldieu avait été délesté d'une trentaine de millions de francs, « dans des circonstances engageant la sûreté nationale ».

Scherbius, qui n'a jamais nié les faits, a accepté de me raconter au parloir comment il avait choisi, puis méthodiquement plumé sa victime. Son récit, que j'ai consigné ci-dessous, dépasse en truculence tous les scénarios échafaudés par les commentateurs à l'époque.

Tout commença en novembre 1992, avec l'élection de Bill Clinton à la présidence des États-Unis. Son épouse, Hillary, s'installa dans le bureau contigu du sien, avec le titre de conseillère.

Il fut vite évident qu'elle ne serait pas une première dame comme les autres. Ambitieuse, avocate de renom, elle débordait d'idées. Durant la campagne, Bill avait prévenu les électeurs qu'en votant pour lui, ils auraient deux Clinton pour le prix d'un. Il n'avait pas menti : sitôt en poste, il nomma Hillary à la tête d'un groupe de travail sur la réforme du système de santé. Il n'en fallut pas plus pour qu'une idée germe dans le cerveau fécond de Scherbius.

Quelques semaines de recherche lui suffirent à identifier sa cible : le comte Armand de Boëldieu, né en 1923, descendant de la dynastie sidérurgique du même nom. Marié à Colette, née de La Rochefoucauld, qui lui donna trois fils, respectivement capitaine de frégate, sous-préfet et prêtre. Ardent patriote, notre homme rejoignit le général de Gaulle à Londres, à l'âge de dix-sept ans. À la Libération, il entra dans l'affaire familiale, qu'il adapta habilement à la nouvelle donne issue de la création de la Communauté européenne du charbon et de l'acier. Le groupe fut nationalisé en 1982 et intégré au géant Usinor. Bien que contestant la valorisation retenue par le gouvernement, de Boëldieu empocha tout de même un milliard. Désormais retiré des affaires, il partageait son temps entre la chasse et divers mandats honorifiques.

Au printemps 1994, Scherbius débarqua, au volant d'une Renault Safrane, sur les terres de sa proie, à Léguillac-de-l'Auche, en Dordogne. Manucuré et rasé de frais, il portait un costume croisé orné du discret cordon rouge de la Légion d'honneur, une cravate sombre et une chevalière. Non seulement il n'avait pas prévenu de sa visite, mais il refusa de révéler son identité au majordome.

— Dites à M. le comte que la France a besoin de lui, lâcha-t-il superbement, avant de s'abîmer dans la contemplation d'une gravure représentant les armes de la famille.

Intrigué, de Boëldieu rejoignit ce drôle de visiteur dans la bibliothèque. Avant qu'il ait pu prononcer le premier mot, Scherbius posa un doigt sur ses lèvres. Le comte fit preuve d'une belle présence d'esprit.

— Sortons, dit-il en s'effaçant devant son invité.

Pendant un moment, les deux hommes déambulèrent en silence dans le parc, perdus dans leurs pensées.

— Je vois que vous n'avez rien perdu de vos réflexes, finit par remarquer Scherbius.

— Résistant un jour, résistant toujours.

— Un état d'esprit qui se perd, malheureusement. On vous surnommait saint Luc, n'est-ce pas ?

— Vous êtes bien informé.

— Appelez-moi Montferrand. Je sais, un nom de code peut paraître puéril en temps de paix, mais ce n'est pas à vous que j'apprendrai que les hostilités ne s'arrêtent pas comme par miracle à la signature des traités.

— La guerre est la continuation de la politique par d'autres moyens, énonça sentencieusement le comte.

Scherbius s'arrêta, comme abasourdi par la sagacité de son hôte.

— Vous ne croyez pas si bien dire. (Il répéta lentement, en détachant les syllabes :) Vous ne croyez pas si bien dire.

Il s'approcha d'un enclos où folâtraient des chevaux, flatta quelques museaux, s'enquit du pedigree d'un pur-sang arabe. De Boëldieu essaya de ramener la conversation vers des sujets moins champêtres.

— Et où exercez-vous vos talents, mon cher Montferrand ?

— Je travaille pour Michel Lacarrière.

Il n'en dit pas plus. Lacarrière était alors le patron de la DGSE, la Direction générale de la sécurité extérieure. Son nom était connu d'une poignée de civils en France. De Boëldieu en faisait partie.

— Je vous écoute, dit-il en baissant instinctivement la voix.

Scherbius fit mine d'hésiter.

— Je m'apprête à vous révéler des secrets pour lesquels d'aucuns seraient prêts à tuer.

— J'ai vu la mort en face : elle ne me fait pas peur.

— Je dois pouvoir compter sur votre discrétion…

— Vous avez ma parole d'honneur.

— Je n'en demande pas plus. Voici mon histoire. Dans les années 60, le SDECE, l'ancêtre de la DGSE, lança un programme baptisé Castor. De tout temps, les services secrets français, comme leurs homologues russes, américains ou chinois, ont recruté de jeunes agents étrangers sur les campus universitaires – des étudiants qui acceptent, tantôt par idéalisme, tantôt par intérêt, de trahir leur patrie. De façon très pragmatique, la CIA et le KGB ciblaient en priorité les garçons, plus susceptibles d'accéder un jour à des postes à responsabilité. Philby, Burgess et consorts, les renégats qui déshonorèrent la couronne britannique, prêtèrent ainsi allégeance à l'Union soviétique dans un dortoir de Cambridge.

— Salauds de communistes, dit le comte pour la forme.

— Le programme Castor reposait sur un postulat tout simple : avec la révolution des mœurs et la généralisation de la pilule, les femmes nées après la guerre allaient faire de plus belles carrières que leurs aînées. Elles se marieraient plus tardivement, auraient à la fois moins d'enfants et des conjoints plus disposés à les seconder dans les tâches ménagères…

De Boëldieu leva les yeux au ciel.

— Les jeunes filles les plus brillantes, en particulier, avaient un boulevard devant elles. Un petit nombre – car elles étaient encore rares à l'époque à intégrer Harvard ou Oxford – se partagerait le contingent de postes d'encadrement réservé au deuxième sexe…

Le comte se frappa brusquement le front.

— Évidemment, Castor en référence à Simone de Beauvoir…

Scherbius sourit.

— On ne peut rien vous cacher. Plutôt que de miser sur cinquante hommes, sans garantie que l'un d'eux dirige un jour une administration centrale ou une grande entreprise, mes prédécesseurs décidèrent de concentrer leurs efforts sur une poignée de jeunes femmes, dont les qualités rendaient le succès quasi inéluctable. Une agente remarquable, nom de code Mistigri, prit la tête de Castor. Elle se heurta d'entrée à un obstacle : les femmes se révélaient en moyenne plus loyales et moins vénales que les hommes. C'est que la défection exige un mépris du danger et un esprit d'aventure typiquement masculins. Mais il en eût fallu davantage pour décourager Mistigri. Au fil des ans, elle affina ses techniques d'approche et perfectionna ses argumentaires. En 1968, elle fit une prise de choix, sur le campus de Wellesley.

— Jamais entendu parler, grommela le comte.

— Normal. C'est une université féminine, située près de Boston. Ni particulièrement grande, ni particulièrement riche. Sa mission : «donner une excellente éducation en sciences humaines aux femmes qui joueront un rôle dans le monde». Pendant un siècle, elle a formé des mères de famille accomplies ; aujourd'hui, ses diplômées arrivent progressivement aux commandes.

De Boëldieu ne semblait guère convaincu. Ni par Castor ni par ce raz-de-marée chassant les femmes des fourneaux pour les installer dans des fauteuils autrefois occupés par les hommes.

— Et votre transfuge s'appelle ?

— J'y viens. C'était une jeune femme en tout point exceptionnelle : intelligente, énergique, prompte à s'indigner mais plus encore à agir. À titre d'exemple, à la mort de Martin Luther King, elle entama des négociations avec la direction de l'école, afin d'ouvrir le recrutement aux étudiantes noires.

Tant ses professeurs que ses camarades lui prédisaient un grand destin.

— Pourquoi mordit-elle à l'hameçon de Mistigri ?

— Parce qu'elle voulait réformer son pays en profondeur et pensait que nous pouvions l'y aider. Les États-Unis comptaient – et comptent encore – un nombre terrifiant de pauvres. Des millions d'Américains vivent sans couverture médicale et devront travailler jusqu'à leur mort, faute d'un système de retraite digne de ce nom.

— Notre jeunesse à nous défile dans la rue en brandissant des pancartes. Je ne sais pas ce qui est pire.

Cette fois, Scherbius prit la peine d'intervenir.

— Je n'aime pas les beatniks plus que vous, monsieur le comte. Mais je constate que les événements de Mai 68 ont suscité, dans l'opinion étrangère, un regain de sympathie envers notre pays. Mistigri en vit sa tâche grandement facilitée.

— Que promit-elle à votre étudiante ?

— De lui donner accès à des documents semi-confidentiels, des notes du Commissariat au Plan, des rapports du Conseil économique et social… Rien de bien méchant.

— Et que nous apportait-elle, de son côté ?

— Rien dans l'immédiat. Souvenez-nous, elle n'avait alors que vingt et un ans. Nous avons croisé les doigts pour qu'elle s'élève rapidement dans la société américaine. Nous n'avons pas été déçus. Elle intégra Yale, où elle obtint son diplôme d'avocate et rencontra celui qui allait devenir son mari, un certain Bill Clinton…

Le comte s'arrêta, pris de vertige. Sur son visage livide se succédèrent en l'espace d'un instant la stupeur, puis l'effroi, et enfin l'admiration.

— Vous comprenez maintenant pourquoi j'ai pris quelques précautions, dit Scherbius en s'asseyant sur un banc, à l'ombre d'un tilleul.

— Hillary Clinton ! hoqueta de Boëldieu. La première dame des États-Unis travaille pour la DGSE...

— Nous ne prononçons jamais son nom ; nous l'appelons Chrysalide. Et puis, elle n'espionne pas vraiment pour notre compte. Disons plutôt que nous entretenons une relation directe, en dehors des canaux diplomatiques habituels. Vous jouez au poker, monsieur le comte ?

— Ça m'arrive.

— Alors, vous comprendrez ce que je veux dire. De temps à autre, Chrysalide souhaite la défaite de son camp. Elle a ses raisons, que nous ne jugeons pas. Tantôt elle a besoin de rabattre le caquet des va-t-en-guerre du Pentagone ; tantôt elle souhaite neutraliser un ennemi politique en lui infligeant une humiliation publique. Dans ces cas-là, elle nous montre discrètement ses cartes, voire celles des Anglais ou des Israéliens s'ils se trouvent à la table. Pour notre pays, le bénéfice peut se révéler colossal.

— C'est-à-dire ?

Scherbius marqua une hésitation.

— Je manquerais à tous mes devoirs... Encore que dans votre position...

— Dans ma position ? Que voulez-vous dire ?

— Que si une personne a le droit d'avoir un aperçu du matériel, c'est bien vous. Bon, il ne vous a pas échappé par exemple que l'armée américaine a essuyé récemment un grave revers à Mogadiscio. Deux hélicoptères Black Hawk au tapis, dix-huit marines tués sous les yeux des caméras de télévision : un vrai carnage. Bill Clinton a annoncé peu après le retrait des troupes américaines de Somalie. Les républicains l'ont taxé de froussard, même les parlementaires démocrates ont jugé la mesure un peu hâtive. Ce qu'ils ignoraient, c'est que Chrysalide était passée par là. L'Afrique doit rester le pré carré de la France, n'est-ce pas ?

— Content de vous l'entendre dire. Est-ce qu'on se mêle de ce qu'ils font dans leur jardin ?

Scherbius esquissa un mince sourire.

— Plus que vous ne croyez. Le 1er janvier dernier, les États-Unis ont ratifié l'Accord de libre-échange nord-américain. George Bush, qui avait été à l'origine des négociations, souhaitait aider les industriels de son pays à installer des usines au Canada, mais surtout au Mexique où la main-d'œuvre est très bon marché. Sans apprécier l'accord, Bill Clinton s'apprêtait à l'entériner au nom de la continuité républicaine, quand Chrysalide lui suggéra d'y insérer deux nouvelles clauses. La première réaffirmait le droit des ouvriers nord-américains à se syndiquer, tandis que la seconde durcissait les réglementations en matière environnementale. Ce que Bush avait donné aux patrons d'une main, Clinton le reprenait de l'autre. L'ALENA, qui effrayait tant les exportateurs européens, avait accouché d'une souris.

Le comte réfléchit aux deux anecdotes qu'il venait d'entendre. Il connaissait assez le monde du renseignement pour savoir ce que de telles opérations avaient d'inespéré. Sans dépenser un centime ou tirer un coup de feu, la France avait enregistré des avancées substantielles. Une chose le turlupinait cependant.

— Que réclame Chrysalide pour ses services depuis qu'elle a emménagé à Washington ?

— Accès à notre savoir-faire en matière de protection sociale. Elle ne le crie pas sur les toits, mais le projet d'assurance-maladie universelle qu'elle vient de présenter au Congrès doit beaucoup à notre chère vieille Sécu.

Le comte émit un petit grognement approbateur. L'arrangement paraissait incroyablement avantageux : des percées géostratégiques bien réelles contre l'architecture d'un

État-providence, dont même les plus fervents partisans soulignaient l'anachronisme.

— Mes félicitations, dit-il. Mais vous n'avez pas besoin de mes éloges. Que puis-je faire pour vous ?

Scherbius embraya, comme s'il n'avait pas entendu la question.

— Du temps où Bill était gouverneur de l'Arkansas, nous échangions sans difficultés avec Chrysalide. Elle sortait en ville sans chauffeur ni gardes du corps. Quand elle passait à Paris, elle descendait à l'Intercontinental et prenait le métro comme n'importe quelle touriste. De son côté, Mistigri faisait plusieurs fois par an le pèlerinage de Little Rock. Les choses ont évidemment bien changé. Chrysalide est désormais constamment escortée. Elle n'appelle plus le plombier ou le ramoneur, ne conduit plus sa voiture au garage, tous ces prétextes classiques qui permettent d'organiser une rencontre sans éveiller les soupçons. Les services secrets ouvrent son courrier, gèrent son agenda, organisent ses voyages… Résultat, nous en sommes réduits à prendre des risques insensés pour la voir deux minutes.

— Vous ne pouvez pas convenir d'un code ?

— Non. On ne demande pas à la première dame des États-Unis de crypter des messages ou de relever des boîtes aux lettres. D'où l'idée de Michel Lacarrière de créer une équipe dédiée, chargée de collecter le matériel fourni par Chrysalide. Malheureusement, il ne peut obtenir le budget correspondant sans révéler le pot aux roses à au moins deux ministres.

— Autant dire la terre entière, renifla le comte.

— En effet. C'est pourquoi il a pensé à vous : un grand patriote, conscient des dangers qui menacent la France, et pour qui le budget de fonctionnement de notre opération, bien qu'élevé, serait relativement indolore.

— Combien ?

— Trente millions de francs la première année, peut-être moins par la suite.

— Tout de même ! À quoi servira cet argent ?

— Nous avons déjà commencé à infiltrer l'entourage de Chrysalide : son coiffeur, sa maquilleuse, sa professeur de yoga travaillent pour nous. Nous contrôlons aussi la mère d'une camarade de classe de Chelsea. Elle s'arrange pour arriver à la même heure que Chrysalide aux goûters d'anniversaire...

Le comte eut un mouvement d'impatience.

— Allons, tout ça ne coûte pas trois milliards !

— J'y arrive. Nous souhaitons pouvoir rencontrer Chrysalide à notre main, et pas seulement le jour d'Halloween ou des réunions de parents d'élèves. D'où l'idée de Mistigri de renverser la perspective : et si, plutôt que de chercher à approcher Chrysalide, nous la faisions venir à nous...

— Comment ?

— En créant une œuvre de charité, basée à Washington, dont elle serait la marraine. Enfance battue, égalité homme-femme, droits des animaux, peu importe la cause...

— Pas l'égalité homme-femme, ne put s'empêcher de glisser le comte.

— Comme il vous plaira. Tant que la dirigeante de l'association peut contacter Chrysalide à tout moment pour solliciter une entrevue. Par souci de crédibilité, la fondation doit compter au moins cinquante employés et être active dans plusieurs États. On peut imaginer, à terme, recueillir des donations, mais, dans un premier temps, c'est à nous d'amorcer la pompe.

— Je suppose que vous avez envisagé d'autres pistes avant de venir me trouver.

— Des dizaines : fonds secrets, opérations extérieures,

soutien à la francophonie… Aucune ne présente les garanties de confidentialité nécessaires. Je ne vais pas vous mentir : vous constituez notre dernier espoir.

De Boëldieu hocha gravement la tête. Il avait déjà pris sa décision. Mais il ne lui déplaisait pas de se faire désirer un peu. Justement, Scherbius reprit la parole.

— Un dernier mot avant que vous me fassiez part de votre décision. Vous comprenez, je pense, que votre nom ne pourra apparaître nulle part. À terme, bien sûr, nous vous décorerons. Une cérémonie privée, en présidence de Michel Lacarrière et, peut-être, du président…

— Peuh ! On ne sert pas sa patrie pour une breloque.

— Non, bien sûr. Encore que ce serait la moindre des choses.

— Dites-moi plutôt quand je peux rencontrer Lacarrière. Je serai à Paris la semaine prochaine.

Scherbius prit un air gêné.

— J'ai bien peur que ce soit impossible. Michel Lacarrière est sous surveillance constante. Il ne se gratte pas une oreille sans que le Mossad et la CIA en soient avertis. Le simple soupçon d'un lien entre vous suffirait à mettre toute l'opération par terre.

— François Léotard, alors ? Ou Juppé ?

— Pardonnez-moi, je me rends compte que je n'ai pas été suffisamment clair : aucun membre du gouvernement n'est au courant de l'existence de Chrysalide.

— Le président ?

— Pas davantage.

— Mais alors qui ?

— Mistigri. Lacarrière. Moi. Et maintenant, vous.

— Et de son côté à elle ?

— Personne.

— Pas même son mari ?

— Surtout pas lui.

De Boëldieu médita ces paroles, en s'efforçant de dissimuler sa griserie à l'idée qu'il appartenait désormais à l'une des confréries les plus sélectes du monde – un club comptant cinq membres, dont le chef de l'espionnage français et la première dame des États-Unis.

Scherbius tira une enveloppe de la poche intérieure de sa veste.

— Michel m'a remis cette lettre pour vous. Je la détruirai quand vous en aurez pris connaissance.

Le maître des lieux chaussa ses lunettes, déchira l'enveloppe et lut attentivement la missive qu'elle contenait. Le directeur de la DGSE commençait par le remercier pour sa générosité, comme s'il n'avait jamais douté de son soutien, avant de dresser une liste effroyablement longue des menaces (missiles balistiques intercontinentaux, armes chimiques, montée de l'islamisme radical...) pesant sur la France. «Depuis un quart de siècle, écrivait-il, notre pays ne parvient plus à défendre efficacement ses intérêts au sein des instances traditionnelles que sont les Nations unies, l'OTAN ou la Communauté européenne. À côté de cela, Chrysalide nous a permis de remporter, pour un coût humain et financier dérisoire, plusieurs victoires décisives en Afrique, aux Antilles et dans les Balkans. Nous espérons, grâce à votre concours, amplifier son action et restaurer au plus vite la place de la France dans le concert des nations. Veuillez croire...»

— Très belle lettre, apprécia le comte en rangeant ses lunettes.

Scherbius se saisit prestement de la missive et l'enflamma avec un briquet. Le vent éparpilla les cendres. Songeur, de Boëldieu reprit :

— Quand il écrit que nous ne pesons plus au sein des

organisations internationales depuis vingt-cinq ans, il fait référence au départ du Général ?

— Naturellement. Il ne peut se permettre d'afficher ses convictions politiques dans sa position. Mais ses collaborateurs savent de quel côté penche son cœur.

Le comte ne voyait pas l'intérêt de différer la bonne nouvelle plus longtemps.

— Sous quelle forme avez-vous besoin des fonds ?

— Des virements. Quinze millions, deux fois par an, vers un compte bancaire américain dont voici les coordonnées. Dans l'idéal, les transferts émaneront de l'étranger. Même le fisc doit ignorer nos agissements.

— Je possède une holding au Luxembourg.

— C'est parfait. Nous entretenons d'excellentes relations avec nos collègues du Grand-Duché.

— Où pourrai-je vous joindre ?

— C'est moi qui vous contacterai.

— Je monte à Paris deux fois par mois…

— Nous n'ignorons rien de votre emploi du temps, monsieur le comte. Je n'entrerai en relation avec vous que lorsque je serai absolument sûr de votre sécurité.

— Est-ce à dire que vous avez des raisons de craindre pour ma vie ?

— Pas à ce stade. Mais vous n'avez qu'un mot à dire pour que je vous affecte une équipe du SPHP[1].

Sous ses airs bienveillants, Scherbius pria pour que son interlocuteur ne le prît pas au mot. Heureusement, de Boëldieu avait sa fierté.

— Ce ne sera pas nécessaire, répondit-il avec panache. Je me défends très bien tout seul.

Scherbius se leva.

1. Le service de protection des hautes personnalités.

— Dans ce cas, il ne me reste qu'à vous remercier pour l'immense service que vous vous apprêtez à rendre à votre pays. Je n'ai qu'un regret : celui de ne pouvoir donner à votre geste le retentissement qu'il mérite.

— Allons, n'en parlons plus, dit le comte, ivre d'humilité.

Le premier virement arriva peu après. Les quinze millions de francs transitèrent par la succursale de Citibank à Washington avant de repartir vers divers établissements des Bahamas. Scherbius se fendit d'un appel à Léguillac-de-l'Auche, en se faisant passer pour un représentant de la piscine municipale de Périgueux.

— Nous avons reçu votre donation, monsieur le comte. Votre largesse n'est pas passée inaperçue du maître-nageur.

De Boëldieu décrypta : la piscine étant le surnom de la DGSE, le maître-nageur désignait Lacarrière. Il dut se retenir de ne pas claironner sa bonne fortune auprès des membres de sa chasse.

Quelques mois plus tard, au Salon du matériel agricole de Libourne, Scherbius accosta discrètement le comte, en pâmoison devant la démonstration d'une trayeuse électrique.

— La semaine dernière, dit-il sans tourner la tête, l'armée américaine a réinstallé au pouvoir le président haïtien, renversé par un coup d'État en 1991. À l'époque, Aristide avait tenté de nous convaincre de lui prêter 30 000 hommes et quelques milliards au nom du bon vieux temps.

— Et puis quoi encore ? grogna le comte, les yeux rivés sur le bidon en fer-blanc qui se remplissait à vue d'œil.

— C'est en substance ce que lui avait répondu Mitterrand. Malgré leur sympathie envers Haïti, nos compatriotes auraient mal compris que nous volions au secours d'une ex-colonie ayant pris son indépendance il y a deux siècles. Le Quai d'Orsay s'était contenté de sauver la tête d'Aristide, en arrangeant son exil au Venezuela. Trois ans plus tard, nous avons atteint notre objectif, sans livrer bataille et en laissant la facture aux Américains.

— Superbe, commenta le comte, sans qu'on sache s'il parlait de la trayeuse ou de l'ingéniosité de nos diplomates.

— Mistigri et Chrysalide se joignent à moi pour vous remercier, dit Scherbius, en regardant toujours fixement devant lui.

— Vous avez parlé de moi à Chrysalide?

— Comment faire autrement? Vous avez transformé sa vie. Elle rencontre désormais Mistigri plusieurs fois par mois et nous tient au courant des progrès des tractations secrètes entre Israël et la Turquie.

Une nouvelle vache succéda à la première. Le temps de poser les gobelets, l'écoulement reprit de plus belle, pour le plus grand plaisir du comte.

— En tout cas, son plan d'assurance médicale a du plomb dans l'aile, fit-il remarquer, en sortant de sa poche une paire de jumelles miniatures.

— Je ne m'en préoccuperais pas trop à votre place. Nous n'avons pas vocation à nous immiscer dans les affaires domestiques américaines.

— Elle a également des démêlés avec la justice…

— Vous faites allusion à l'affaire Whitewater?

— Whitewater, ses spéculations financières, le suicide de son conseiller juridique…

— Elle traîne son lot de casseroles, comme toute personnalité en vue. Et puis, n'oubliez pas que nous l'avons recrutée pour son ambition, pas pour sa vertu.

— Vous avez raison, dit-il en ajustant ses jumelles. Je me suis un peu emporté.

— Je vous en prie. Votre argent est bien employé, c'est tout ce qui compte. À ce propos, n'oubliez pas votre virement. Avant le 15, de préférence.

— Vous pouvez compter sur moi.

Scherbius dit avoir conçu ses premiers doutes à l'issue de cette rencontre. « De Boëldieu, m'expliqua-t-il, est très à cheval sur la morale. Compagnon de la libération, gaulliste, catholique, il attend de ceux qui nous gouvernent une éthique et un comportement irréprochables. Or Hillary Clinton s'est trouvée impliquée dans beaucoup d'affaires – trop, diront certains, pour être totalement honnête. »

Ses inquiétudes se dissipèrent quand arriva le deuxième virement de quinze millions. Il se donna six mois de plus, en espérant que l'actualité lui fournirait un scénario aux petits oignons.

Hélas, il chercha en vain dans les pages du *New York Times* l'opération militaire, la campagne humanitaire ou l'accord commercial qu'il pourrait attribuer de façon plausible à l'influence de Chrysalide. Depuis sa défaite aux élections de mi-mandat, Bill Clinton devait composer avec un Congrès républicain. Il était populaire, ce qui augurait bien de sa réélection, mais plus assez actif pour entretenir la fable d'une Chrysalide tirant les ficelles dans l'ombre.

Toutes les six semaines environ, Scherbius rencontrait son mécène. Tantôt il l'attendait au pied de son avion à Orly, tantôt il sortait d'un fourré, déguisé en chasseur. Il transmettait les salutations du maître-nageur et de Mistigri, et même, une fois, une note manuscrite de Chrysalide.

Faute de succès à se mettre sous la dent, le comte se polarisa sur les rumeurs d'infidélité de Bill qui ressurgissaient périodiquement dans la presse. Durant la campagne de 1992, l'actrice Gennifer Flowers avait révélé avoir eu une longue liaison avec Clinton. C'était à présent une ancienne fonctionnaire d'État qui accusait le président d'avoir abusé d'elle dans une chambre d'hôtel de Little Rock.

« Les fredaines de Bill exaspéraient de Boëldieu, se souvient Scherbius. Il réprouvait aussi le comportement de Chrysalide, sans que je sache s'il attendait d'elle qu'elle serre les dents ou qu'elle demande le divorce. Pour jouer la montre, je lui ai dit que nous avions entamé les démarches afin de l'élever au rang de grand officier de la Légion d'honneur. J'ai prétendu que cela prenait trois à quatre ans en temps normal, mais que j'avais bon espoir, dans son cas, de raccourcir les délais. Ça l'a un peu calmé. À ce stade, j'espérais encore tenir jusqu'au virement suivant. Et puis, le 14 mars, les Russes ont accueilli un astronaute américain à bord de la station Mir. Le comte a explosé : "C'est ça le plan de Chrysalide ? Coloniser la Lune avec les cocos ?" »

« La semaine suivante, il s'est rendu, sans m'en parler, à la bibliothèque de Bordeaux, pour lire tout ce qu'il trouvait sur les époux Clinton. Bien que remontant à 1978, l'affaire des achats sur le marché à terme du bétail l'a mis en transe. À une époque où elle était avocate et Bill procureur général de l'Arkansas, Hillary s'était lancée dans la spéculation boursière. Au terme de plusieurs allers-retours incroyablement risqués, elle avait multiplié sa mise de départ par cent ! Ses adversaires lui reprochaient d'avoir bénéficié d'un effet de levier démesuré, que son courtier n'aurait jamais accordé à un client normal. Elle avait pu prendre des paris énormes, en ne risquant en tout et pour tout que mille dollars. Accessoirement, elle avait oublié de déclarer ses gains. »

Le comte avait fermé les yeux sur le féminisme de Chrysalide, son mépris pour la religion et ses ignobles tailleurs-pantalons ; mais si, maintenant, elle se révélait portée sur la galette, c'était une autre affaire ! La pensée qu'un seul de ses précieux millions puisse tomber dans l'escarcelle de cette pétroleuse et de son cavaleur de mari lui donnait des cauchemars. Il avait besoin d'assurances qu'Hillary ne tape pas dans la caisse. Pour les obtenir, il alla frapper à la porte du maître-nageur, alias Michel Lacarrière.

Scherbius fut interpellé quelques jours plus tard par six militaires en civil, sur le parvis de l'église de Périgueux où il venait d'aborder de Boëldieu. Le juge Camusot, qui présidait à son procès, était celui qui l'avait condamné à de la prison avec sursis après son imposture aux Jeux olympiques. Il lui infligea cette fois-ci une peine de dix ans ferme, le maximum prévu par la loi. Scherbius réussit cependant à ne pas restituer les fonds détournés, ayant eu l'intelligence de saupoudrer de ses largesses quelques officines paramilitaires, dont le ministère public ne souhaitait manifestement pas dévoiler l'existence. Le comte accepta de retirer sa plainte. Le mois suivant, le Journal officiel annonça son élévation au grade de grand officier de la Légion d'honneur, pour « services rendus ».

« *L'homme est condamné à finir seul,*
Maxime »

C'est un Scherbius étrangement philosophe que je rencontre au parloir de la centrale de Saint-Martin-de-Ré, où il vient d'être transféré. Menotté, mais vêtu en civil, il paraît reposé et, pour tout dire, presque décontracté.

— Mon plan avait un défaut de taille, me confie-t-il, quand le gardien l'a libéré de ses liens, il ne reposait pas entièrement sur moi. Non seulement je ne contrôlais pas Chrysalide, mais le comte pouvait à tout moment me faire un enfant dans le dos. Je le surveillais de loin, avec l'aide de Thiriet – vous vous souvenez de lui, le détective de Nancy que vous aviez lancé sur mes traces ? – mais ses communications téléphoniques nous restaient impénétrables. Au fond, les plus belles arnaques se débouclent en un éclair. Une seconde, vous tapez dans le dos de la victime, et la suivante, vous disparaissez dans la foule avec son pognon. J'ai été trop gourmand. J'aurais dû demander trente millions comptant et tirer ma révérence. Enfin, j'aurai appris une leçon.

Je lui demande quel pourcentage du butin il a réussi à mettre de côté.

— Enfin, Maxime, quelle question ! Les juges savent lire.

Je vous le dis donc solennellement : je n'ai rien sauvé du désastre, sinon peut-être vingt-sept ou vingt-huit francs.

Au clin d'œil qui accompagne la dernière phrase, je comprends qu'un joli pactole l'attendra à sa sortie de prison. Justement, comment envisage-t-il les années de captivité qui s'annoncent ?

— Avec une certaine excitation. Un peu de repos me fera le plus grand bien. J'ai accumulé beaucoup de retard dans mes lectures et je n'ai rien publié dans la presse scientifique depuis des lustres. Sans compter la perspective de vous voir régulièrement au parloir.

— Dix ans, tout de même…, ne puis-je m'empêcher de souligner.

— Oh, je ne purgerai pas toute ma peine.

— Vous demanderez votre libération anticipée ?

— C'est ça, ricane-t-il.

— Avez-vous besoin de quelque chose, en attendant ?

— Merci, j'ai ce qu'il me faut. On trouve tout ici. Ah si, les dernières revues sur la théorie du genre. La section «sciences humaines» de la bibliothèque laisse affreusement à désirer.

Durant les trois années suivantes, je rendrai visite à Scherbius environ deux fois par mois. Il paraît toujours heureux de me voir, à part un jour où l'administrateur de la prison m'informe que «le détenu 813 n'y est pour personne». Je lui apporte rituellement un petit cadeau, un exemplaire de *Science* ou le tiré à part de mon dernier article dans le *Journal of Gender Studies*. Il me remercie avec un tuyau boursier que je chasse aussitôt de mon esprit pour ne pas être tenté de le suivre. Nous échangeons des nouvelles. Grâce à son sens des chiffres, Scherbius a été affecté au service comptabilité de la prison, où il s'est rapidement rendu indispensable. Il aide aussi les gardiens à préparer leurs déclarations de revenus et évalue des opportunités d'investissement pour les huiles de l'administration pénitentiaire.

À ce stade de nos relations, je ne prends plus la peine de l'interroger sur sa généalogie ou sur les éventuels traumatismes de son enfance : il m'a trop menti. Des rodomontades sur ses prouesses d'escrimeur ou sa collection de cors de chasse exposée à Buckingham Palace continuent d'émailler sa conversation, mais il s'est globalement assagi. Après vingt ans, nos échanges ressemblent enfin à ceux de vieux camarades.

Je mentirais cependant en disant que tous nos différends appartiennent au passé. Scherbius m'en veut pour la façon dont j'ai étrillé son article sur la *pseudologia fantastica*. Il me reproche de l'avoir traité d'autodidacte – ce qu'il est pourtant, jusqu'à preuve du contraire – et d'avoir insinué qu'il manque d'imagination. Je crois que ce sont moins les allégations en elles-mêmes qui le gênent que le fait qu'il ne peut les réfuter par des actes, contrairement aux fois précédentes, où je le soupçonnais d'être honnête ou sexuellement inexpérimenté. J'aurais, à l'entendre, profité de ma position pour le tourner en ridicule. Or, s'il est bien une chose que ne supporte pas un imposteur, c'est de passer pour un clown[1].

Je rappelle à Scherbius qu'après s'être déjà copieusement payé ma bobine dans *Le Figaro*, il a choisi, pour me perdre de réputation aux yeux de la communauté scientifique, le moment où j'étais le plus vulnérable de mon existence.

— Vous pensiez vraiment que j'allais applaudir votre thèse loufoque ?

— Sans aller jusque-là, vous auriez pu prendre la peine de l'analyser. Vous l'avez rejetée en bloc, en lui déniant d'entrée le moindre mérite.

---

1. « *Of all the things I hate, I hate looking ridiculous the most* », déclare Demara dans *The Great Impostor.*

Je n'insiste pas. Scherbius est manifestement très fier de sa théorie. À quoi bon lui expliquer qu'elle ne tient pas debout et que les annales de la psychiatrie ne mentionnent aucun patient calquant sa conduite sur les chefs-d'œuvre de la littérature ?

Notre deuxième motif d'empoignade porte sur mes droits d'auteur. Scherbius n'en démord pas : je suis un charognard qui se nourrit de son existence. Je lui réplique qu'à ce compte, il devrait cesser de me recevoir.

— Je continue à retranscrire nos entretiens, vous savez ? La conversation que nous avons en ce moment risque de se retrouver dans la prochaine édition. Pourquoi me faciliter ainsi la tâche ?

— Parce que je ne désespère pas de récupérer un jour ce qui m'appartient, répond-il d'un air énigmatique.

Il tient, je le sais, une comptabilité détaillée de mes gains. Il a reconstitué mes taux de droits d'auteur, mes à-valoir de traduction, mon salaire à l'université, les honoraires que je perçois pour mes interventions dans des colloques[1]. Je dois me faire violence pour ne pas corriger les estimations qu'il me soumet et qui pêchent presque toujours par excès d'optimisme. Quand il ne m'applique pas une tranche d'imposition trop favorable, il oublie les cotisations salariales ou la retenue à la source sur les royalties en Allemagne ! Au total, mes revenus nets en ressortent presque doublés.

Rien n'énerve plus Scherbius que lorsque je lui rappelle qu'il est immensément riche et que trois picaillons de plus ou de moins se remarqueraient à peine sur son compte en banque.

— Quel rapport ? s'insurge-t-il. Absout-on les pickpockets qui dévalisent les millionnaires ? Les perceurs de coffres-forts qui sévissent dans les beaux quartiers ?

---

1. L'honnêteté m'oblige à dire qu'il ne prend en compte que les communications et articles le concernant.

— Je n'apprécie pas beaucoup vos exemples. Je n'ai volé personne ! Et la loi est de mon côté.

À ces mots, il lève les yeux au ciel.

— La loi, parlons-en ! Elle n'existe que pour protéger les puissants et les laquais qui leur lèchent les bottes. Quand Villefort a condamné Edmond Dantès à la réclusion à perpétuité, il avait une main sur la Bible et l'autre sur le Code pénal.

Scherbius est obsédé par les récits de vengeance. Il les a tous lus, de *Mathias Sandorf* à *J'irai cracher sur vos tombes*, en passant par *Moby Dick* et *Hamlet*. Mais c'est *Le comte de Monte-Cristo* qui revient le plus souvent dans sa bouche. Comme Dantès, il ourdit inlassablement ses représailles contre les scélérats qu'il rend responsables de son sort : de Boëldieu (qui lui rappelle Fernand Mondego), le juge Camusot (Villefort), et, bien entendu, votre serviteur. Il me compare à Danglars, l'intrigant commis aux écritures qui précipite la chute de Dantès pour s'arroger son poste de capitaine du *Pharaon*.

— Vous avez son arrivisme et sa cupidité, dit-il avec mépris.

Dans mon souvenir, Dantès ruine Danglars, mais lui laisse la vie sauve, contrairement à Fernand et Villefort.

— Je n'exclus aucun châtiment a priori, dit Scherbius. Pas même la mort.

— Allons, vous n'êtes pas un meurtrier !

— Nous sommes tous des assassins en puissance. Relisez *Le crime de l'Orient-Express*.

Je mets ces propos outranciers sur le compte de l'enfermement. Qui sait comment je réagirais si je devais passer les trois mille prochaines nuits dans un cachot[1] ?

---

1. Au-delà de leur insularité commune, la forteresse du roman de Dumas et la centrale de Saint-Martin-de-Ré présentent une troublante

Scherbius dispose d'une des rares cellules individuelles de l'établissement, une pièce de huit mètres carrés aux murs peints à la chaux, dont l'ameublement se résume à un lit étroit, une table, une chaise, une étagère, et un W-C. Il prend ses repas au réfectoire avec les autres détenus. Il travaille cinq jours par semaine, de 9 heures à 17 heures, dans l'aile de l'administration. Il est libre, après cela, de se promener dans la cour, de soulever de la fonte en salle de musculation, ou de regarder la télévision dans le foyer. Il retrouve sa cellule à 21 heures. L'extinction des feux intervient deux heures plus tard. Des services religieux se tiennent le week-end, de même que des compétitions sportives.

Scherbius fraie peu avec les autres prisonniers. Il coupe court aux bavardages, ne joue pas au ping-pong, et ne s'adonne à aucun des trafics habituels de la vie carcérale. Il reste à l'écart des rixes et des luttes de pouvoir, respectant tous les chefs de bande sans prêter allégeance à aucun. Il entretient de bons rapports avec les gardiens, jusqu'à les conseiller sur la façon d'exercer leur métier. En revanche, il ne discute jamais les ordres. « Cela ne sert à rien, m'explique-t-il en haussant les épaules. Avez-vous déjà vu un arbitre de foot revenir sur un carton rouge ? »

À des bribes de conversation interceptées au parloir, je comprends que ses codétenus le prennent pour un caïd bavarois, qui n'a qu'à claquer des doigts pour les faire poinçonner. Leur imagination fait le reste : notre ami sort peu de sa cellule car il prépare un casse dont l'audace ravalera le gang des postiches au rang de voleurs de poules ; il achète la complaisance des matons avec le cash que lui rapportent

---

similitude : un seul homme a réussi à s'évader de chacune, Dantès en prenant la place d'un mort dans un suaire jeté à la mer et un légionnaire suisse, qui se cacha dans la cantine d'un prisonnier libéré.

ses cinq cents gagneuses munichoises ; quant à moi, je tiens le rôle du loyal *consigliere*, qui apporte régulièrement au parrain les comptes de son empire.

Scherbius ne s'ennuie pas. Il bouquine furieusement. Ses lectures se regroupent en trois catégories : les récits de vengeance, les romans-feuilletons du xixᵉ siècle (Sue, Dumas, Dickens, Féval...) et les textes écrits en captivité (*Les Cent Vingt Journées de Sodome*, *Don Quichotte*...). Sinon, il réfléchit. Il feuillette la presse scientifique. Il apprend des langues (le finnois et le swahili, aux dernières nouvelles).

La liberté, me confie-t-il en tirant sur sa cigarette, ne lui manque pas. Pour un peu, il prétendrait être ici de son plein gré. Il est vrai qu'en le voyant arriver au parloir, son exemplaire des *Trois Mousquetaires* à la main, je me fais la réflexion que les murs, les chaînes, les règlements, n'ont pas de prise sur lui. Il lui suffit de fermer les yeux pour être ailleurs, de plisser ses traits, transformer sa voix ou parler une langue étrangère pour devenir un autre.

Mon nouveau domaine de recherche l'intéresse énormément. Il me pointe des failles dans les communications de mes confrères, me suggère des pistes peu ou mal étudiées, où je pourrais imprimer ma marque. « Une riche idée que vous avez eue de vous reconvertir, me dit-il avec d'autant plus d'aplomb qu'il sait avoir influencé ma décision. Le TPM vit ses dernières heures. Avec le genre, vous avez de quoi vous occuper jusqu'à la retraite. Nous n'en sommes qu'au début : attendez que les jeunes et les gauchistes entrent dans la danse ! »

Mais la curiosité de Scherbius dépasse l'aspect strictement académique de mon travail. Il me bombarde de questions sur mes étudiants, mes collègues et, de manière générale, sur les mœurs étranges qui ont cours à Paris-VI. Je lui explique en détail le système de modération des revues scientifiques et l'importance de citer les travaux des chercheurs qui ont le bon goût de se référer aux vôtres. Il se montre aussi bizarrement friand de ragots. Il veut savoir qui couche avec qui, quel directeur de thèse engrosse ses doctorantes, ou pourquoi tel prometteur sociologue italien a brusquement cessé de publier. C'est bien simple, le monde de la recherche universitaire le passionne !

Au risque d'assombrir son humeur, je me sens parfois obligé d'aborder des sujets plus graves. Comme je lui fais remarquer un jour que je ne l'ai jamais entendu parler de se fixer ou d'avoir un enfant, il m'assène une réponse d'une noirceur terrifiante. « L'homme est condamné à finir seul, Maxime. Pourquoi s'encombrer d'un partenaire en attendant la mort ? Un coucher de soleil sur la mer n'est pas plus beau si on le contemple à deux, de même que le bœuf mironton n'est pas moins bon en barquette individuelle. »

Quand je lui oppose la joie que m'ont apportée Louise et Philippe – durant le temps trop court qu'il a passé sur cette terre –, il réplique qu'il ne tient qu'à lui de convoler et d'avoir un enfant. Je ne sais si je dois le prendre au pied de la lettre, ou simplement comprendre qu'il peut à tout moment s'imaginer en père de famille. Dans les deux cas, je le plains de passer à côté d'une des rares consolations que nous offre l'existence.

« À quoi bon vous donner l'illusion
que vous me comprenez ? »

On aura compris que j'ai renoncé à enfermer Scherbius dans un diagnostic, d'abord parce que mes tentatives précédentes se sont soldées par des échecs lamentables, mais surtout parce que j'ai peu à peu acquis la conviction qu'il constitue un cas à part, le produit d'un croisement de gènes capricieux, de traumatismes infantiles, de rencontres fondatrices, bref, un être unique dont le genre s'éteindra avec lui.

Il n'empêche, je continue à m'interroger sur ce qui le meut. Ce n'est pas un hédoniste – il vit moins fastueusement que Monte-Cristo, et, en tout état de cause, bien en deçà de ce que ses moyens lui permettraient. Il ne se drogue pas, ne rêve, à ma connaissance, aucun Dieu. Il ne vote pas aux élections, n'a pas d'amis, d'animal domestique, de terroir, de résidence.

Quand je lui demande s'il souffre, il répond que la question n'a aucun sens. « Nous ne sommes pas faits du même bois, vous et moi. Quand bien même vous m'expliqueriez ce que vous ressentez lorsqu'une revue refuse un de vos articles, quand votre portefeuille boursier se casse la figure, ou si vous surprenez votre femme au lit avec votre meilleur ami, je ne parviendrais pas à éprouver votre douleur. Quels que soient les mots que j'emploierai pour vous décrire le fond de mon âme, ils ne revêtiront pas le même sens pour vous. Franchement, à quoi bon vous donner l'illusion que vous me comprenez ? »

Il poursuit. « Je m'occupe. Je passe le temps. J'attends la mort. Quand je suis las de moi-même, je deviens un autre, puis un autre, puis encore un autre. J'ai oublié d'où j'étais parti. Je vois bien que cela vous dérange. Mais, si cela peut vous rassurer, je ne m'explique pas non plus comment vous vivez. Vos existences sont si linéaires. Monotones. Tristes. Elles feraient de très mauvaises histoires. La mienne, au moins, divertira les générations futures. »

On retrouve dans cet aveu le goût de Scherbius pour le drame, ce penchant invétéré pour les rebondissements qu'il partage avec les feuilletonistes du tournant du siècle. De même que Gaston Leroux s'embarquait à l'aveuglette dans les aventures de Chéri-Bibi, on chercherait en vain un plan directeur derrière les tribulations de Scherbius. Il se laisse guider par ses instincts et résiste rarement à la tentation d'une grosse farce. Si ses actions nous désarçonnent souvent, c'est parce qu'il n'obéit pas aux mêmes motivations que nous. Malgré les apparences, je suis convaincu que le sexe et l'argent le laissent aussi indifférent que la religion ou la famille. Il trouve son plaisir ailleurs, dans une escroquerie compliquée, dans un pseudonyme transparent[1], dans un coup de théâtre à la Jules Verne ou Gustave Le Rouge. Son ennemi, c'est l'ennui. Il s'est interdit une bonne fois pour toutes de vivre deux fois la même journée, de se lever le matin en sachant ce qu'il fera le soir, de jeter un œil à la carte des desserts au début du repas. Son existence est une

---

1. Par exemple, Stéphane Cros (S. Cros = Escroc) ou Claude Leyrat (C. Leyrat = Scélérat).

œuvre d'art, une fresque dont la véritable grandeur n'apparaîtra qu'avec le recul du temps.

J'ai envisagé, au début de sa détention, qu'il puisse souffrir de dépersonnalisation, une forme particulière de dissociation (la famille à laquelle appartient aussi le trouble de la personnalité multiple). Le patient dépersonnalisé se sent parfois observateur extérieur de son fonctionnement mental ou de son corps, comme dans un rêve[1]. Des malades ont aussi décrit l'impression de se retrouver au milieu d'un film[2]. J'ai toutefois rapidement écarté ce diagnostic. Scherbius ne *devient* pas, par moments, observateur de sa vie, il l'est à plein temps. Il n'est pas projeté sur un écran, il est le projectionniste.

Je repense souvent à nos séances boulevard Saint-Germain, quand, éperdu de gratitude et plus jeune de vingt ans, il me secouait la main en me remerciant de me pencher sur son cas. Je crains, hélas, de ne m'être pas montré digne de ses attentes. Non que j'aie démérité. «La psychiatrie ne peut rien pour moi», m'a-t-il récemment déclaré, d'un ton étrangement détaché, comme s'il avait à jamais renoncé à être compris.

Il ne se plaint pas. Tant mieux, car aucun de nous n'est en mesure de l'aider.

---

1. Scherbius prétend ne pas rêver. Il est plus probable qu'il ne se souvient pas de ses rêves, sans doute parce qu'il ne les juge pas suffisamment intéressants. L'absence totale d'activité onirique s'accompagne généralement de troubles visuels (syndrome de Charcot-Willebrand).

2. Les autres symptômes de la dépersonnalisation incluent la déréalisation (l'expérience d'un monde étrange ou extérieur, décrite par Sartre dans *La nausée*) et une altération dans la perception de la taille des objets (macropsie ou micropsie).

SCHERBIUS
(ET MOI)

MAXIME LE VERRIER

(SIXIÈME ÉDITION)

Éditions du Sens

2004

Aux absents, Louise et Philippe

par Alice Samuel, directrice des Éditions du Sens

Pour des raisons sur lesquelles il s'explique dans les pages à venir, Maxime Le Verrier a pris sa retraite, une décision hélas irréversible, qui désolera ses patients, ses collègues et les lecteurs du monde entier qui, depuis un quart de siècle, suivent affectueusement ses tribulations.

Avant de prendre congé de la société des hommes, Maxime m'a fait parvenir un dernier texte empreint de sagesse, aux bons soins de son vieux compère Scherbius. Le voici.

Du pouvoir libérateur de la lecture

Pour la première fois, j'écris ces lignes sans savoir où se trouve Scherbius. Comme chacun le sait, il s'est évadé de la centrale de Saint-Martin-de-Ré en février 1999, après avoir purgé environ un tiers de sa peine. Si les répercussions de son geste – la mise à pied du directeur de la prison, la démission de la garde des Sceaux – sont connues, les circonstances dans lesquelles le détenu 813 a réussi à s'autolibérer de la plus grande centrale de France n'ont, à ce jour, pas été révélées.

J'ai appris la nouvelle avant le public, à l'occasion d'une de mes visites. À l'effervescence qui entoure mon arrivée, je devine immédiatement qu'il se trame quelque chose. L'administrateur à l'accueil m'informe que M. Dupuy, le directeur de l'établissement, va me recevoir. Un gardien désœuvré me guide à travers un labyrinthe de galeries. Dupuy nous attend au bout d'un couloir ; c'est un homme sévère, d'une soixantaine d'années, que je soupçonne, à sa coupe de cheveux et à sa posture rigide, d'être issu de l'armée. Son bureau, qui bénéficie d'une vue fabuleuse sur le port, confirme mon impression. Pas un papier ne traîne ; les fauteuils sont alignés au cordeau ; les murs exempts de toute décoration. Un dossier rouge trône sur la table. Dupuy me fait signe de m'asseoir.

— Vous venez voir le détenu 813, n'est-ce pas ? Alexandre Scherbius ?

— Si tant est que ce soit son vrai nom, ne puis-je m'empêcher de remarquer.

— C'est celui sous lequel il est inscrit chez moi.

Il se donne beaucoup de mal pour dissimuler sa nervosité, mais son ton inutilement cassant, la façon dont il tire sur les manches de sa veste ne m'ont pas échappé. On ne trompe pas un psychiatre blanchi sous le harnais.

— J'ai bien peur que vous ne puissiez rencontrer M. Scherbius aujourd'hui, dit-il en triturant son alliance.

— Pourquoi ? Il est malade ?

— Non. Mais il n'est pas en mesure de vous recevoir.

— Vous l'avez mis au mitard ?

Mon interlocuteur se fend d'un sourire crispé.

— Ces pratiques n'ont pas cours ici, monsieur Le Verrier. Le mitard, le trou, le gnouf – appelez-le comme vous voulez – appartient à une époque révolue, dit-il d'un ton qui laisse entendre qu'il en irait peut-être autrement si on lui avait demandé son avis.

— Alors, vous l'avez transféré ?

Dupuy se mord les lèvres ; notre conversation semble lui être extraordinairement pénible.

— Disons plutôt que M. Scherbius s'est transféré tout seul. Il s'est évadé.

— Quand ? Comment ?

— Je ne suis pas autorisé à vous répondre.

À la façon mécanique dont il a prononcé cette dernière phrase, je comprends qu'il s'apprête à me la resservir jusqu'à la nausée.

— S'est-il enfui seul ?

— Je ne suis pas autorisé à vous répondre.

— A-t-il bénéficié de complicités ?

— Je ne suis pas autorisé à vous répondre. Je puis en revanche vous dire ceci. D'abord, en tant que dernière personne de l'extérieur à avoir rencontré Scherbius, vous serez entendu par la police judiciaire. Ensuite, nous attendons, pour diffuser la nouvelle de son évasion, d'en comprendre les modalités exactes. Enfin, la garde des Sceaux, Mme Guigou, souhaiterait pouvoir compter sur votre discrétion pendant la durée de l'enquête.

Nous y voilà : avec son génie habituel, Scherbius a réussi à transformer son évasion en affaire d'État. Heureusement pour lui, il peut compter sur ma loyauté.

— Dites à Mme Guigou que mon souci sincère de l'obliger ne saurait me faire oublier mes devoirs envers mon patient. Du jour où Scherbius a franchi la porte de mon cabinet, sa santé a pris le pas sur toute autre considération. Je ne saurais, accessoirement, aller trop longtemps à l'encontre de mes propres intérêts. En ma qualité de biographe, je pourrais en effet être amené à relater les événements ayant entouré son évasion, à commencer par cet entretien.

Dupuy me dévisage en soupirant. Sa tentative de bluff a échoué. Il est tombé sur plus fort que lui.

— Rassurez-vous, dis-je, je n'alerterai pas les médias – sauf bien entendu si mon patient me le demande. En attendant, je vous souhaite bien du plaisir pour le retrouver.

Je me lève, pour montrer que c'est moi qui dirige les débats. Dupuy fait mine de me raccompagner, puis se ravise, comme s'il ne voyait plus l'intérêt de me ménager. Je mets longtemps à retrouver la sortie.

Le lundi suivant, je reçois mes patients en consultation. Malgré le succès, les jurys de thèse à présider, les voyages aux quatre coins du monde, les servitudes de l'hôpital, je continue à suivre un petit nombre de malades, souvent d'éminentes personnalités qui se tournent vers moi après avoir épuisé tous les recours de la médecine. Ce matin, ma secrétaire m'informe qu'elle a pris la liberté d'accepter un nouveau client, l'abbé Busoni, qui s'est recommandé d'un autre homme de robe que j'aurais soigné au début de ma carrière, l'abbé Faria. Les références au *Comte de Monte-Cristo* lui sont par bonheur passées au-dessus de la tête.

C'est un Scherbius en soutane et sandales qui se présente à l'heure dite. Il est méconnaissable. Il a beaucoup grossi depuis la dernière fois que je l'ai vu. Le crâne tondu, des poches sous les yeux, les dents jaunies lui ajoutent facilement dix ans. Il m'ouvre les bras. Je me réfugie, sans réfléchir, dans le giron de l'Église.

— J'espère que vous avez pris vos précautions, dis-je en me dégageant de son étreinte. La police m'a interrogé.

— Oh, vous êtes sous surveillance. Vous voyez la fourgonnette blanche devant le fleuriste ?

— Mais alors…

— Je suis entré par la rue des Bernardins. Les caves des immeubles communiquent.

— Asseyez-vous, dis-je en avançant un siège, et racontez-moi ce qui vous amène. L'abbé Busoni envisagerait-il de changer de sexe ?

— Sait-on jamais ? dit Scherbius, en s'installant à son aise. Ce serait l'ultime pirouette, non ?

— Dans l'état actuel de la science, je vous le déconseille. Narrez-moi plutôt comment vous avez faussé compagnie à M. Dupuy.

À ces mots, son visage s'éclaire.

— Vous l'avez rencontré ? Une cible plutôt facile, entre vous et moi. Le genre à foncer tête baissée et à poser les questions ensuite. Dites, ça vous ennuierait de monter un peu le chauffage ? Je gèle là-dessous.

Je maintiens d'ordinaire la température à 19 °C. Par égard pour Scherbius, je pousse un peu le thermostat.

— Merci. Eh bien, une fois de plus, j'ai puisé mon inspiration dans la fiction – en sachant que mes geôliers n'en étaient sans doute guère férus. Creuser un tunnel comme dans *Le trou* ou *La grande évasion* était impossible, tout comme me balancer du haut d'une falaise façon Edmond Dantès. Je me suis donc rabattu sur ce bon vieil Arsène Lupin. Le jour de l'an, j'ai écrit à Dupuy : « Monsieur le Directeur, j'ai l'honneur de vous informer que je libérerai ma cellule le 10 février prochain. En espérant vous montrer par ce préavis le prix que j'attache à nos relations, je vous prie de croire, et cetera, et cetera. » Le choix de la date ne devait rien au hasard : je passais ce jour-là devant la Commission de l'application des peines, sans espoir d'être libéré, mais pour faire reconnaître ma bonne conduite et obtenir, à terme, une remise d'un an ou deux. Pensant qu'on m'avait donné des espérances, Dupuy m'a convoqué pour un cours de procédure pénale. Il en a profité pour faire fouiller ma cellule et celles de mes voisins. Le mois suivant, je n'ai pratiquement pas quitté ma couchette.

— Votre travail ?

— J'avais accumulé des congés. Vous étiez à l'époque en Amérique du Sud...

Mon éditeur brésilien m'avait décroché une interview dans le grand quotidien *O Globo*. S'étaient greffés là-dessus un séminaire avec l'industrie pharmaceutique à Acapulco, un colloque à Buenos Aires et quelques jours de tourisme en Patagonie – au total, un périple harassant que je ne souhaite à personne.

— Le 10 février, reprend Scherbius, deux gardiens sont

venus chercher le détenu qui occupait ma cellule. Après l'avoir menotté, ils l'ont escorté jusqu'à la salle où se réunit chaque mois la Commission de l'application des peines, et lui ont désigné une chaise en fer. « Nom, prénom, matricule », a aboyé ce cher Dupuy. « Basset, Franck, matricule 520 », a articulé l'homme, d'une voix épaisse et fatiguée. Il en aurait fallu davantage pour décontenancer Dupuy. « Je ne me rends pas un compte exact du système de défense que vous avez adopté, Scherbius. Si c'est de jouer les imbéciles et les irresponsables, libre à vous. Quant à moi, j'irai droit au but, sans me soucier de vos fantaisies. » Un des gardiens s'est approché et lui a glissé quelques mots à l'oreille. Dupuy s'est tourné vers le prisonnier : « Comment avez-vous dit que vous vous appelez ? — Franck Basset, monsieur le directeur, matricule 520. » Le gardien a repris la parole, à voix haute cette fois-ci. « Il doit y avoir méprise : Basset est sorti le mois dernier, après avoir purgé cinq ans pour pyromanie. »

— Bon Dieu ! Vous aviez échangé vos cellules ! Du coup, vous êtes sorti le premier, en laissant Basset en carafe.

— J'aurais pu essayer. Ce garçon n'a pas inventé la poudre. Mais je constate encore une fois, mon bon Maxime, que vous ne possédez pas vos classiques, sans quoi vous auriez déjà reconnu le scénario de *L'évasion d'Arsène Lupin*. Le jobard au regard amorphe qui s'est présenté sous le nom de Basset, c'était moi. Depuis un mois, je changeais progressivement d'apparence dans ma cellule. Comme j'avais claironné sur les toits la nouvelle de mon départ, Dupuy n'est pas allé chercher plus loin. Il m'a libéré sans même relever mes empreintes ! « Inutile de dresser des barrages, l'ai-je entendu dire en quittant la salle, Scherbius est déjà loin. »

« C'est bientôt fini »

Je n'ai plus revu Scherbius depuis ce jour. Il ne se cache pas – le terme n'a pas de sens dans son cas ; il voyage, dans des contrées lointaines, que je dois parfois localiser à l'aide d'un atlas, en se jouant des frontières et des contrôles de police. Il a pu passer sous le bistouri d'un chirurgien esthétique, mais j'en doute. Je préfère l'imaginer improvisant des histoires abracadabrantes au comptoir des hôtels et des compagnies aériennes : son passeport a glissé de sa poche quand il a plongé dans la Tamise pour secourir une nonne qui s'était jetée du pont de Westminster ; le secrétaire général de l'Élysée souhaitait tester la suite présidentielle du Ritz-Carlton de Montréal en prévision du prochain sommet de la francophonie ; etc.

Nous échangeons parfois. C'est lui qui me contacte, toujours aux moments les plus inattendus. Je le rappelle depuis une cabine téléphonique éloignée de mon domicile, et nous conversons comme deux copains d'enfance que les aléas de l'existence ont séparés.

Grâce à des mentions éparses, je parviens à reconstituer les grandes lignes de son itinéraire. En 2000, il a remonté le Nil à la voile et tondu des moutons en Nouvelle-Zélande.

Il a fui le Soudan après les attentats du 11 septembre 2001, pour se réfugier en Norvège, où il a affronté l'hiver, calfeutré dans une hutte au bord d'un fjord. Il a passé le plus clair de l'année 2002 en Polynésie, dans des atolls aux noms imprononçables dont il apprenait la langue en pêchant avec les autochtones. En 2003, il a sillonné l'Amérique du Sud à moto et fondé une réserve ornithologique à Belize.

Ses déplacements ne semblent obéir à aucune logique. Qu'il erre dans le désert de Gobi ou se fonde dans la foule tokyoïte, on dirait qu'il se cherche et se fuit à la fois. Car cet homme, qui abrite une armée sous son crâne, est absolument, irrémédiablement, seul. Il n'a pas de semblables, tout au plus des congénères.

« C'est bientôt fini », déclare-t-il parfois. Est-il malade ? Veut-il en terminer avec la vie ? Il élude mes questions. « Vous le saurez bien assez tôt », lâche-t-il, impénétrable.

Dans un entrefilet du *Monde*, dans un fait divers du journal télévisé, je crois parfois reconnaître sa patte. Le conservateur du musée d'Art moderne de Stockholm a remis une toile de Kandinsky à un restaurateur de tableaux français qui s'est présenté à son bureau un jour plus tôt que prévu. Un financier texan a payé sept millions de dollars un certain Kip Chalmers, qui prétendait avoir accès aux délibérations de la Réserve fédérale américaine. La famille royale thaïlandaise a perdu un demi-milliard de dollars sur le marché à terme des céréales, en suivant les conseils d'un gourou qui prédisait une invasion de sauterelles digne de l'Apocalypse. Quand je demande à Scherbius s'il est mêlé à ces affaires, il répond à la manière d'Arsène Lupin : « Que vous puissiez le penser est déjà un honneur. »

J'ignore si notre homme escroque toujours les riches et les puissants mais, avec moi, il semble s'être acheté une conduite. Fini les combines douteuses, les téléacteurs à la voix de miel, les promesses de rendements financiers trop beaux pour être vrais. Je redécouvre le plaisir d'ouvrir les courriers de ma banque, la joie simple de plaisanter avec le livreur de pizzas sans lui chercher à la dérobée une ressemblance avec Pierrot la Carambouille.

Scherbius a reporté ses ardeurs sur le front académique. Il écrit des articles portant sur son cas ou sur l'identité de genre, qu'il adresse en mon nom à des revues scientifiques de plus ou moins haut standing. Les meilleurs textes – et certains n'ont presque rien à envier aux miens – sont publiés tels quels et me sont payés[1], tandis que les autres me reviennent par la poste, me forçant à prendre mon téléphone pour expliquer à l'*American Journal of Psychiatry* ou aux *Annales médico-psychologiques* qu'un farceur a usurpé mon identité.

La nouvelle marotte de Scherbius n'est pas sans me poser des problèmes. Je continue en effet moi-même à publier, avec moins d'assiduité que lui certes[2], mais en ciblant peu ou prou les mêmes titres. L'an dernier, un éditeur anglais a ainsi reçu, à une semaine d'intervalle, deux articles signés de votre serviteur. Le premier (le mien) postulait que les cerveaux masculin et féminin diffèrent significativement dès la naissance, là où, dans le second, Scherbius soutenait[3], sans surprise, que la phénoménale plasticité de notre cortex rend négligeables d'éventuelles nuances anatomiques. Il m'en a coûté un voyage à Londres pour dissiper le malentendu.

---

1. Ce qui me fait dire, plus que n'importe quel autre signe, que Scherbius a bel et bien renoncé à me filouter.

2. La faute sans doute à ma fâcheuse propension à tourner sept fois ma plume dans l'encrier avant d'écrire la première ânerie qui me passe par la tête.

3. En s'appuyant sur une étude fantaisiste de l'université de Tel-Aviv, dont il avait eu soin de joindre le résumé.

Qu'on se le dise, je suis bien l'auteur de tous les articles parus sous mon nom[1]. Cela dit, j'approuve généralement ceux qui ont pu être écrits par Scherbius et que j'ai parfois du mal à distinguer des miens tant il imite parfaitement mon style. Hormis quelques rarissimes divergences comme celle évoquée plus haut, nous parlons d'une seule voix sur les problématiques de genre. D'ailleurs, en vérité, s'il n'avait choisi des voies de traverse, Scherbius aurait pu faire une très belle carrière dans la psychiatrie.

---

1. En tout cas ceux dont j'ai connaissance.

« *À partir de maintenant,*
vous êtes moi, pas vrai ? »

J'ai été surpris et, je l'avoue, flatté que Scherbius reprenne contact avec moi. Cela m'a conduit à m'interroger une nouvelle fois sur la nature de nos rapports. Tour à tour amis, ennemis, adversaires, nous avons traversé les décennies et les modes, divisé l'opinion et diverti les foules, éclairé mes confrères et éduqué les masses. Ni les querelles d'argent ni la mort de Philippe n'ont réussi à nous séparer.

Et pour cause : nos destins sont indissociables.

Scherbius a fait beaucoup pour ma carrière. Grâce à lui, j'ai toujours eu un coup d'avance sur mes confrères. Il a anticipé l'essor puis le déclin des troubles de la personnalité multiple. Il a senti que l'identité de genre, de par ses implications politiques et sociales, allait durablement rebattre les cartes de la recherche psychiatrique. Il m'a également soufflé certaines de mes meilleures idées. La communication qui m'a valu un triomphe au récent congrès « *Born This Way ?* » de Stockholm ? C'est lui[1]. L'idée, reprise par Matignon, d'un groupe d'évaluation pluridisciplinaire des programmes sco-

---

1. Ma contribution s'est limitée à ordonner la bibliographie et réviser la ponctuation ; Scherbius abuse du point-virgule.

laires ? Lui, encore. Quelle ironie, quand on y songe, que le premier patient venu – au sens propre du terme – m'ait ouvert plus d'horizons que tous mes maîtres de la Salpêtrière réunis !

J'ai, de mon côté, joué un rôle crucial à plusieurs moments-clés de son existence. Je l'ai jeté, malgré moi, sur la voie de la délinquance, puis sur celle, potentiellement aussi dangereuse, du donjuanisme. Surtout, Scherbius n'a eu de cesse, pendant un quart de siècle, de me défier, de m'épater, de me provoquer. Ce n'est pas de l'immodestie de ma part que de dire que son existence aurait été bien différente s'il ne m'avait pas rencontré.

Notre relation s'est nourrie de celle qu'ont entretenue avant nous Crichton et Demara. *The Rascal and the Road*, que je relisais récemment, se termine sur une pirouette savoureuse. Demara a décidé de s'exiler à Chicago. À la gare routière de New York, d'où son bus va bientôt s'élancer, Crichton est venu le saluer. Demara baisse sa vitre ; la conversation s'engage, bientôt couverte par le bruit assourdissant du moteur. Les portes du car se ferment ; un dernier salut de la main et Crichton tourne les talons. Mais Demara le rappelle.

— Vous êtes né à Albuquerque le 29 janvier 1925, n'est-ce pas ?

Sur le quai, Crichton opine du chef.

— Puis votre famille a déménagé sur la côte Est, et vous avez vécu à New York et Bronxville, c'est bien cela ?

— Mais oui.

— Après quoi, vous êtes allé dans cet internat de bénédictins dans le Rhode Island, puis à Harvard…

Le bus s'ébranle. Crichton, frappé d'une révélation, se lance à ses trousses et s'écrie à l'adresse de Demara, dont la fenêtre est toujours ouverte.

— À partir de maintenant, vous êtes moi, pas vrai ?[1]

Demara n'esquisse pas un geste. Il est impossible de dire s'il a entendu.

Crichton note alors : «Il pouvait prendre mon nom, il pouvait prendre mon passé – à condition qu'il en fasse quelque chose d'éclatant[2].» Puis, en référence à un poème de Dylan Thomas qu'ils apprécient tous les deux, il s'exclame : «Ne rentrez pas dans le rang, Fred. Tout ce que vous voulez, mais ne rentrez pas dans le rang[3].»

Et l'auteur de continuer. «Assis dans le bus, souriant tranquillement, un doigt posé sur les lèvres, Demara arborait un air que je ne lui avais jamais vu auparavant. M'avait-il entendu ? Je me le demande encore[4].»

Au risque de sembler présomptueux, je crois compter davantage pour Scherbius que Crichton n'a jamais compté pour Demara. Je me considère comme son correspondant au sein de la société. Car, ne lui en déplaise, il ne peut se passer complètement de contacts humains. Lui qui vit dans une valise et n'a jamais eu un toit à son nom retrouvait toujours avec plaisir mon bureau à Jussieu et la gargote de la rue Cujas où Momo, le patron, nous offrait le café en fin de repas.

Il sait aussi que j'ai toujours été de son côté. Il a été mon patient et, d'une certaine façon, il le restera toujours. Je ne me suis pas détourné de lui quand il me volait ou quand ses actions portaient atteinte à ma réputation. Mon affection lui est acquise. Je le comprends sans le juger et lui par-

---

1. « *You're me, is that it? You're me now, aren't you?* »
2. « *He could have my name, he was welcome to my past, just let him do something with it that was bright with life.* »
3. « *Don't go gentle, Fred. I don't care, Fred. Just don't go gentle.* »
4. « *He merely sat up there in the bus, smiling quietly, wearing a look I had never seen him wear before, one finger held over his lips. I wonder if he ever heard me.* »

donne ses maladresses comme j'espère qu'il me pardonne les miennes. Je persiste à penser qu'il souffre ; qu'en dépit de cette liberté souveraine qu'il revendique, il est prisonnier de forces qui le dépassent et auxquelles la science n'a pas encore de remèdes.

Et si Scherbius avait vu juste ?

Il y a quinze ans, Scherbius se disait atteint d'une forme singulière de *pseudologia fantastica*, qui voyait son imagination puiser à la source des grandes œuvres du patrimoine. Avec le recul, je n'ai peut-être pas accordé à cette théorie, en apparence saugrenue, l'attention qu'elle méritait. De nombreux lecteurs m'ont en effet signalé de nouvelles résurgences de la fiction dans les éditions suivantes.

Les sociétés-écrans qui financent le train de vie de Scherbius tirent ainsi leurs noms de nouvelles de Borges. Montferrand, le pseudonyme sous lequel notre homme se présente au comte de Boëldieu, est le supérieur de l'espion Langelot dans la série pour adolescents éponyme ; Mistigri, l'aspirante gironde qui poursuit le même Langelot de ses assiduités. Le détenu 813 – hommage à Maurice Leblanc – occupe en prison des fonctions étonnamment similaires à celles du personnage d'Andy Dufresne dans un récent film de Frank Darabont. Plus tiré par les cheveux, le comte de Boëldieu, rançonné à hauteur de trente millions de francs, est, d'une certaine façon, *L'homme qui valait trois milliards* (de centimes), une allusion oblique à la série télévisée des années 8o. Et je ne parle pas des références à *Monte-Cristo* ou de l'évasion de Saint-Martin-de-Ré sur un scénario d'Arsène Lupin.

La contagion ne s'arrête pas là. M. Taillefer et Mme Fontaine, deux lecteurs que je cite en préambule de la cinquième édition, ont d'illustres homonymes au sein de *La Comédie humaine* de Balzac. De là à penser que Scherbius est l'auteur d'une partie des lettres que je reçois chaque jour, il y a un pas que je ne me suis pas encore résolu à franchir.

Plus étonnant encore, Pierre Marescot, alias Pierrot la Carambouille, est le nom du héros de *La main passe*, un roman de Boileau-Narcejac paru en 1991, cinq ans *après* l'escroquerie dont je fus victime à Roissy. Boileau-Narcejac se sont-ils inspirés de mon tourmenteur pour bâtir leur personnage d'avocat kleptomane ou Scherbius a-t-il réussi, avec le truculent Marescot, à créer un de ces archétypes aussi définitifs que l'huissier de Marcel Aymé ? L'avenir nous le dira.

Alors, *pseudologia fantastica* ou malice de potache ? Peu importe au fond. Ce qui est sûr, c'est que Scherbius possède ses classiques et qu'il se délecte à en farcir le réel. Faut-il y voir un talent ? Une forme de subversion ? Une addiction regrettable ? Je laisse mes lecteurs en décider.

L'heure est venue de tirer ma révérence

J'ai perdu cet hiver la dernière raison qui me rattachait à la vie. Louise, ma mie, ma chère et tendre, a péri dans un accident de voiture.

C'était un jeudi de février, entre chien et loup, à cette heure sournoise où les formes s'estompent et les distances mentent. Il avait plu. Louise s'était endormie un peu après Poitiers, me laissant seul maître à bord.

Scherbius vous dirait que je suis un conducteur prudent ; je freine à l'orange et j'escalade les dos-d'âne au ralenti. À la sortie d'un virage entre Ferrières et Nuaillé, j'ai roulé dans une ornière remplie d'eau. Le choc a jeté la voiture vers la gauche, j'ai instinctivement braqué à droite. Tout s'est enchaîné très vite : la Safrane, hors de contrôle, s'est envolée sur un talus. Au troisième ou quatrième tonneau, ma tête a percuté le volant et j'ai sombré dans le coma.

Je me suis réveillé huit jours plus tard dans une chambre du CHU de Poitiers. L'infirmière a couru chercher le patron du service de traumatologie, qui m'a asséné l'effroyable nouvelle : Louise avait été tuée sur le coup ; on l'avait enterrée la veille au cimetière du Montparnasse, à côté de Philippe.

Je n'essaierai pas de décrire le vide qui m'a envahi à cette annonce. Il faut être passé par ces moments pour comprendre la sidération dans laquelle vous plonge le départ d'un conjoint, d'un enfant, qu'on chérissait et qu'on croyait, naïvement, éternel. On réalise alors – trop tard – que rien d'autre n'avait d'importance, qu'on donnerait tout – les honneurs, les droits d'auteur, la maison à l'île de Ré – pour ramener le disparu, ne serait-ce qu'un jour, ne serait-ce qu'une minute.

Louise et moi étions tout l'un pour l'autre. Nous avions peu d'amis, pour ainsi dire pas de famille. De façon surprenante, la mort de Philippe nous avait encore rapprochés. Nous commencions à préparer notre retraite. Louise voulait découvrir Venise et Saint-Pétersbourg, se perdre dans le grand bazar d'Istanbul et voir le soleil se coucher sur le Taj Mahal ; j'imaginais une existence plus paisible, entre Paris et Ré, les livres et mes chers rosiers. À quoi bon maintenant ? Que ne suis-je mort avec elle dans l'accident ?

J'ai perdu tout intérêt pour mon travail. Je me revois à l'âge de mes étudiants : bardé de certitudes, débordant d'énergie, prêt à tout pour laisser mon empreinte. Qu'ai-je accompli au fond ? J'ai soigné quelques centaines de patients, que mes confrères auraient pu traiter aussi bien que moi. J'ai formé la prochaine génération de praticiens, en leur inculquant une vision de la psychiatrie déjà largement dépassée. Je me suis emballé pour la baudruche des TPM qui s'est dégonflée aussi sec. Mes articles sur le genre sont de moins en moins cités et, bientôt, ne le seront plus du tout.

Non, vraiment, il n'y a pas de quoi fanfaronner.

Reste Scherbius. Ce livre qui porte son nom est au fond la réalisation dont je suis le plus fier. Je me félicite d'avoir suivi le conseil d'Alice Samuel de l'allonger régulièrement, en résistant à la tentation de le réécrire de fond en comble. Ces éditions à répétition auront rythmé ma carrière. Tous les quatre ou cinq ans, je relisais mes notes, organisais mes pensées et tentais d'apporter un semblant de sens au chaos semé par Scherbius.

Il a raison : nous menons de bien pâles existences. Insipides ; sans relief ni talent. Si ma vie a été un peu moins terne que la moyenne, c'est à lui, et à lui seul, que je le dois.

Je prends aujourd'hui officiellement congé de la vie publique. J'ai fermé mon cabinet, adressé[1] mes patients à des confrères, démissionné de l'Enseignement supérieur. Je vendrai bientôt mon appartement et ma maison saturés de souvenirs et je m'installerai à la campagne, où ce que j'ai gagné grâce à Scherbius devrait me permettre de subvenir à mes modestes besoins.

On peut continuer de m'écrire aux Éditions du Sens, sans garantie de réponse. Je surveillerai la publication de mon livre dans les pays où il a été traduit, mais je ne l'étofferai plus. Il restera pour l'éternité ce texte baroque et hétéroclite, dont chaque page semble contredire la précédente.

Scherbius, que j'ai informé de mon plan au téléphone[2], m'a félicité : « Bravo, mon vieux, il est temps que vous viviez un peu. » Lui-même s'apprête à partir très loin, « pour repartir de zéro », si tant est qu'il ait jamais fait autre chose. Je ne parierais pas que nous nous reparlerons un jour.

Une dernière chose. Quelque part entre la troisième et la quatrième édition, mon récit a changé de nature. J'en suis devenu, à mon corps défendant, un des protagonistes, le Laurel de Hardy, le Dupond de Dupont. Je suis entré dans mon livre, au point qu'il me paraît plus juste de rebaptiser celui-ci *Scherbius (et moi)*.

---

1. Gracieusement, est-il besoin de le préciser.
2. Alice Samuel croit l'avoir aperçu aux obsèques de Louise parmi les porteurs du cercueil.